原本
解説
論語(논어)

논어(論語)는, 송(宋)나라 사람 공자(孔子)의 가르침과 그 언행을 후대의 제자들이 집대성한 책으로서, 사서(四書)로 일컬어지는 대학(大學)·중용(中庸)·논어(論語)·맹자(孟子)의 일서(一書)이다.

공자는 그 이름이 구(丘)요, 자(字)를 중니(仲尼)라고 했으며, 유교 정신을 바탕으로 살아온 우리 조상들의 철학과 사상의 중심 세계를 가르친 성인이다.

현대의 물질문명이 우리의 생활을 급격히 변화시키고 있지만, 인간 근본에 자리하고 있는 가치마저 변화시킬 수는 없는 것이다. 물질 문명의 폐단을 현대인은 이미 절감하고 있으며, 흔들리지 않는 인간성의 회복을 우리는 이 고전(古典)에서 찾을 수 있을 것이다.

논어에 깃든 찬란한 인간 정신은 시대를 초월한 인간의 지혜이며 가치이다. 우리가 새롭게 《논어》를 받아 ... 이 이에 있는 것이다.

編者

三綱 (삼강)

父 爲 子 綱 (부 위 자 강)
아들은 아버지를 섬기는 근본이고

君 爲 臣 綱 (군 위 신 강)
신하는 임금을 섬기는 근본이고

夫 爲 婦 綱 (부 위 부 강)
아내는 남편을 섬기는 근본이다.

五倫 (오륜)

君 臣 有 義 (군 신 유 의)
임금과 신하는 의가 있어야 하고

父 子 有 親 (부 자 유 친)
아버지와 아들은 친함이 있어야 하며

夫 婦 有 別 (부 부 유 별)
남편과 아내는 분별이 있어야 하며

長 幼 有 序 (장 유 유 서)
어른과 어린이는 차례가 있어야 하고

朋 友 有 信 (붕 우 유 신)
벗과 벗은 믿음이 있어야 한다.

차례

머리말

이 책은 우리나라 사람들이 일상생활에서 자주 쓰면서도 그 뜻을 잘 모르거나, 잘못 알고 있는 한자말(漢字語)들을 가려 뽑아, 그 본디 뜻과 쓰임을 풀이한 책이다.

공자는 노나라의 성 북쪽 사수(四水) 위에 장사 지내졌다. 공자의 제자들은 모두 3년 상을 지낸 뒤 떠났는데, 다만 자공(子貢)만이 6년 동안이나 머물렀다. 공자가 이(鯉)를 낳았는데 자(字)는 백어(伯魚)였고, 먼저 세상을 떠났다. 백어가 급(伋)을 낳았는데 자(字)는 자사(子思)였고, 후에 《중용(中庸)》을 지었다.

정자(程子)가 말하기를, 「논어(論語)는 유자(有子)와 증자(曾子)의 제자들에 의해 만들어졌기 때문에 이 책에서는 두 사람만을 자(子)라고 일컬었다.」

또, 정자가 말하기를, 「논어를 읽고 나서 아무것도 얻는 것이 없는 사람이 있고, 읽고 나서 그 한두 귀절을 좋아하는 사람이 있고, 읽고 나서 이 책을 좋아하는 사람이 있고, 읽고 나서 좋아 어찌할 바를 모르는 사람이 있다.」

또, 정자가 말하기를, 「요즘 사람들은 책을 읽을 줄 모른다. 논어를 읽었다 하여도 읽기 전과 마찬가지라면, 그것은 읽지 않은 것과 같다.」

또, 정자가 말하기를, 「나는 17, 18세 때부터 논어를 읽었는데, 그 때에도 이미 글의 뜻은 알았지만, 읽으면 읽을수록 그 뜻이 깊음을 깨닫는다.」

● 일러두기

1. 본서에서는, 현대에는 잘 쓰이지 않는 고자(古字)가 있지만 원문(原文)에 충실하고자 하는 노력으로 원문을 될수록 그대로 지켰다.
亡 : 잃을 망, 없을 무
亡也則亡 (금야즉무)
見 : 볼 견, 나타날 현

2. 본서에서는, 한자(字)에 두 가지 이상의 뜻과 음을 가진 자가 많이 나타난다. 이 점에, 그 뜻과 음의 구분을 분명히 했다.
見 : 볼 견, 나타날 현

3. 자(字)가 첫음 [頭音]으로 나타나는 경우 음의 변화가 있다. 이 경우, 음은 통상적인 사용에 따라 조절했다. 또한, 문장의 첫음이 아니라 하여도, 그 발음에서 일상적인 첫 음절로 구분되는 경우에는 위의 예를 따랐다. 습관화된 발음으로 굳어서 일반적으로 사용되는 음도 그에 따랐다.
見義不爲 (견의불위), 欲見孔子 (욕현공자)
立 : 立而不恥者 (입이불치자), 三十而立 (삼십이립)
不 : 不矢 (불실), 不實 (부실), 不周 (불주)

學而(학이)

子曰(자왈) 學而時習之(학이시습지)면 不亦說乎(불역열호)아 有朋自遠方來(유붕자원방래)면 不亦樂乎(불역낙호)아 人不知(인부지)라도 而不慍(이불온)이면 不亦君子乎(불역군자호)아

해설 공자가 말하기를, 「배우고 때로 익히면 또한 기쁘지 않겠는가. 벗이 있어 멀리서 찾아오면 또한 즐겁지 않겠는가. 남이 나를 알아 주지 않더라도 노여워하지 않음이 또한 군자가 아니겠는가.」

즉, 학문과 덕을 스승에게서 배우고, 이를 익혀 스스로의 몸을 갈고 닦아 수신 제가 치국 평천하를 할 수 있는 군자의 인간형을 도야함에 있어, 기쁨이 매우 크다는 뜻이다.

有子曰(유자왈) 其爲人也孝弟(기위인야효제)요 而好犯上者(이호범상자)는 鮮矣(선의)니 不好(불호) 犯上(범상)이요 而好作亂者(이호작란자)는 未之有也(미지유야)니라 君子務本(군자무본)이요 本立而(본립이) 道生(도생)니하나 孝弟也者(효제야자)는 其爲人之本與(기위인지본여)인저

해설 유자가 말하기를, 「효성과 우애가 있는 사람이 윗사람에게 도리에 어긋난 행동을 하는 사람은 드물다. 그리고 윗사람에게 도리에 벗어난 행동을 하지 않는 사람이, 법을 어기고 사회 질서를 어지럽힌 사람은 아직 없었다. 군자는 기본이 되는 일에 힘써야 하며 모든 일에 근본이 서야만 도가 생겨난다. 효성과 우애는 바로 인을 실천하는 근본이다.」

즉, 사람에게 효성과 우애가 있다면 그 사람은 인자이다. 인자는 사회 질서를 어지럽히지 않으며 가장 바람직한 인간이라는 뜻이다.

유자(有子)는 공자의 중심 사상인 인을, 백행의 근본인 효와 우애를 실천함으로서 추구하라고 말하였다.

㈜ 자(子): 덕을 갖춘 남자에 대한 존칭.
　군자(君子): 학식과 덕행이 뛰어난 사람.

子曰 巧言令色이 鮮矣仁이라
자왈 교언영색 선의인

해설 공자가 말하기를, 「교묘한 말과 아첨하는 얼굴빛에는 인이 부족하니라.」

曾子曰 吾日三省吾身하느니 爲人謀而不忠乎아 與朋友
증자왈 오일삼성오신 위인모이불충호 여붕우
交而不信乎아 傳不習乎아
교이불신호 전불습호

해설 증자가 말하기를, 「나는 매일 자신을 세 차례씩 반성한다. 남을 위해서 일을 하는데 있어 정성을 다 하였던가. 벗들과 함께 서로 사귀는 데 신의를 다하였던가. 제대로 익히지 못한 바를 남에게 전하지는 않았던가.」

즉, 사회 생활에서 대인 관계의 중요성을 말하는 것으로, 증자(曾子)는 성실성, 신의 그리고 자기 인격 도야의 과정에 대해 일일삼성(一日三省)을 했다고 한다.

子曰 道千乘之國하되 敬事而信하며 節用而愛人하며 使民
以時니라

해설 공자가 말하기를, 「천승(天乘)의 나라를 다스리는 데 있어서 정사를 신중히 하여 백성들의 신의를 얻
어야 하며, 비용을 절약하여 백성들의 수고를 덜며, 시기를 잘 맞추어 백성을 부려야 한다.」
즉, 공자가 나라를 다스리는 사람에게 강조한 말로서, 백성에게 신의를 심을 것과 불필요한 재정을 익
제하여 부담을 덜어줄 것, 또 국가의 일에 백성을 동원할 때에는 그 시기를 잘 선택할 것 등이다.

子曰 弟子入則孝하고 出則弟하며 謹而信하며 汎愛眾하되 而
親仁이니 行有餘力이어든 則以學文이니라

해설 공자가 말하기를, 「젊은이들은 집에 들어 가면 부모에게 효도하고, 밖에 나가면 어른께 공손하며 모든
일을 삼가고, 남에게 믿음을 주며, 모든 사람을 널리 사랑하되 특히 인자를 가까이하고, 그러고도 남음이 있
으면 글을 배워라.」
즉, 사람이라면 누구나 부모에게 효도하고 어른을을 공경하며 타인에게는 신용을 잃지 않도록 해야 한다. 그
리고 모든 사람을 사랑하고 어진 사람을 가까이 하며 이렇게 하고도 시간이 있으면 비로서 글을 익히라는 뜻
으로, 인의 실천을 중요하게 생각하라는 것이다.

子夏曰 賢賢易色하며 事父母能竭其力하며 事君能致其

身하며 與朋友交하되 言而有信이면 雖曰未學이라도 吾必謂之學矣라

해설 자하(子夏)가 말하기를, 「어진 사람을 어질게 여겨 섬기되 미색(美色)을 좋아하듯 좋아하며, 부모를 섬기되 힘을 다할 것이며, 임금을 섬기되 몸을 바쳐 충성할 것이며, 벗과 사귀되 언행에 믿음이 있으면 상대방이 글을 배우지 않았다 하더라도 나는 반드시 학문이 있는 자라고 말하리라.」

즉, 자하는, 미인을 좋아하듯 어진 사람을 대하고, 부모를 성심껏 섬기며, 목숨을 바쳐 임금을 섬기고, 벗과 사귈 때에는 신의를 갖고 대하는 사람이라면 배움이 없는 자라도 배운 사람으로 대하겠다는 뜻이다.

子曰 君子不重則不威니 學則不固니라 主忠信하며 無友不如己者요 過則勿憚改니라

불(不) : 여기서는 금지의 뜻.

해설 공자가 말하기를, 「군자는 언행이 무겁지 않으면 위엄이 없고, 학문도 견고하지 못하다. 성실과 신의를 주로 삼되 나만 못한 사람을 사귀지 말며, 자신에게 허물이 있거든 고치기를 꺼리지 말라.」

즉, 공자는 덕행이 학문에 선행되어야 함을 강조하고, 수신의 방법을 말하고 있다.

曾子曰 愼終追遠이면 民德이 歸厚矣리라

해설 증자가 말하기를, 「돌아가신 부모를 정성껏 모시고, 조상을 추모하면 백성들의 덕이 두터워질 것이다.」

즉, 살아 있는 부모나 돌아가신 조상에게 효행을 한다면 백성의 덕성이 순해질 것이라는 뜻이다.

子禽이 問於子貢曰 夫子至於是邦也하여 必聞其政니하시 求之與아 抑與之與아 子貢曰 夫子는 溫良恭儉讓以 得之시니 夫子之求之也는 其諸異乎人之求之與인저

해설 자금(子禽)이 자공에게 묻기를, 「선생님(공자)께서 어느 나라에 가든지 그 나라를 통치하는 사람에게서 반드시 정치에 관한 것을 들으시는데, 그것은 선생님께서 스스로 청하신 겁니까? 아니면 그 나라를 다스리는 사람에게서 요청을 받았기 때문입니까?」 자공이 대답하기를, 「선생님께서는 온화하고, 선량하고, 공손하고, 검약하고, 겸양하시기 때문에 스스로 청하신 것입니다. 그러나 선생님께서 듣기를 요구하시는 것은 다른 사람이 청하는 것과는 다릅니다.」

즉, 이것은 공자의 제자 두 사람의 대화이다. 이로서 공자의 온화하고 선량한 성품을 알 수 있다.

㊟ 자금(子禽) : 공자의 제자. 성은 진(陳), 이름은 항(亢).

子曰 父在에 觀其志요 父沒觀其行이나 三年無改於父 之道라야 可謂孝矣니라

해설 공자가 말하기를, 「아버지가 살아 계실 때에는 그 뜻을 살피고, 아버지가 돌아가신 뒤에는 삼 년 동안 아버지가 하던 일을 고치지 말아야 비로소 효자라고 할 수 있느니라.」

즉, 효는 백행의 근본이므로, 부모의 뜻을 거역하지 말고, 「돌아가신 후 삼년 안에 유업을 바꾸지 말라는 뜻이다.

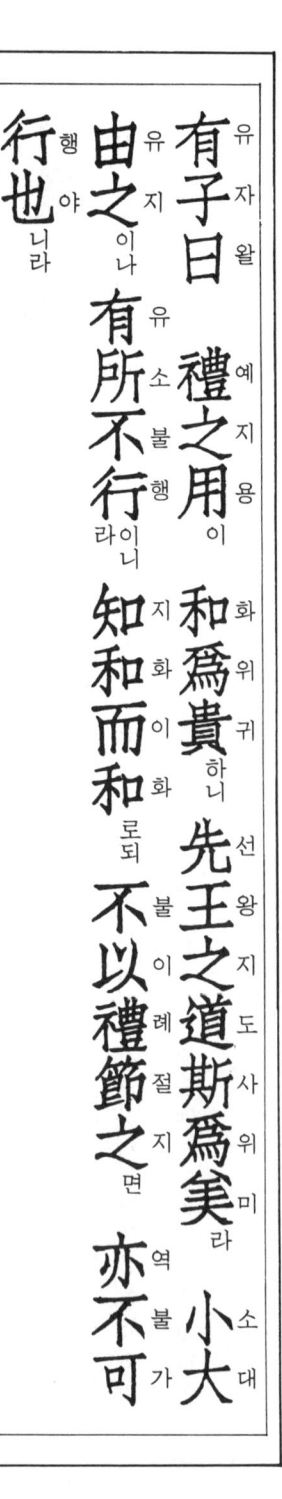

有子曰 禮之用 和爲貴 先王之道斯爲美 小大
由之 有所不行 知和而和 不以禮節之 亦不可
行也

해설 유자가 말하기를, 「예를 지킴에 있어서 조화를 이루는 것이 가장 중요하다. 선왕의 도가 아름답다고 하는 것은 크고 작은 것이 다 이 조화에 기초를 두었기 때문이다. 그러나 조화만 알고 조화에 치우치게 되어, 예로써 조절하지 않으면 또한 순조롭게 이루어지지 않는다.」
즉, 예절과 조화의 관계와 그 중요성을 말하는 것이다.

有子曰 信近於義 言可復也 恭近於禮 遠恥辱
也 因不失其親 亦可宗也

해설 유자가 말하기를, 「약속이 정의에 가까우면 그 말대로 설천할 수 있으며, 공손함이 예에 가까우면 부끄러움과 욕된 것을 멀리하며, 의지하되 친근함을 잃지 않는 사람이면 존경할 만하니라.」
즉, 정의와 예와 친(親)에 대하여 유자가 말한 것으로, 정의로운 약속이면 지켜지기 쉽고, 남을 무조건 예우하면 오히려 욕을 당하는 수가 있다. 또 친구간에도 가벼운 부탁을 저버리지 않을 정도의 친분이라면 매우 좋다는 뜻이다.

註 신(信)… 진실함에서 우러나오는 믿음이란 뜻으로, 사람과 사람 사이의 약속을 말함.
인(因)… 원인이란 뜻으로 많이 쓰이나 여기서는 부탁하다는 뜻으로 쓰였음.
종(宗)… 으뜸이란 뜻.

子曰(자왈) 君子(군자)는 食無求飽(식무구포)하고 居無求安(거무구안)하며 敏於事而愼於(민어사이신어)

言(언)이요 就有道而正焉(취유도이정언)이면 可謂好學也已(가위호학야이)니라

해설 공자가 말하기를, 「군자로써 배불리 먹는 것을 바라지 않고, 편안히 거처하기를 구하지 않으며, 모든 일에 민첩하고 말을 삼가며, 도있는 자에게 나아가 자신을 바로 잡는다면, 학문을 좋아한다고 할 수 있느니라.」

즉, 자기 한 몸의 배부름과 안일한 생활을 바라지 않고, 좋은 일은 곧 실천하되 말을 앞세우지 않으며, 현자를 따라 자신의 잘못을 바로잡으려고 노력하는 사람이야말로 학문을 좋아하는 군자라 할 수 있다는 뜻이다.

[註] 포(飽) : 배부르게 먹음.

子貢曰(자공왈) 貧而無諂(빈이무첨)하며 富而無驕(부이무교)하면 何如(하여)니잇고 子曰(자왈) 可也(가야)나

未若貧而樂(미약빈이락)하며 富而好禮者也(부이호례자야)니라 子貢曰(자공왈) 詩云如切如(시운여절여)

磋(차)하며 如琢如磨(여탁여마)니라하니 其斯之謂與(기사지위여)인저 子曰(자왈) 賜也(사야)는 始可與(시가여)

言詩已矣(언시이의)로다 告諸往而知來者(고저왕이지래자)로다

해설 자공이 말하기를, 「가난하여도 아첨하지 않고, 부유하여도 교만하지 않으면 어떠합니까?」 공자가 말하기를, 「좋은 말이나, 가난하여도 즐거워하며 부유하면서도 예를 좋아하는 사람만은 못하느니라.」 자공이 말

말하기를, 「〈시경〉에 이르기를, 『끊는 것 같고 가는 것 같이 하며, 쪼는 것 같고 닦는 듯이 한다.』고 하였는데, 그것이 바로 이와 같은 것을 두고 한 말입니까?」 공자가 말하기를, 「사(賜)야, 너야말로 함께 시를 논할 만하구나. 정말 너는 옛것을 모두 일러 주었더니 앞을 아는 사람이로다.」

즉, 자공이 자신의 일을 빗대어 공자에게 질문을 하자 공자는 한 수 위에서 가르침을 일깨워 주는 뜻이다.

子曰 不患人之不己知요 患不知人也니라
(자왈 불환인지불기지요 환부지인야니라)

해설: 공자가 말하기를, 「남이 나를 알아 주지 못함을 탓하지 말고, 내가 남을 알지 못함을 걱정하라.」

즉, 수양을 하고 학문을 익히는 것은 자신을 위한 것이라서, 남이 날아주지 않는다고 서운해 할 것은 없으나 내가 남을 잘 알아 보지 못하면 자신을 올바로 평가할 수 없고 발전할 수 없다는 뜻이다.

爲政(위정)

子曰 爲政以德이 譬如北辰이 居其所든 而衆星이 共之니라
(자왈 위정이덕이 비여북신이 거기소든 이중성이 공지니라)

14

해설 공자가 말하기를, 「덕으로써 정치를 하는 것은 마치 북극성이 그 자리에 있고, 여러 별들이 이것을 향해 돌고 있는 것과 마찬가지니라.」 즉, 정치의 이상형은 모든 것을 덕으로 다스리는 것이다.

참 북신(北辰) : 북극성.

子曰 詩三百이 一言以蔽之하니 曰 思無邪니라
(자왈 시삼백이 일언이폐지하니 왈 사무사니라)

해설 공자가 말하기를, 「〈시경〉 3백 편의 내용은 한마디로 말해서 사악한 생각은 하나도 없느니라.」 즉, 고대의 시가는 대개 자연 발생적으로 흘러나오는 순수한 감정이기 때문에 사악함이 없다는 뜻이다.

子曰 道之以政하고 齊之以刑이면 民免而無恥니라 道之以德하고 齊之以禮면 有恥且格이니
(자왈 도지이정하고 제지이형이면 민면이무치니라 도지이덕하고 제지이례면 유치차격이니)

해설 공자가 말하기를, 「법제로써 이끌고 형벌로써 질서를 유지하면 백성들이 형벌을 면하는 것을 수치로 생각하지 않을 것이다. 그러나 덕으로써 인도하고 예로써 질서를 유지하면 수치를 알고 바르게 될 것이다.」 즉, 법은 강요하게 되지만 덕은 감화시키게 한다. 형벌 앞에서는 두려워 복종하지만 예 앞에는 부끄러워 바른 길을 간다는 뜻이다.

子曰 吾十有五而志於學하고 三十而立하고 四十而不惑하고 五十而知天命하고 六十而耳順하고 七十而從心所欲하야 不
(자왈 오십유오이지어학하고 삼십이립하고 사십이불혹하고 오십이지천명하고 육십이이순하고 칠십이종심소욕하야 불)

踰矩 (유구)
호라

해설 공자가 말하기를, 「나는 15세에 학문에 뜻을 두었고, 30세에 모든 기초가 확립되었으며, 40세에 사물의 이치에 대하여 의문나는 점이 없었고, 50세에는 천명을 알았고, 60세에 남의 말을 순순히 받아 들일 수 있었고, 70세에는 마음이 하고자 하는 바대로 행하여도 도에 어긋나지 않았느니라.」
즉, 공자가 말한 자신의 이력 사항들이다.

孟懿子問孝한대 子曰 無違니라 樊遲御러니 子告之曰 孟孫이 問孝於我어늘 我對曰無違호라 樊遲曰 何謂也이까 子曰 生事之以禮하며 死葬之以禮하며 祭之以禮니라

해설 맹의자(孟懿子)가 효에 관해서 묻자, 공자가 말하기를, 「어김이 없어야 효도이니라.」 번지(樊遲)가 수레로 모시자, 공자가 나에게 효에 관해서 묻기에 어김이 없어야 한다고 일러 주었다.」 그러자 번지가 묻기를, 「어떤 뜻으로 그렇게 말씀하셨읍니까?」 공자가 말하기를, 「살아 계실 때에는 예로써 섬기며, 죽은 뒤에는 예로써 장사지내며, 예로써 제사지내는 것이라.」
즉, 효를 행할 때에는 예의에 어긋남이 없이 하라는 뜻이다.

孟武伯이 問孝한대 子曰 父母는 唯其疾之憂라시니

해설 맹무백(孟武伯)이 효에 관하여 묻자, 공자가 말하기를, 「부모는 오직 자식의 병을 걱정하느니라.」
즉, 부모는 오직 자식의 건강함만을 기원하므로 자식도 그렇게 해야 한다는 뜻이다.

16

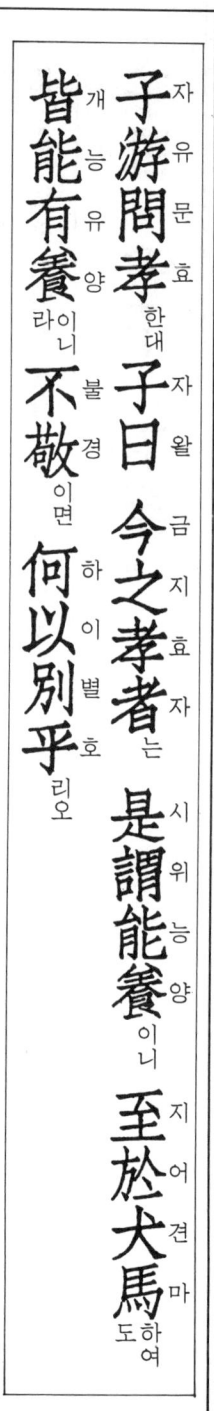

子游問孝한대 子曰 今之孝者는 是謂能養이니 至於犬馬도하여

皆能有養이니 不敬이면 何以別乎리오

해설 자유(子游)가 효에 대해서 묻자, 공자가 말하기를, 「지금의 효라는 것은 부모를 잘 봉양하는 것을 말하고 있는데, 그러나 개와 말 짐승까지도 다 먹여 기르고 있으니, 공경하지 않으면 무엇으로 부모와 짐승을 구별할 수 있겠는가.」

즉, 효란 물질보다도 정성스런 마음에 있다는 뜻이다.

子夏問孝한대 子曰 色難이니 有事어든 弟子服其勞하고 有酒食든이어 先生饌이 曾是以爲孝乎아

해설 자하가 효에 대해서 묻자, 공자가 말하기를, 「부모의 표정을 보고 알아서 행하기는 참으로 어렵다. 무슨 일이 있으면 그 수고를 대신하고, 좋은 술과 맛있는 음식이 생기면 먼저 드시게 하는 것만으로 어찌 효도를 다했다고 하겠는가.」

즉, 힘든 일은 자식이 하여 부모를 편안케 하고 맛있는 음식을 대접하는 것만으로는 효라 할 수 없다는 뜻이다.

子曰 吾與回로 言終日하나 不違如愚러니 退而省其私한대 亦足以發니하나 回也不愚로다

해설 공자가 말하기를, 「내가 회(回)와 더불어 온종일 이야기하였어도 그가 나의 말을 한마디도 되묻지 않아 마치 바보같더니, 그가 물러간 후에 그의 사생활을 살펴보니 내 말대로 실천하고 있더라. 회는 정녕 어리석은 사람이 아니다.」

즉, 공자의 가르침을 들은 다른 제자들은 여러 차례 반문을 하면서 그 이치를 깨닫는데, 안 회(顔回)만이 듣기만하여 어리석은 줄 알았더니 이미 진리를 다 터득하여 실천하고 있었다는 뜻이다.

子曰 視其所以하며 觀其所由하며 察其所安이면 人焉廋哉 人焉廋哉리오

자왈 시기소이 관기소유 찰기소안 인언수재 인언수재리오

註 이(以): 하다(爲)의 뜻으로 쓰임.

해설 공자가 말하기를, 「사람의 그 행동하는 바를 보고, 동기를 살피고, 만족하는 것을 관찰하면 그의 사람됨을 어찌 숨길 수 있으랴. 어찌 숨길 수 있으랴.」

즉, 사람은 언제나 여러 사람의 이목을 받고 살고 있으므로 마음과 행동을 바르게 해야 한다.

子曰 溫故而知新이면 可以爲師矣니라

자왈 온고이지신 가이위사의

해설 공자가 말하기를, 「옛것을 익히고 새로운 것을 알면 능히 남의 스승이 될 수 있느니라.」

즉, 과거를 깊이 연구하고 현실을 예리하게 파악하여, 새로운 길을 창조하고 개척함이 미래를 약속하는 길이라는 뜻이다.

註 온고(溫故): 식었던 것을 다시 데운다는 뜻으로, 옛것을 익힌다는 뜻.

子曰 君子는 不器니라

자왈 군자 불기

18

해설 공자가 말하기를, 「군자는, 한 가지 구실밖에 하지 못하는, 그릇 같은 존재가 아니니라.」
즉, 대개 한 가지 일만 할 줄 아는 전문가나 기술자는 아무리 일에 능하더라도 군자가 아니라는 말이다.

子貢이 問君子한대 子曰 先行其言이요 而後從之니라

해설 자공이 군자에 대해서 묻자, 공자가 말하기를, 「먼저 실행하고 나서 그 다음 말을 하느니라.」
즉, 실천이 앞서고 말이 뒤따라야 군자라는 뜻이다.

子曰 君子는 周而不比하고 小人은 比而不周니라

해설 공자가 말하기를, 「군자는 보편적이되 편파적이 아니고 소인은 편파적이되 보편적이 아니다.」
즉, 군자의 이상은 모든 사람을 보편적으로 사랑하는 것이며 소인은 개인의 이익 여하에 따라서 대인 관계를 하므로 편협하다는 뜻이다.
주(周) : 두루 여러 모로.

子曰 學而不思則罔하고 思而不學則殆니라

해설 공자가 말하기를, 「배우고 생각하지 않으면 오묘한 진리를 이해할 수 없고, 생각하고 배우지 않으면 위태한 사상에 빠지기 쉬우니라.」
즉, 군자의 높은 덕행은 학문과 사색을 병행하는 데서 이룩된다는 뜻이다.
망(罔) : 깊은 이치를 이해할 수 없음을 뜻함.

子曰 攻乎異端이면 斯害也已니라

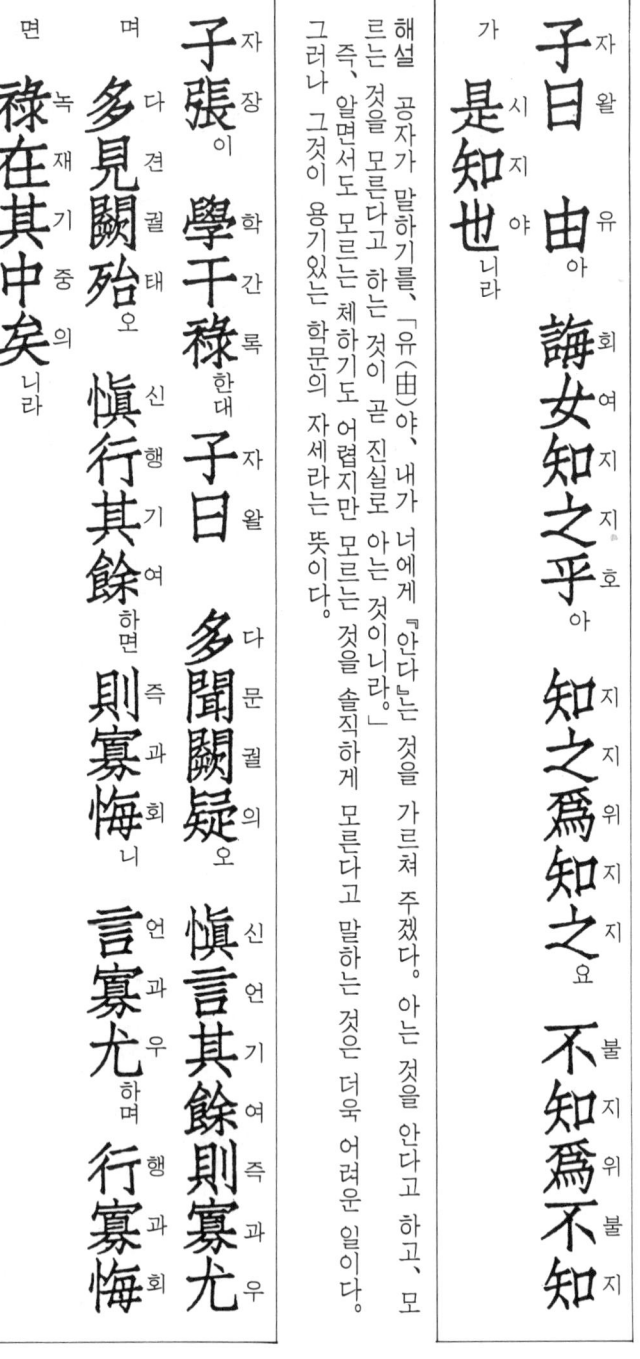

해설 공자가 말하기를, 「이단(異端)을 행하면 해로울 뿐이다.」

즉, 인과 덕으로 이루어진 정통적인 이외의 학설이나 기술을 배우는 것은 도에 어긋나는 것이라는 뜻이다.

子曰 由야 誨女知之乎아 知之爲知之요 不知爲不知 是知也니라

해설 공자가 말하기를, 「유(由)야, 내가 너에게 『안다』는 것을 가르쳐 주겠다. 아는 것을 안다고 하고, 모르는 것을 모른다고 하는 것이 곧 진실로 아는 것이니라.」

즉, 알면서도 모르는 체하기도 어렵지만 모르는 것을 솔직하게 모른다고 말하는 것은 더욱 어려운 일이다. 그러나 그것이 용기있는 학문의 자세라는 뜻이다.

子張이 學干祿한대 子曰 多聞闕疑오 愼言其餘則寡尤하며 多見闕殆오 愼行其餘하면 則寡悔니 言寡尤하며 行寡悔면 祿在其中矣니라

해설 자장(子張)이 간록장(干祿章)을 배우려 하자, 공자가 말하기를, 「많이 들어서 의문을 없애고, 그러고도 남음이 있어 말을 삼가한다면 허물이 적으리라. 많이 보아서 불안함을 적게하고, 그러고도 남음이 있어 행동을 조심해서 후회를 적게 한다면 그 가운데에 녹(祿)이 있느니라.」

즉, 실수 없는 말과 후회 없는 행동이 몸에 배면 저절로 벼슬길이 열린다고 하였다는 뜻이다.

哀公(애공)이 問曰(문왈) 何爲則民服(하위즉민복)이니잇고 孔子(공자)가 對曰(대왈) 擧直錯諸(거직조저)

枉則民服(왕즉민복)하고 擧枉錯諸直則民不服(거왕조저직즉민불복)이라

해설 애공(哀公)이 묻기를 「어떻게 하면 백성의 마음까지 따르게 할 수 있읍니까?」 공자가 대답하기를, 「곧고 올바른 사람을 등용해서 곧지 않은 사람들 위에 놓으면, 백성은 마음까지 복종하지만, 곧지 않은 사람을 등용해서 곧은 사람 위에 앉히면 백성이 진심으로 따르지 않습니다.」

즉, 백성들은 위력 앞에는 굴복하고 덕 앞에는 심복(心服)한다는 뜻으로 민심을 따르게 하는 방법을 말한 것이다.

季康子(계강자)가 問(문)하되 使民敬忠以勸(사민경충이권)하려면 如之何(여지하)이까 子曰(자왈) 臨之(임지)

以莊則敬(이장즉경)하고 孝慈則忠(효자즉충)하고 擧善而教不能則勸(거선이교불능즉권)이니라

해설 계강자(季康子)가 묻기를, 「백성들로 믿음직스럽게 임하면 공경하고 충성하도록 권하려면 어떻게 하여야 합니까?」 공자가 말하기를, 「백성들에게 믿음직스럽게 임하면 공경하게 되고, 부모에게 효도하고 아랫사람에게 자비롭게 임하면 충성하고, 착한 사람을 등용하여 바르지 못한 사람을 가르치면 곧 선행에 힘쓰게 됩니다.」

즉, 세도가에 대한 교훈으로, 백성들이 그를 진심으로 공경하고 충성하게 하려면 덕을 갖추고 솔선 수범해야 하며, 그들에게 따뜻한 사랑으로 대하고 덕이 있는 자를 등용하여 윗자리에 앉혀야 한다는 뜻이다.

或謂孔子曰(혹위공자왈) 子奚不爲政(자해불위정)이니 子曰(자왈) 書云孝乎(서운효호)인저 惟孝(유효)

友于兄弟(우우형제)하며 施於有政(시어유정)하니라 是亦爲政(시역위정)이니 奚其爲爲政(해기위위정)이리오

21

해설 어떤 사람이 공자에게 묻기를, 「선생께서는 왜 정치를 하지 않으십니까?」에 『효도하라, 오직 효도하라, 그리고 형제에게 우애 있게 대하면 네가 하는 일에 늘 정치가 있느니라」고 일렀거늘, 공자가 말하기를, 〈서경〉즉, 효는 바로 그것이 정치를 하는 것인데 어찌 따로 정치를 한다고 할 것인가.」 즉, 효는 인의 근본이며 덕의 근본이고 따라서 정치의 근본이라는 뜻이다.

子曰 人而無信이면 不知其可也라 大車無輗하며 小車無軏이면 其何以行之哉리오

해설 공자가 말하기를, 「사람에게 믿음이 없으면 아무 쓸모가 없는 것이다. 마치 큰 수레에 예가 없고, 작은 수레에 월이 없는 것과 같으니 무엇으로 나아갈 수가 있겠는가.」 즉, 수레와 말이 있다 하여도 명에가 없으면 굴러 가게 할 수 없듯이 사람이 처세함에 있어서 신의가 없으면 살아갈 수 없다는 뜻이다.

子張이 問하되 十世를 可知也이까 子曰 殷因於夏禮하니 所損益을 可知也며 周因於殷禮하니 所損益을 可知也이니 其或繼周者면 雖百世라도 可知也리라

해설 자장이 묻기를, 「십세(十世) 이후의 일을 알 수 있읍니까?」 공자가 말하기를, 「은(殷)나라는 하(夏)나라의 예를 이어받았으니 그 손익된 바를 짐작할 수 있고, 주(周)나라는 은나라의 예를 따랐으니 그 손익

된 바를 짐작할 수 있다. 만약 주(周)나라의 예를 이어받을 왕조가 있다면 백세(百世) 이후라도 알 수 있을 것이니라.」

참 십세(十世) : 열 번 왕조가 바뀌는 것을 말함. 즉, 역사의 변천과정을 살펴보면 먼 미래까지 추측할 수 있음을 뜻하는 것이다.

八佾(팔일)

子曰 자왈 非其鬼而祭之이 비기귀이제지 諂也요 첨야 見義不爲이 견의불위 無勇也니라 무용야

해설 공자가 말하기를, 「조상의 영혼이 아닌 것에 제사 지내는 것은 아첨하는 것이며, 옳은 일을 보고도 행하지 않음은 용기가 없는 것이니라.」 즉, 조상이 아닌데 제사를 지냄은 복을 받기 위한 아첨이요, 자기가 할 수 있는 옳은 일은 반드시 해야 한다는 뜻이다.

孔子謂季氏하시되 공자위계씨 八佾을 팔일 舞於庭하니 무어정 是可忍也인댄 시가인야 孰不可忍 숙불가인 也리오 야

해설 계씨가 자기 집 뒷뜰에서 팔일무(八佾舞)를 추게 하는 것을 보고, 공자가 말하기를, 「이런 일을 감히 해낼진대 무엇을 하지 못하리요.」 즉, 천자(天子)만이 하게 할 수 있는 일을 일개의 세도가가 하니 장차 천자의 자리도 능히 넘볼 수 있는 계씨의 방자함을 탓하는 것이다.

三家者以雍徹니러 子曰 相維辟公이어 天子穆穆을 奚取 於三家之堂인고

해설 삼가(三家)의 사람들이 옹가를 부르며 제사를 끝내자, 공자가 말하기를, 「〈시경〉에 말하기를 『제후는 제사를 돕고 천자는 매우 흐뭇한 표정이라』고 하였거늘, 어찌 삼가의 사당에 이를 취하며 쓰는가.」 즉, 천자의 제사 때 쓰는 노래를 삼환(三桓)이 외람되게도 자기 조상의 제사에 도용함을 보고 그 무례함을 탓하는 것이다.

子曰 人而不仁이면 如禮에 何며 人而不仁이면 如樂何오

해설 공자가 말하기를, 「사람이 어질지 않으면 예의가 바른들 무엇하며, 즐거워 한들 무슨 소용이 있겠는가.」 즉, 예와 악은 마음을 어질게 하기 위해 필요한 것인데 마음은 악한 대로 두면서 예악(禮樂)만을 갖추면 아무 소용이 없다는 뜻이다.

林放이 問禮之本한대 子曰 大哉라 問이여 禮與其奢也론

24

寧儉이요 喪與其易也론 寧戚이니라

해설 임방(林放)이 예의 근본에 대해 문자, 공자가 말하기를, 「훌륭한 질문이다. 예는 사치하기보다는 차라리 검소해야 하고, 부모의 상을 당하면 형식을 갖추기보다는 진심으로 슬퍼해야 하느니라.」

즉, 예의 근본은 형식보다는 마음 속에서 우러나오는 성의라는 뜻이다.

㈜ 임방(林放): 노나라 사람으로 공자의 제자.

子曰 夷狄之有君이 不如諸夏之亡也니라

해설 공자가 말하기를, 「오랑캐 나라에 임금이 있는 것이 중국 여러 나라의 임금이 없는 것보다도 못하니라.」

季氏旅於泰山이러니 子謂冉有曰 女弗能救與아 對曰 不能이로소이다 子曰 嗚呼라 曾謂泰山이 不如林放乎아

해설 계씨가 태산에서 산제를 지내려 하자, 공자가 염유에게 말하기를, 「너는 계손씨를 죄에서 구해 낼 수 없겠느냐?」 대답하기를, 「구해 낼 수 없나이다.」 그러자 공자가 탄식하기를, 「슬프도다. 태산의 산신이 예의 근본을 물은 임방(林放)만도 못하단 말인가.」

즉, 임금만이 제사지낼 수 있는 태산에 신하의 신분인 계씨가 제사지낸다는 소식을 듣고 그의 무례함을 탓하는 것이다.

子曰 君子無所爭이나 必也射乎인저 揖讓而升하야 下而飲

25

其爭也君子니라

해설 공자가 말하기를, 「군자는 다투는 일이 없으나, 활을 쏘는 데에 있어서는 그렇지 않다. 서로 읍(揖)하며 사양하여 올라가고 내려와서는 술을 마시나, 그 활쏘기에서의 다툼은 실로 군자 다우니라.」 즉, 활쏘기는 육예(六藝) 가운데 하나이다. 그것을 하다가는 부득이 다투게 되지만 예를 잃지 않으면 군자다운 다툼이라는 뜻이다.

子夏問曰 巧笑倩兮며 美目盼兮여 素以爲絢兮니라하니 何謂也니꼬 子曰 繪事後素니라 曰 禮後乎인저 子曰 起予者는 商也로다 始可與言詩已矣로다

해설 자하가 묻기를, 「〈시경〉에 『방긋 웃는 웃음에 입술이 곱기도 하고, 아름다운 눈동자가 더욱 고우니, 마치 흰 바탕에 채색을 한 것 같구나.』하고 말한 것은 무슨 뜻입니까?」 공자가 말하기를, 「그림을 그리는 데에 있어서 흰 바탕에 채색을 하여 아름답게 됨을 말하는 것이니라.」 공자가 말하기를, 「나를 일깨워 주는 사람은 바로 너로구나. 비로소 너와 더불어 시를 논할 만하다.」 즉, 형식에 치우치는 근본 바탕인 덕이 중요하므로 사람은 덕을 먼저 쌓아야 한다는 뜻이다.

図 교소(巧笑) : 여인이 방긋 웃는 모습을 나타낸 말.

子曰 夏禮吾能言之나 杞不足徵也며 殷禮吾能言之

나 宋不足徵也는 文獻不足故也니 足則吾能徵之矣라

해설 공자가 말하기를, 「하나라의 예는 내가 능히 말할 수 있으나 기(杞)나라는 이를 증명하기에 부족하고, 은(殷)나라의 예는 내가 능히 말할 수 있으나 송(宋)나라는 이를 증명하기에 부족하다. 이는 문헌이 부족하기 때문이니, 문헌만 넉넉하다면 나는 능히 그것을 증명할 수 있느니라.」

즉, 문헌적인 말은 느낀대로 말하지만 역사적 증거가 필요한 것은 뚜렷한 근거가 없이 함부로 말할 수 없다는 공자의 학문적 자세를 보여 주는 문장이다.

子曰 禘自既灌而往者는 吾不欲觀之矣로다

해설 공자가 말하기를, 「체제에 있어서 이미 술을 땅에 부은 이후의 일을 나는 보고 싶지 않도다.」

즉, 공자가 예법을 숭상하여, 예가 아닌 것은 보지 말라는 뜻이다.

或이 問禘之說한대 子曰 不知也로다 知其說者之於天下也에 其如示諸斯乎하고 指其掌다하시다

해설 어떤 사람이 체제에 관해서 묻자, 공자가 말하기를, 「알지 못하노라. 그것을 말할 수 있는 사람은 천하의 일을 이것을 보는 것같이 쉽게 다룰 것이니라.」하고 자신의 손바닥을 가리켰다. 그러므로 그 원리를 환히 알기만 한다면, 천하를 다스리는 일도 쉽다는 뜻이다.

祭如在하시며 祭神如神在하시다 子曰 吾不與祭면 如不祭니라

해설 즉, 체제의 원리는 심오하다.

王孫賈問曰 與其媚於奧론 寧媚於竈니라하 何謂也이까 子

曰 不然하다 獲罪於天이면 無所禱也니라

해설 왕손가(王孫賈)가 묻기를, 『방안에 모셔 놓은 신주에게 비느니 차라리 부뚜막 귀신에게 빌어라』하는 것은 무엇을 두고 한 말입니까?」 공자가 말하기를, 「그렇지 않소. 하늘에 죄를 지으면 빌 곳이 없소.」 즉, 허수아비 임금보다는 실권자에게 아첨을 하는 것이 좋다는 왕손가의 말에, 공자가 예를 일러 주는 뜻이다.

子曰 周監於二代하니 郁郁乎文哉라 吾從周라하니

해설 공자가 말하기를, 「주나라는 두 왕조를 본받았으니 그 문화가 매우 찬란한지라 나는 주나라를 따르리라.」
즉, 공자는 주나라가 전대의 하나라와 은나라의 문물을 그대로 이어받아 문화의 절정을 이루는 것을 보고 주나라의 예를 따르겠다고 하였다.

子入大廟하사 每事를 問하신대 或曰 孰謂鄹人之子를 知禮乎아 入大廟하여 每事를 問하니 子聞之曰 是禮也니라

해설 공자가 대묘(大廟)에 들어가면 모든 일을 일일이 묻곤 하였다. 그래서 어떤 사람이 공자가 대하여 말 하기를, 「누가 추의 사람이 예를 안다고 했느냐? 대묘에 들어오면 항상 매사를 묻는구나.」 공자가 이 소문 을 듣고 말하기를, 「그렇게 하는 것이 바로 예니라.」 즉, 아는 것도 다시 한 번 물어 신중을 기하는 것이 좋다는 뜻이다.

子曰 射不主皮는 爲力不同科니 古之道也니라

해설 공자가 말하기를, 「활쏘기에 있어서 과녁을 뚫는 것을 위주로 하지 않음은 사람의 힘이 같지 않기 때 문이니, 이는 바로 옛 도의 아름다움이니라.」 즉, 궁술에 있어 힘보다는 기술을 높이 평가하듯이 세상사도 힘으로 사회가 어지러워져서는 안 된다는 뜻 이다.

子貢이 欲去告朔之餼羊한대 子曰 賜也아 爾愛其羊이나 我愛其禮니라

해설 자공이 고삭(告朔)에 쓰이는 희양을 폐하려 하자, 공자가 말하기를, 「사(賜)야, 너는 그 양을 아끼느 냐, 나는 그 예를 아끼고 싶구나.」 즉, 중국에서는 매월 초하루에 제사를 지냈는데, 노나라 때에는 제사를 폐하고 양만을 바치는 것까지 폐하자고 자공이 말을 하니 예가 없어짐을 애석하게 생각하는 것이다.

子曰 事君盡禮를 人이 以爲諂也다라한

해설 공자가 말하기를, 「임금을 섬기는 데 있어서 예를 다하는 것을 세상 사람은 아첨한다 하는구나.」
즉, 당시 노나라에서 세도가들이 왕을 업신여겨 예를 갖추지 않음을 한탄하는 뜻이다.

定公이 問하되 君使臣하며 臣事君하되 如之何이꼬 孔子對曰
君使臣以禮하며 臣事君以忠이니

㊟ 정공(定公) : 노나라의 임금.

해설 정공(定公)이 묻기를, 「임금이 신하를 부리고, 신하가 임금을 섬기는 일은 어떻게 하여야 합니까?」
공자가 말하기를, 「임금은 예로써 신하를 부리고 신하는 충성으로써 임금을 섬겨야 합니다.」
즉, 공자는 군신간에 서로 화합하지 못하는 것은 예와 충성의 결여로 생각하고 이것을 강조하는 뜻이다.

子曰 關雎는 樂而不淫하고 哀而不傷이니라

해설 공자가 말하기를, 「〈관저〉는 즐겁되 음탕하지 않고, 슬프되 마음 상하지 않느니라.」
즉, 관저편 시는 선남 선녀의 만남을 읊은 축혼시(祝婚詩)라 할 수 있는데, 예에 엄격한 공자도 순수한 애정의 발로는 결코 음탕한 것이 아니라고 생각한다는 뜻이다.
㊟ 관저(關雎) : 《시경》의 국풍 주남(國風周南) 머리편에 있는 시.

哀公이 問社於宰我한대 宰我對曰 夏后氏는 以松이요 殷
人은 以柏이요 周人은 以栗이니 曰 使民戰栗다이어 子聞之曰

成事(성사)라 不說(불설)하며 遂事(수사)라 不諫(불간)하며 旣往(기왕)이라 不咎(불구)로다

해설 애공(哀公)이 재아(宰我)에게 사단에 심는 나무에 대해 묻자, 재아가 말하기를, 「하우씨(夏后氏)는 소나무를 심었고, 은나라 사람은 잣나무를 심었고, 주나라 사람은 밤나무를 심었으니, 말하자면 백성으로 하여금 두려움에 벌벌 떨게 한 것입니다.」 공자가 이 말을 듣고 말하기를, 「이룬 일을 말하여 무엇하고, 끝맺은 일을 말하여 무엇하며, 이미 지나간 일은 탓하여 무엇하리.」 즉, 이루어진 일은 말하는 것이 아니고, 끝맺은 일은 남에게 간하는 것이 아니며, 지나간 일은 그 허물을 탓하지 말라는 뜻이다.

圍 재아(宰我) : 공자의 제자, 이름은 여(予), 자(字)는 자아(子我) 또는 재아.

子曰(자왈) 管仲之器小哉(관중지기소재)라 或曰(혹왈) 管仲(관중)은 儉乎(검호)이까 曰(왈) 管(관)
氏有三歸(씨유삼귀)하며 官事(관사)를 不攝(불섭)하니 焉得儉(언득검)이리오 然則管仲(연즉관중)은 知禮(지례)
乎(호)이까 曰(왈) 邦君(방군)이 樹塞門(수새문)늘이어 管氏亦樹塞門(관씨역수새문)하며 邦君(방군)이 爲(위)
兩君之好(양군지호)에 有反坫(유반점)늘이어 管氏亦有反坫(관씨역유반점)하니 管氏而知禮(관씨이지례)면
孰不知禮(숙불지례)리오

해설 공자가 말하기를, 「관중(管仲)은 그릇이 작구나.」 어떤 사람이 말하기를, 「관중(管仲)은 검소하였읍니까?」 공자가 말하기를, 「관씨는 세 아내를 두었고 아래 관원들에게는 겸직시키지 않았으니 어찌 검소하다 할 수

있겠소.」다시 묻기를, 「그렇다면 관중은 예를 알고 있읍니까?」공자가 말하기를, 「임금이 병풍담으로 문을 가리키면 관씨 역시 그렇게 하고, 임금이 다른 나라의 임금과 서로 우호하기 위해 술자리를 마련하면 관씨 역시 그런 자리를 마련하였으니, 그 관씨가 예를 안다면 누가 예를 모르겠소.」

즉, 관중이 중국 정치가의 일인자라 할만큼 정치는 잘하지만 인간성은 예의가 없다고 지적하는 뜻이다.

子語魯大師樂曰 樂은 其可知也니 始作에 翕如也하여 從之에 純如也하며 皦如也하며 繹如也하며 以成이니라

해설 공자가 노(魯)나라의 태사(太師)에게 음악에 대하여 말하기를, 「음악은 알 수 있는 것이오. 처음에는 그 소리가 합하여 일어나고, 본가락으로 들어서면 조화를 이루어 거의 하나같이 되고 음곡(音曲)의 음색이 명료하게 되며, 여운을 남기면서 끝내는 것이다.」

즉, 공자는 음악에 밝아, 전문가인 악사장에게 이제 음악의 구성을 이해할 만하다고 한 말이다.

儀封人이 請見曰 君子之至於斯也에 吾未嘗不得見也로다 從者見之한대 出曰 二三子는 何患於喪乎리오 天下之無道也久矣라 天將以夫子爲木鐸이리시라

해설 의(儀) 지방의 봉인(封人)이 공자를 만나 보기를 청하며 말하기를, 「군자들이 이곳에 오면 내가 만나 보지 않은 적이 없었소.」그러자 공자를 따르던 사람이 공자와 만나게 해 주었다. 공자를 만나 보고 나오면

서 말하기를, 「그대들은 왜 낙망하고 계시오. 세상에 도가 없어진 지 오래 되었으니, 하늘은 장차 우리 선생님으로 하여금 목탁을 삼으실 것이오.」 즉, 공자가 벼슬을 잃자 그의 제자들이 실의에 빠져 있는데, 의지방의 봉인이 공자가 성인임을 알아보고 감탄한 말이다.

子謂韶하시되 盡美矣요 又盡善也시라하고 謂武하시되 盡美矣요 未盡善也시다라하

注 위(謂)‥고하다. 평론하다의 뜻.

해설 공자가 소악(韶樂)에 대하여 말하기를, 「미의 극치를 이루었을 뿐만 아니라 선의 극치도 이루었다.」하고, 무악(武樂)에 대하여 이르기를, 「미의 극치는 이루었지만 선의 극치는 이루지 못하였느니라.」

즉, 공자가 순임금의 음악과 주나라 무왕의 음악을 비교하여 평한 것이다.

子曰 居上不寬하며 爲禮不敬하며 臨喪不哀면 吾何以觀之哉리오

注 거상(居上)‥남의 윗자리에 있음. 임상(臨喪)‥상사(喪事)에 임함.

해설 공자가 말하기를, 「윗자리에 있으면서 너그럽지 않고, 예를 행함에 공경스럽지 않고, 상(喪)에 나아가 슬퍼하지 않으면 내 이런 사람에게 무엇을 보리요! 즉, 당시 위정자들의 무례하고 비정함을 탓한 것이다.」

里仁(이인)

子曰 里仁이 爲美하니 擇不處仁이면 焉得知리오

자왈 이인 위미 택불처인 언득지

해설 공자가 말하기를, 「마을의 인심이 어질어야 사람의 마음도 아름답게 되는 것이니 어진 곳을 가려서 살지 않는다면 어찌 지혜로운 사람이라 할 수 있으랴.」

즉, 사람은 환경의 영향을 많이 받는다는 뜻이다.

주 이(里) : 옛날 중국에서는 25호의 마을을 이(里)라고 했음.

子曰 不仁者는 不可以久處約이며 不可以長處樂이니 仁者는 安仁하고 知者는 利仁이니라

자왈 불인자 불가이구처약 불가이장처락 인자 안인 지자 이인

해설 공자가 말하기를, 「어질지 않은 자는 곤궁한 곳에 오래 처해 있지 못하며, 안락함에도 길게 처해 있지 못하지만, 어진 사람은 인을 편안히 여기고 지혜로운 사람은 인을 이득으로 여긴다.」

즉, 사람이 마음먹기에 따라서 부귀와 가난함이 다른 상황으로 받아들여질 수 있다는 뜻이다.

주 약(約) : 『곤궁하다』의 뜻으로 쓰였음.

子曰 唯仁者_{유인자}아 能好人_{능호인}하며 能惡人_{능오인}이니라

해설 공자가 말하기를, 「오직 어진 사람만이 타인을 좋아할 수 있고, 타인을 미워할 수 있느니라.」
즉, 남을 평가하려면 공평 무사해야 하는데 오직 인자만이 사람을 옳게 판단하는 능력이 있다는 뜻이다.

子曰 苟志於仁矣_{구지어인의}면 無惡也_{무악야}니라

해설 공자가 말하기를, 「진실로 인에 뜻을 둔다면 악한 것이 없어지니라.」
즉, 선악의 발생은 마음이 바탕이므로 마음이 어질면 악한 것이 없어지고 악행을 할 수 없다는 뜻이다.

子曰 富與貴_{부여귀}는 是人之所欲也_{시인지소욕야}나 不以其道得之_{불이기도득지}어든 不處也_{불처야}하며 貧與賤_{빈여천}은 是人之所惡也_{시인지소오야}나 不以其道得之_{불이기도득지}라도 不去也_{불거야}니라 君子去仁_{군자거인}이면 惡乎成名_{오호성명}이리오 君子無終食之間_{군자무종식지간}을 違仁_{위인}이니 造次_{조차}에 必於是_{필어시}하며 顚沛_{전패}에 必於是_{필어시}니라

해설 공자가 말하기를, 「부와 귀는 사람들이 바라는 것이나, 도로써 얻은 것이 아니라면 그것을 누리지 말아야 한다. 빈과 천은 사람들이 증오하는 것이나, 도로써 얻은 것이라면 피하지 말아야 한다. 군자는 비록 밥 먹는 동안이라도 인을 어기는 일이 없는 것이니, 황급한 때에도 그것을 지키고 위급한 때에도 반드시 그것을 지켜야 하는니라.」
즉, 군자는 도로써 얻어진 것이 아닌 부귀 빈천을 누리지 말며 인을 떠나지 말며 잠시라도 인에서 벗

어느는 일이 없도록 항상 노력해야 한다는 뜻이다.

子曰 我未見好仁者와 惡不仁者라 好仁者는 無以尚
之요 惡不仁者는 其爲仁矣에 不使不仁者로 加乎其身
이라 有能一日에 用其力於仁矣乎아 我未見力不足者라
蓋有之矣어늘 我未之見也로다

해설 공자가 말하기를, 「나는 아직까지 제대로 어진 것을 좋아하는 사람과 어질지 않은 것을 미워하는 사람을 보지 못하였도다. 어진 것을 좋아하는 사람이 있다면 더 바랄 것이 없으나, 어질지 않은 것을 싫어하는 사람이라 하더라도 어진 것을 행하는데 있어서 어질지 않은 것으로 하여금 그 자신의 몸에 붙지 못하게 한다. 하루를 능히 어진 것에 힘쓸 사람이 있는가? 나는 아직 그렇게 하는 데 힘이 모자라는 사람을 보지 못하였노라. 그런 사람이 있을 법한데 나는 아직 그런 사람을 보지 못하였노라.」

즉, 공자가 진정한 인자가 없음을 한탄하면서, 인은 그런 힘으로 하는 것이 아니라 마음가짐이므로 누구나 어진 사람이 될 수 있음을 강조하는 뜻이다.

子曰 人之過也各於其黨이니 觀過면 斯知仁矣니라

해설 공자가 말하기를, 「사람의 허물은 그 종류에 따라 다른 것이니, 남의 과실을 보면 곧 그가 인자인지 아닌지를 알 수 있느니라.」

즉, 세상의 모든 과실의 원인을 분석해 보면 인의 요소로 가늠할 수 있다는 뜻이다.

子曰 朝聞道면 夕死라도 可矣니라

해설 공자가 말하기를, 「아침에 도를 들어 깨달으면 저녁에 죽어도 좋으리라.」

즉, 도와 진리를 모르고 백 년을 사느니 보다는 하루라도 도를 알고 참답게 살라는 뜻이다.

子曰 士志於道而恥惡衣惡食者는 未足與議也니라

해설 공자가 말하기를, 「선비가 도에 뜻을 두고도 남루한 옷과 나쁜 음식을 수치로 여기는 자라면, 더불어 의논하기에 족하지 못하니라.」

즉, 학문하는 자세에 있어서 마음이 부귀와 공명에 쏠리고 있음을 탓한 것이다.

字 치(恥) : 부끄럽다.

子曰 君子之於天下也에 無適也하며 無莫也하여 義之與比니라

해설 공자가 말하기를, 「군자는 이 세상 모든 일에 대해 옳고 그름을 정한 것이 없으며, 오직 의를 좇아서 의와 함께 살아가느니라.」

즉, 옳고 그름의 편견은 대개 이해에 얽힌 마음에서 비롯된다. 그러므로 군자는 오직 의에 따라 행동해야 한다는 뜻이다.

字 막(莫) : 정하다(定), 꾀하다(謀)의 뜻으로 쓰였음.

子曰 자왈
君子는 군자
懷德하고 회덕
小人은 소인
懷土하며 회토
君子懷刑하고 군자회형
小人은 소인
懷惠니라 회혜

해설: 공자가 말하기를, 「군자는 덕을 생각하지만 소인은 땅을 생각하고, 군자는 법을 생각하지만 소인은 특혜를 생각하느니라.」

子曰 자왈
放於利而行이면 방어리이행
多怨이니 다원

해설: 공자가 말하기를, 「이익에 따라 행동하면 원망이 많으니라.」
즉, 이익은 대개 상반되기 마련이라는 뜻이다.

子曰 자왈
能以禮讓이면 능이례양
爲國乎에 위국호
何有며 하유
不能以禮讓으로 불능이례양
爲 위
國이면 국
如禮何리오 여례하

해설: 공자가 말하기를, 「예법과 겸양으로써 나라를 다스린다면 무엇이 어렵겠느냐. 그러나 예법과 겸양으로써 나라를 다스리지 못한다면 예제(禮制)가 무슨 소용이 있겠는가.」
즉, 마음에서 우러나는 예를 다하지 않는다면, 형식적인 예제가 소용이 없다는 뜻이다.
주) 위(爲): 다스리다(治)의 뜻으로 쓰였음.

子曰 자왈
不患無位요 불환무위
患所以立하며 환소이립
不患莫己知요 불환막기지
求爲可 구위가

38

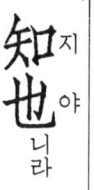

知(지)也(야)니라

해설 공자가 말하기를, 「벼슬이 없음을 걱정하지 말고 그런 자리에 설 능력이 없음을 근심할 것이며, 남이 자기를 알아 주지 않음을 근심하지 말고 내가 남에게 알려질 수 있는 능력을 기르도록 애써야 한다.」

즉, 마음 속의 이상을 실현하려면 꾸준히 노력하여 충분한 능력을 길러야 한다는 뜻이다.

图 위가지(爲可知) : 알려질 수 있는 능력을 기름.

子(자)曰(왈) 參(삼)乎(호)아 吾道(오도)는 一以貫之(일이관지)니라 曾子曰(증자왈) 唯(유)라 子出(자출)이어늘 門人(문인)이 問曰(문왈) 何謂也(하위야)이까 曾子曰(증자왈) 夫子之道(부자지도)는 忠恕(충서)而已矣(이이의)니라

해설 공자가 말하기를, 「삼(參)아, 나의 도는 하나로 관철되어 있느니라.」 증자가 「예.」 공자가 밖으로 나가자 공자의 제자들이 묻기를, 「무슨 뜻입니까?」 증자가 말하기를, 「선생님의 도는, 충(忠)과 서(恕)일 뿐입니다.」

즉, 충과 서는 마음에서 우러나오는 성실을 다하여 내 몸처럼 사랑하는 것으로 이것이 곧 인이라는 뜻이다.

子(자)曰(왈) 君子(군자)는 喩於義(유어의)하고 小人(소인)은 喩於利(유어리)니라

해설 공자가 말하기를, 「군자는 의에 밝고, 소인은 이욕에 밝다.」

즉, 군자는 정의를 위해 살고, 소인은 이익을 위해 산다는 뜻이다.

子曰 見賢思齊焉하며 見不賢而內自省也니라

註 제(齊)∶여기서는 같다의 뜻임.

해설 공자가 말하기를, 「어진 사람을 보고 자신도 그와 같이 되기를 생각하며 어질지 않은 사람을 보면 나 자신에 비추어 반성해야 하느니라.」

즉, 타인을 본보기 삼아 인격 수양을 하라는 뜻이다.

子曰 事父母하되 幾諫이니 見志不從하고 又敬不違하며 勞而 不怨이라

註 견지부종(見志不從)∶부모의 뜻이 자기의 간함을 따르지 않음을 본다는 뜻.

해설 공자가 말하기를, 「부모를 섬기되 허물이 있거든 부드럽게 간할 것이니, 간함을 따르지 않더라도 더욱 부모님을 공경하며 괴로와도 원망해서는 안 된다.」

즉, 효는 인과 덕의 근본이므로, 혹 부모에게 잘못이 있다 하더라도 원망해서는 안 된다는 뜻이다.

子曰 父母在던어시 不遠遊하며 遊必有方이니

해설 공자가 말하기를, 「부모가 살아 계시거든 멀리 나다니지 말며, 부득이 먼 곳을 가는 일이 있으면 반드시 가는 곳을 알릴지어다.」

즉, 부모를 잘 섬기는 것보다 우선은 걱정을 끼치지 않는 것이라는 뜻이다.

註 재(在)∶부모가 생존해 있는 것을 말함.

40

子曰 자왈 三年을 삼년 無改於父之道 무개어부지도 라야 可謂孝矣 가위효의 니라

해설 공자가 말하기를, 「아버지가 돌아가신 후 삼년 동안 아버지가 하시던 일을 바꾸지 말아야 가히 효자라 할 수 있느니라.」

즉, 부모의 유업을 쉽게 바꾸지 말라는 뜻이나, 한갓 구시대의 유학에 치우친 형식적인 말이라고 가벼이 넘겨서는 안 된다.

子曰 자왈 父母之年 부모지년 은 不可不知也 불가부지야 니 一則以喜 일즉이희 요 一則以 일즉이 懼 구 니라

해설 공자가 말하기를, 「부모의 연세는 늘 기억해야 한다. 한편으로는 오래 사시는 것을 기뻐하고, 또 한편으로는 연로하신 것을 두려워해야 하느니라.」

즉, 부모가 장수하시는 것을 보면 기쁘지만 여생이 얼마 남지 않았다고 생각하면 슬퍼진다는 뜻이다.

참 부모지년(父母之年)‥ 부모의 연세.

子曰 자왈 古者 고자 에 言之不出 언지불출 은 恥躬之不逮也 치궁지불태야 니라

해설 공자가 말하기를, 「옛사람들이 말을 앞세우지 않았던 것은 실천이 이에 미치지 못함을 부끄럽게 여겼기 때문이니라.」

子曰 자왈 以約失之者 이약실지자 는 鮮矣 선의 니라

해설 공자가 말하기를, 「삼가하면 잃는 것이 적으니라.」 즉, 일상 생활에서 언행을 조심할 것을 강조한 것이다.

子曰 君子는 欲訥於言而敏於行이니
(자왈 군자 욕눌어언이민어행)

해설 공자가 말하기를, 「군자는 말을 더디게 하나 행동은 민첩하게 하고자 하느니라.」 즉, 말이 앞서면 실언이 되기 쉽다는 뜻이다.

子曰 德不孤라 必有鄰이니
(자왈 덕불고 필유린)

해설 공자가 말하기를, 「덕은 고립되어 있지 않다. 반드시 그 이웃이 있느니라.」 즉, 덕을 지닌 자에게는 덕 있는 자들이 모이게 마련이라는 뜻이다.

子游曰 事君數이면 斯辱矣요 朋友數이면 斯疏矣니라
(자유왈 사군삭 사욕의 붕우삭 사소의)

해설 자유가 말하기를, 「임금을 섬기는 데 있어서 자주 간하면 오히려 욕이 되고 벗을 사귀는 데 있어서 자주 충고하면 사이가 멀어지게 된다.」 즉, 충고나 조언도 절제를 해야 효과도 있고 더욱 친근해진다는 뜻이다.

公冶長(공야장)

子謂 公冶長하시 可妻也로다 雖在縲絏之中이나 非其罪也라하시고 以其子로 妻之하시다 子謂 南容하시 邦有道에 不廢하며 邦無道에 免於刑戮하리라하시고 以其兄之子로 妻之하시다

해설 공자가 이르기를, 「공야장(公冶長)은 가히 사위를 삼을 만하다. 비록 그가 옥 중에 있었으나 그것은 그의 죄가 아니니라.」하고, 그의 딸을 공야장의 아내로 삼게 하였다. 공자가 이르기를, 「남용(南容)은 나라에 도가 있으면 버림을 받지 않고, 나라에 도가 없다 하더라도 형벌은 면할 사람이니라.」하고, 그 형의 딸을 남용의 아내로 삼게 하였다.

즉, 공자의 사람을 보는 안목과 매사에 공평 무사함을 알 수 있는 대목이다.

子謂子賤하시되 君子哉여 若人이여 魯無君子者면 斯焉取斯리오

해설 공자가 자천(子賤)에 대해 이르기를, 「이 사람이야말로 정말 군자로다. 만약 노나라에 군자가 없었다면, 이 사람이 어찌 이러한 덕을 갖출 수 있었으랴.」

즉, 도 있는 사람에게서 본받으며 도를 깨우칠 수 있다는 뜻이다.

子貢이 問日 賜也는 何如하니잇고 子日 女는 器也니라 日 何器也잇고 日 瑚璉也니라

해설 자공이 묻기를, 「저는 어떠한 사람입니까?」 공자가 말하기를, 「호련(瑚璉)이니라.」

해설 자공이 묻기를, 「어떠한 그릇입니까?」 공자가 말하기를, 「너는 그릇이니라.」 자공이 말하기를,

或曰(혹왈) 雍也(옹야)는 仁而不佞(인이불녕)이로다 子曰(자왈) 焉用佞(언용녕)이리오 禦人以口(어인이구)

給(급)하야 屢憎於人(누증어인)하나니 不知其仁(부지기인)이어니와 焉用佞(언용녕)이리오

해설 어떤 사람이 말하기를, 「옹은 어질기는 하나 말재주가 없는 것 같습니다.」 공자가 말하기를, 「말재주가 무슨 소용이 있단 말이오. 말로만 남을 상대한다면 오히려 자주 남의 미움만 사는 것이니, 그가 어진지는 알 수 없으나 그 말재주가 무슨 필요가 있겠소.」

즉, 군자에게는 말재주가 필요 없다는 뜻이다.

子使漆雕開(자사칠조개)로 仕(사)하신대 對曰(대왈) 吾斯之未能信(오사지미능신)이로다 子說(자설)하시다

해설 공자가 칠조개에게 벼슬을 하라고 하자, 칠조개가 대답하기를, 「저는 아직 감당할 자신이 없읍니다.」

이 말을 듣고 공자는 매우 기뻐하였다.

즉, 자기의 능력을 안다는 것은 어려운 일인데 칠조개의 겸허한 자세를 보고 공자가 기특하게 생각하는 것이다.

子曰(자왈) 道不行(도불행)이라 乘桴浮於海(승부부어해)하리니 從我者(종아자)는 其由與(기유여)인저 子路聞之(자로문지)하고 喜(희)한대 子曰(자왈) 由也(유야)는 好勇過我(호용과아)하나 無所取材(무소취재)니라

해설 공자가 말하기를, 「도가 행하여지지 않아서 뗏목을 타고 바다로 떠나게 되면, 나를 따를 사람은 유(由) 뿐일 게다.」 자로는 이 말을 듣고 기뻐하였다. 공자가 말하기를, 「유는 용기를 좋아하는 것은 나에 못지 않으나 사리 분별을 잘하지 못한다.」 즉, 천하에 어진 군주가 없어서 한탄을 하는데, 자로가 이에 사리 분별을 못하고 나서자 공자가 한마디 하는 것이다.

也야라

子자曰왈 由유也야는 千천乘승之지國국에 可가使사治치其기賦부也야와어니 不부知지其기仁인

孟맹武무伯백이 問문하되 子자路로는 仁인乎호이까 子자曰왈 不부知지也야로라 又우問문한대

해설 맹무백(孟武伯)이 묻기를, 「자로는 어진 사람입니까?」 공자가 말하기를, 「유는 천승의 나라에 한 부를 맡아서 능히 다스려 나갈 만하나, 그가 인자인지에 대해서는 잘 모르겠노라.」 맹무백이 다시 물었다. 공자가 말하기를, 「잘 모르겠오.」 즉, 자로가 용기 있는 사람이라고 평하는 것이다.

可가使사爲위之지宰재也야와어니 不부知지其기仁인也야이라

求구也야는 何하如여이끼 子자曰왈 求구也야는 千천室실之지邑읍과 百백乘승之지家가에

해설 「구(求)는 어떠한 사람입니까?」 공자가 말하기를, 「구는 천호 되는 고을과 경대부(卿大夫) 집의 가신(家臣) 일은 맡아서 함직하나, 그가 인자인지는 잘 모르겠노라.」

赤也는 何如하여 子曰 赤也는 束帶立於朝하여 可使與賓客言也와어니 不知其仁也라

해설 「적(赤)은 어떠한 사람입니까?」 공자가 대답하기를, 「적은 예복을 갖추고 조정에서 빈객과 더불어 서로 이야기를 논할 만하지만, 그가 인자인지는 잘 모르겠노라.」

子謂子貢曰 女與回也로 孰愈오 對曰 賜也는 何敢望回리오 回也는 聞一以知十하고 賜也는 聞一以知二다나이 子曰 弗如也니라 吾與女의 弗如也라하노

해설 공자가 자공에게 이르기를, 「너를 회(回)와 비교하면, 누가 더 낫다고 생각하느냐?」 자공이 대답하기를, 「제가 어찌 감히 회와 비교가 되겠습니까. 회는 하나를 들으면 열을 알고, 저는 하나를 들으면 둘을 겨우 아옵니다.」 그러자 공자가 말하기를, 「그만 못하니라. 나도 너도 모두 그만 못하니라.」

즉, 제자 안회의 인격을 칭찬한 것이다.

宰予晝寢늘이어 子曰 朽木은 不可雕也며 糞土之牆은 不可杇也니 於予與에 何誅리오 子曰 始吾於人也에 聽其

言而信其行니이라 今吾於人也에 聽其言而觀其行이니하노 於予
與改是라하노

해설 재여(宰予)가 낮잠을 자거늘 공자가 말하기를, 「썩은 나무에는 조각을 할 수 없으며, 썩은 흙으로 쌓은 담장은 흙손질을 할 수 없으니, 여를 꾸짖은들 무엇하랴.」 공자가 말하기를, 「전에는 내가 사람을 볼 때 그 말만 듣고 그 사람의 행실을 믿었으나, 이제 나는 그 말을 듣고 그 사람의 행실까지 살피게 되었으니, 재여 때문에 고치게 되었노라.」

즉, 사람은 언행이 일치되어야 한다는 뜻이다.

子曰 吾未見剛者케라 或이 對曰 申棖다이니 子曰 棖也
慾니이와어 焉得剛오이리
는

해설 공자가 말하기를, 「나는 아직 강한 사람을 보지 못했노라.」 그러자 어떤 사람이 말하기를, 「신정이 있읍니다.」 공자가 말하기를, 「정은 욕심이 있으니, 어찌 그를 강한 사람이라 하리요.」

즉, 이기적 욕심 있으면 으레 편견이 따른다. 공평 무사한 인과 정의에 서서 뜻을 굽히지 않는 사람이 강자라는 뜻이다.

子貢이왈 子曰 賜也아 非爾所及也니라
我不欲人之加諸我也하고 吾亦欲無加諸人

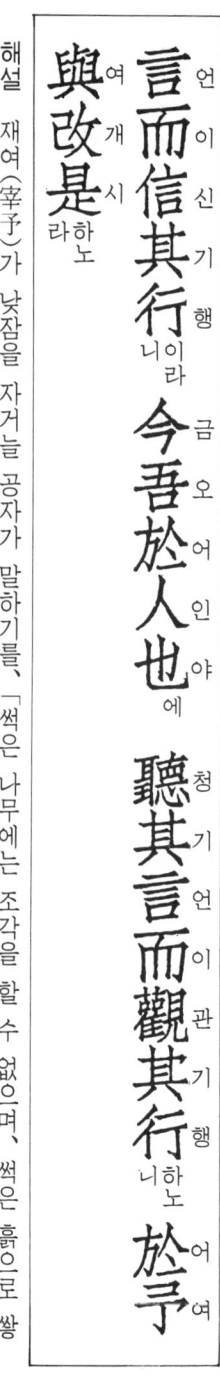

해설 자공이 말하기를, 「남이 나에게 해롭게 하는 것을 바라지 않으므로 나 또한 다른 사람에게 불의를 행하지 않으려고 합니다.」 공자가 그 말을 듣고 말하기를, 「사(賜)야, 너는 아직 그런 경지에 이르지 못하였느니라.」

즉, 내가 원치 않는 일을 남에게 베풀지 말라는 뜻이나, 그런 일을 하기는 어렵다는 뜻이다.

子貢이 曰 夫子之文章은 可得而聞也어니와 夫子之言性與天道는 不可得而聞也니라

해설 자공이 말하기를, 「선생님의 문장은 가히 얻어들을 수 있으나, 선생님의 어진 마음에서 우러나오는 말씀과 천도는 얻어들을 수 없었다.」

즉, 공자의 학문은 누구나 듣고 이해할 수 있으나 그의 어진 성품과 하늘의 이치를 말한 진리는 아무나 이해할 수 없다는 뜻이다.

子路는 有聞하고 未之能行하야 唯恐有聞이라하더

해설 자로는 교훈을 듣고 그것을 실행하지 못하였으면, 새로운 교훈을 들을까 두려워하였다.

즉, 가르침을 깨달아 알고 있는 것에 대해서는 반드시 실천해야 한다는 뜻이다.

子貢이 問曰 孔文子를 何以謂之文也잇고 子曰 敏而好學하며 不恥下問이라 是以謂之文也니라

해설　자공이 묻기를, 「공문자(孔文子)를 어찌 문(文)이라고 부르게 되었읍니까?」 공자가 말하기를, 「그는 영민하고 배우기를 좋아하며, 아랫사람에게 묻기를 부끄럽게 여기지 않는 자이므로 문이라고 부르게 되었느니라.」 즉, 자공은 공문자의 행실이 좋지 않음을 꼬집어 한 말인데 공자는 행실에 관계없이 그에게서 학문하는 자세를 배워야 한다고 말하는 것이다.

子謂子産하시되 有君子之道四焉이니 其行己也恭하며 其事上也敬하며 其養民也惠하며 其使民也義니라

주　子産(子産)：정(鄭)나라의 대부.

해설　공자가 자산(子産)을 평하기를, 「군자의 네 가지 도를 지니고 있었으니 그 행실에 있어서는 공손하고, 윗사람을 섬김에는 공경하고, 백성을 다스리는 데는 은혜로우며, 그 백성을 부림에 있어서는 의로우니라.」 즉, 과거의 훌륭한 정치가인 자산의 군자됨을 들어 제자들의 거울을 삼도록 하라는 것이다.

子曰 晏平仲은 善與人交로다 久而敬之온여

해설　공자가 말하기를, 「안평중(晏平仲)은 사람과의 사귐을 잘하였다. 오래도록 변함없이 공경하였도다.」 즉, 오래 사귀면서도 상대방을 공경하는 마음이 변하지 않으면 친분도 변하지 않는다는 뜻이다.

子曰 臧文仲은 居蔡하되 山節藻梲하니 何如其知也리오

해설　공자가 말하기를, 「장문중(臧文仲)은 큰 거북을 감추고, 기둥머리의 모진 곳에다 산을 조각하고, 대들보 위의 기둥에는 마름을 그려서 길흉 화복을 빌고자 하니 어찌 그를 지혜로왔다 하랴.」

즉、 미신을 믿고 숭상하는 사람을、 정치를 잘한다고 해서 지혜롭다할 수 없다는 뜻이다。

子張이 問曰 令尹子文이 三仕爲令尹하되 無喜色하며 三
已之하되 無慍色하여 舊令尹之政을 必以告新令尹하니 何如이까
子曰 忠矣니라 曰 仁矣乎이까 曰 未知라 焉得仁이오리

해설 자장이 묻기를、「자문(子文)은 세 번 벼슬을 하여 영윤이 되어이되 기쁜 색을 나타내지 않고 자기가 맡았던 영윤의 정사를 새로운 영윤에게 세 차례나 벼슬에서 쫓겨났으되 원망의 빛을 나타내지 않고 인계하였는데、 어떻게 보아야 합니까?」 공자가 말하기를、「충이로다。」 묻기를、「인이라고도 할 수 있읍니까?」 말하기를、「알 수는 없지만、 어찌 인이라 할 수 있겠느냐?」

즉、 충성스러운 사람이라고 반드시 인자는 아니라는 뜻이다。

崔子弑齊君늘어 陳文子有馬十乘이러니 棄而違之하고 至於他
邦하여 則曰 猶吾大夫崔子也라하고 違之하며 之一邦하여 則又
曰 猶吾大夫崔子也라하고 違之하니 何如니이꼬 子曰 淸矣니라
曰 仁矣乎이까 曰 未知라 焉得仁이오리

해설 자장이 또 묻기를, 「최자(崔子)가 제(齊)나라의 임금을 죽이자 진문자(陳文子)는 가지고 있던 말 10승(十乘)을 버리고 다른 나라로 가서 말하기를, 『우리 나라의 대부 최자와 같다』고 하고 그 나라를 떠났으며, 또 다른 나라로 가서 말하기를, 『여기도 우리 나라의 대부 최자와 같다』고 하고 떠나갔으니, 이 사람은 어떻습니까?」 공자가 말하기를, 『깨끗하다.』 자장이 묻기를, 「어질다고 할 수 있읍니까?」 공자가 말하기를를, 「알 수는 없다. 어찌 어질다고 할 수 있겠느냐.」

즉, 인자란 청렴하고 고결하지만 고결한 사람이 모두 인자는 아니라는 뜻이다.

㈜ 최자(崔子) : 제(齊)나라의 대부.

季文子는 三思而後에 行니하더 子聞之고하시 曰 再斯可矣니라

해설 계문자는 세 번 생각해 본 후에야 비로소 행동에 옮겼다. 공자가 이 말을 듣고 말하기를, 「두 번이면 옳으니라.」

즉, 모든 일에 신중한 것은 좋지만 지나치면 과단성이 부족하게 된다는 뜻이다.

㈜ 계문자(季文子) : 노나라의 대부. 이름은 행부(行父).

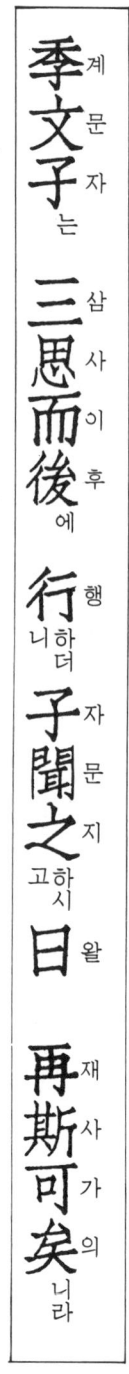

子曰 甯武子는 邦有道則知하고 邦無道則愚하니 其知는 可及也와어니 其愚는 不可及也니라

해설 공자가 말하기를, 「영무자는 나라에 도가 행하여졌을 때에는 지혜로 왔고, 나라에 도가 행하여지지 않았을 때에는 어리석었다. 그의 지혜는 따를 수 있으나, 그의 어리석음은 따를 수 없느니라.」

즉, 위나라의 영무자는 나라가 어지러울 때 어리석고 미련할 정도로 충성을 다해 평정을 되찾았는데 공자가 이에 감탄하여 하는 말이다.

㈜ 영무자(甯武子) : 위(衛)나라의 대부. 이름은 유(兪).

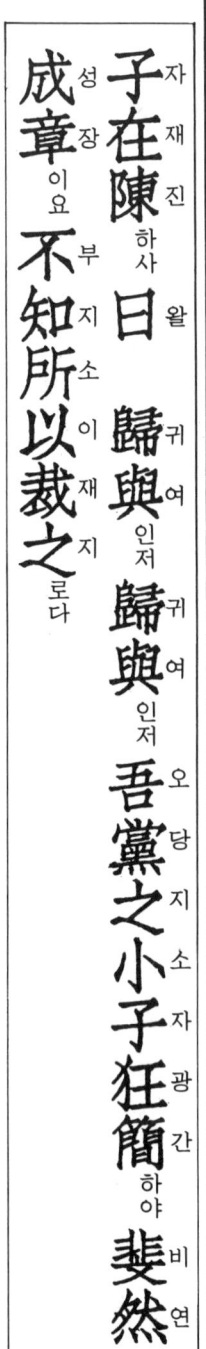

子在陳하사 曰 歸與인저 歸與인저 吾黨之小子狂簡하야 斐然

成章이요 不知所以裁之로다

해설 공자가 진나라에 있을 때 말하기를, 「돌아가자, 돌아가. 나의 고향에 있는 제자들은 뜻은 크나 하는 일이 알차지 못하여, 학문은 찬란하지만 재단하는 바를 알지 못하노라.」

즉, 공자가 56세 때 노나라를 떠나 13년 동안 천하를 주유하며 인정(仁政)을 전하고 나서 고향으로 돌아 갈 때에 한 말이다.

子曰 伯夷叔齊는 不念舊惡이라 怨是用希니라

해설 공자가 말하기를, 「백이와 숙제는 남의 지나간 악함을 생각하지 않기 때문에, 원망하는 이가 드물었 느니라.」

즉, 악행은 미워해도 나중에 잘못을 깨달아 뉘우치는 사람은 미워하지 말라는 뜻이다.

図 백이숙제(伯夷叔齊)‥백이와 숙제는 고죽(孤竹)나라의 왕자로 의가 좋은 형제였다.

子曰 孰謂微生高直인가 或이 乞醯焉어늘 乞諸其鄰而與

之온여

해설 공자가 말하기를, 「누가 미생고(微生高)를 정직하다고 하느냐, 어떤 사람이 식초를 빌거늘 그 이웃에 가서 빌려 주었도다.」

子曰 巧言令色足恭을 左丘明恥之하니 丘亦恥之라하노
怨而友其人을 左丘明恥之하니 丘亦恥之라하노 匿

해설 공자가 말하기를, 「말을 교묘히 꾸며 대고 낯빛을 수시로 바꾸어 남을 지나치게 공경하는 것을, 좌구명(左丘明)은 부끄럽게 여겼는데 나 역시 부끄럽게 여긴다. 원망을 가슴 속에 숨기고 그 사람과 친한 체하는 것을, 좌구명은 부끄럽게 여겼는데 나 또한 부끄럽게 여기노라.」

즉, 사람을 대할 때에는 진정 마음에서 우러나온 진실로 대하라는 뜻이다.

顔淵季路侍러니 子曰 盍各言爾志리오 子路曰 願車馬
衣輕裘를 與朋友共하여 敝之而無憾이다 顔淵曰 願無
伐善하며 無施勞이다 子路曰 願聞子之志이다 子曰 老者
安之하며 朋友信之하며 少者懷之니라

해설 안연과 계로가 공자를 모시고 있을 때, 공자가 말하기를, 「탈 만한 수레와 말 그리고 가벼운 털옷 등을 친구들과 함께 쓰다가 그것들을 못 쓰게 된 자로가 말하기를, 「너희들의 희망을 각각 말해 보지 않겠느냐?」

다 하더라도 섭섭해하지 않는 사람이 되었으면 합니다.」 안연(顔淵)이 말하기를, 「선함을 자랑하지 않고, 남에게 수고로움을 끼치지 않는 것을 원합니다.」 자로가 말하기를, 「선생님의 뜻을 듣고 싶습니다.」 공자가 말하기를, 「늙은이를 편안하게 하고, 친구에게는 믿음을 주고, 어린아이에게는 사랑으로 감싸주는 사람이고 싶구나.」

즉, 공자의 바라는 바가 곧 치국 평천하요, 성인다운 포부임이 드러나는 항목이다.

子曰 巳矣乎라 吾未見能見其過하고 而內自訟者也리라

해설 공자가 말하기를, 「너무하도다! 나는 아직까지 자기의 허물을 보고 반성하는 사람을 보지 못하였도다.」

풀이 이(巳):흔히 이미, 그치다、버리다(去)의 뜻으로 쓰이나 여기서는 「너무(太)의 뜻.

子曰 十室之邑에 必有忠信이 如丘者焉이어니와 不如丘之 好學也니라

해설 공자가 말하기를, 「열 집이 사는 고을일지라도 반드시 나와 같은 충(忠)과 신(信)이 있는 사람은 있겠으나, 나처럼 학문을 좋아하는 사람은 없느니라.」

즉, 학문하기를 진실로 좋아하는 사람이 많지 않음을 말한 것이다.

풀이 십실지읍(十室之邑):열 집이 있는 마을. 여구자(如丘者):구(丘)와 같은 사람. 충신(忠信):성실(誠實)과 신의(信義).

雍也(옹야)

子曰 雍也는 可使南面이로다 仲弓이 問子桑伯子한대 子曰 可也나 簡이니라 仲弓이 曰 居敬而行簡하여 以臨其民이면 不亦可乎이까 居簡而行簡이면 無乃大簡乎이까 子曰 雍之 言이 然하다

해설: 공자가 말하기를, 「옹은 가히 남면(南面)하여 백성들을 다스릴 만하다.」 중궁이 또 묻기를, 「몸가짐이 조심스럽고 행동하는 데에는 소탈하게 하여 백성들에게 임한다면 역시 좋지 않겠읍니까? 그러나 몸가짐도 소탈하고 행하는 것도 소탈하다면 너무 소탈한 것이 아니오니까?」 공자가 말하기를, 「옹의 말이 그럴 듯하구나.」 즉, 자기 자신에게는 신중하고 대인 관계에는 너그러워야 한다는 뜻이다.

哀公이 問弟子孰爲好學까이니 孔子對曰 有顔回者好學

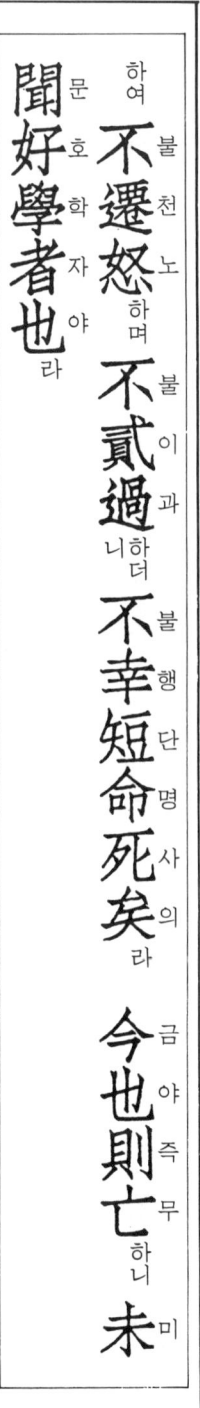

하여 不遷怒하며 不貳過니하더 不幸短命死矣라 今也則亡하니 未
聞好學者也라

해설 애공이 묻기를, 「제자 중에서 누가 배우기를 좋아합니까?」 공자가 대답하기를, 「안회(顔回)가 있어 학문을 좋아하고 노여움을 남에게 옮기지 아니하며, 잘못을 두 번 하지 않았으나, 불행하게도 단명하여 일찍 죽은지라 그가 떠나간 지금은 학문을 좋아한다는 사람을 듣지 못하였읍니다.」

즉, 공자의 삼천 제자 중에 진실로 성인의 덕을 배우고자 하는 제자는 안회임을 말한 것이다.

子華使於齊러니 冉子爲其母請粟한대 子曰 與之釜하라 請益한대 曰 與之庾하라 冉子與之粟五秉한대 子曰 赤之適齊也에 乘肥馬衣輕裘하니 吾聞之也하니 君子周急이요 不繼富라

해설 자화(子華)가 공자의 심부름으로 제(齊)나라에 가게 되어, 염자가 자화의 어머니를 위해 곡식을 보내 줄 것을 청하자, 공자가 말하기를, 「여섯 말 넉 되를 보내 주어라.」 염유가 더 주기를 요청하자, 공자가 말하였는데, 「열 여섯 말을 보내 주어라.」하고 공자가 말하였는데, 염자는 곡식 여든 섬을 보내 주었다. 공자가 말하기를, 「적(赤)이 제나라에 갈 적에 살찐 말을 타고 가벼운 털옷을 입었다고 들었다. 군자는 곤궁한 사람은 도와 주되 부유한 자를 도와 주지는 않느니라.」

즉, 공자는 부유하여도 자기가 절약하여 쓰고 남는 것을, 남을 위해 쓸 줄 아는 사람이라면 후하게 주어도 괜찮지만 그렇지 않은 사람은 그저 낭비할 뿐이기 때문에 보태어 줄 필요가 없다고 말한 것이다.

原思爲之宰러니 與之粟九百늘이어 辭한대 子曰 毋하여 以與爾이 鄰里鄕黨乎인저

해설: 원사(原思)가 가신이 되자, 곡식 구백 석을 주거늘 그것을 사양하였다. 그러자 공자가 말하기를, 「그러지 말라. 너의 이웃과 마을에 나누어 주어라.」

즉, 풍족하여도 제대로 쓸 줄 아는 원사에게는 인색하지 않았다.

원사(原思) : 공자의 제자. 송(宋)나라 사람으로 이름은 헌(憲).

子謂仲弓曰 犂牛之子라도 騂且角이면 雖欲勿用이나 山川 其舍諸아 은

해설: 공자가 중궁에 대해서 이르기를, 「얼룩소의 새끼라도 털이 붉고 뿔이 바르니, 사람들이 비록 제물로 쓰지 않으려 하나, 산천의 신이 그것을 버리려 하겠느냐.」

즉, 신분이 천하고 부모가 못났다 하더라도 본인이 똑똑하고 덕이 있으면 세상에 쓰이게 된다는 뜻이다.

子曰 回也는 其心이 三月不違仁이요 其餘則日月至焉

而已矣(이이의) 니라

해설 공자가 말하기를, 「회(回)는 그 마음이 석 달이 지나도 인을 어기지 않는다. 그러나 그 나머지 제자들은 겨우 하루나 한 달 동안 인에 이를 뿐이니라.」 즉, 알고 있는 것을 행동으로 옮겨야만 학문을 하는 것이라는 뜻으로 제자 안 회의 단명을 애석해 한 것이다.

季康子問(계강자문)하되 仲由(중유)는 可使從政也與(가사종정야여)이까 子曰(자왈) 由也(유야)는 果(과)하니 於從政乎(어종정호)에 何有(하유)리오 曰(왈) 賜也(사야)는 可使從政也與(가사종정야여)이까 曰(왈) 賜也(사야)는 達(달)하니 於從政乎(어종정호)에 何有(하유)리오 曰(왈) 求也(구야)는 可使從政也與(가사종정야여)이까 曰(왈) 求也(구야)는 藝(예)하니 於從政乎(어종정호)에 何有(하유)리오

해설 계강자가 묻기를, 「중유(仲由)는 가히 정치를 맡길 만합니까?」 공자가 말하기를, 「유는 과단성이 있으니 정치를 맡겨 보는 데 무슨 어려움이 있겠읍니까?」 묻기를, 「사(賜)는 가히 정치를 맡길 만합니까?」 말하기를, 「사는 모든 일에 통달해 있으니 정사를 맡아 보는 데 무슨 어려움이 있겠읍니까?」 묻기를, 「구(求)는 정사를 맡아 볼 만합니까?」 말하기를, 「구는 재능이 많으니 정사를 맡아 보는 데 무슨 어려움이 있겠읍니까?」

즉, 정치는 능력 있는 인재를 등용하여 적재 적소에 배치, 소신을 발휘하게 해야 된다는 뜻이다.

주 계강자(季康子): 노나라의 대부.

季氏使閔子騫으로 爲費宰한대 閔子騫曰 善爲我辭焉하라

如有復我者인대 則吾必在汶上矣리라

해설 계씨가 민자건을 비(費) 고을의 읍재를 시키려 하자, 민자건이 말하기를, 「나를 위하여 잘 말씀드려 주십시오. 만약 또다시 나를 부르러 온다면, 그때에는 내가 반드시 문수(汶水)강가에 있을 것입니다.」
즉, 민자건은 효와 덕을 갖춘 사람이므로 무례 방종한 계씨의 신하는 되지 않겠다는 뜻이다.

주 계씨(季氏) : 노나라의 대부로서, 당시 정권을 잡고 있던 사람.

伯牛有疾이어늘 子問之하실새 自牖로 執其手하사 曰 亡之러니 命

矣夫라 斯人也而有斯疾也할셔 斯人也而有斯疾也할셔

해설 백우(伯牛)가 병이 나자 공자가 문병을 가서 스스로 창문을 통하여 손을 잡으며 말하기를, 「희망이 없구나, 천명이다! 이 사람에게 이런 병이 생기다니, 이 착한 사람에게 이런 병이 생기다니!」
즉, 제자 백우가 불치의 병에 걸려 죽음을 맞게 되자 애석해 하는 뜻이다.

주 백우(伯牛) : 성은 염(冉), 이름은 경(耕).

子曰 賢哉라 回也여 一簞食와 一瓢飮으로 在陋巷을 人

不堪其憂어늘 回也不改其樂하니 賢哉라 回也여

해설 공자가 말하기를、「현자로다、회(回)여! 한 소쿠리의 밥과 한 표주박의 물로 누추한 곳에 거처하며 산다면 다른 사람은 그 근심을 견디어 내지 못하거늘 회는 즐거움을 잃지 않는구나. 현자로다. 회여.」

冉求曰 非不說子之道마는 力不足也로다 子曰 力不足
(염구왈 비불열자지도언마는 역부족야로다 자왈 역부족)

者는 中道而廢니하나 今女는 畫다이로
(자는 중도이폐니하나 금녀는 획다이로)

주 염구(冉求) : 공자의 제자.

해설 염구가 말하기를、「선생님의 도(道)가 싫은 것은 아니나、힘이 미치지 못합니다.」 공자가 말하기를、「힘이 미치지 못한 자는 중도에서 폐하기 쉬우나、지금 너는 금을 긋고 있느니라.」

즉, 스스로 자신의 능력을 과소 평가함은 금물이라는 뜻이다.

子謂子夏曰 女爲君子儒오 無爲小人儒하라
(자위자하왈 여위군자유오 무위소인유하라)

해설 공자가 자하에게 이르기를、「너는 군자적인 선비가 되고、소인적인 선비는 되지 말아라.」 즉, 학문에도 덕이 따라야지 지식을 위한 학문에 그쳐서는 안 된다는 뜻이다.

子游爲武城宰러니 子曰 女得人焉爾乎아 曰 有澹臺
(자유위무성재러니 자왈 여득인언이호아 왈 유담대)

滅明者하니 行不由徑하며 非公事어든 未嘗至於偃之室也이하나
(멸명자하니 행불유경하며 비공사어든 미상지어언지실야이하나)

해설 자유가 무성(武城)의 읍재가 되었을 때, 공자가 말하기를、「너는 인재를 얻었느냐?」 자유가 말하기를、「담대멸명(澹臺滅明)이란 자가 있는데、그는 행함에 있어 지름길로 다니지 않고、공사가 아니면 제 방

에 들어오지 않나이다.」

즉, 작은 지방을 다스려도 역시 밑에 어진 사람이 필요함을 강조하는 뜻이다.

子曰(자왈) 孟之反(맹지반)은 不伐(불벌)이로 奔而殿(분이전)하야 將入門(장입문)할새 策其馬曰(책기마왈)
非敢後也(비감후야)라 馬不進也(마부진야)니라

해설 공자가 말하기를, 「맹지반(孟之反)은 자기 자랑을 하지 않는다. 적에게 패하여 달아날 때에 뒤에서 적을 막았지만 성문에 이르러서는 말에 채찍을 가하면서 『일부러 뒤에 처진 것이 아니라 말이 나아가지 않는구나』하고 말했느니라.」
즉, 맹지반이 자기의 공을 전혀 내세우지 않는 자세를 보고 공자가 한 말이다.

子曰(자왈) 不有祝鮀之佞(불유축타지녕)이며 而有宋朝之美(이유송조지미)면 難乎免於今(난호면어금)
之世矣(지세의)니라

해설 공자가 말하기를, 「축타(祝鮀)의 말재간과 송조(宋朝)의 미모가 없다면, 지금의 이 어지러운 세상에 난을 면하기는 어려우니라.」
즉, 도의가 없어져 가는 말세임을 개탄한 말이다.
참 축타(祝鮀)∷ 축은 송나라 종묘의 제관(祭官)을 일컬음.

子曰(자왈) 誰能出不由戶(수능출불유호)마는 何莫由斯道也(하막유사도야)오해설 공자가 말하기를, 「누가 감히 이 문을 통하지 않고 밖으로 나갈 수 있으리요마는 세상 사람들은 왜 이 도(道)를 경유하지 않으려 하는 것일까.」

子曰 質勝文則野요 文勝質則史니 文質이 彬彬然後 君子니라

해설 공자가 말하기를, 「바탕이 지식을 이기면 야인(野人)이요, 지식이 바탕을 이기면 사인(史人)이며, 문식과 실질이 함께 조화를 이루면 바로 군자이니라.」 즉, 본바탕과 수양이 혼연 일체로 조화를 이루는 데서 인격이 형성되는 것이다.

주 문(文)：문식(文飾). 즉 실속 없이 거죽만 꾸밈.

子曰 人之生也直하니 罔之生也는 幸而免이니라

해설 공자가 말하기를, 「사람의 삶은 정직한 것이니, 정직하지 않아도 살아 있음은 요행으로 화를 면하는 것이니라.」 즉, 사람의 천성이 곧으니 세상을 살아감에 있어서도 곧고 성실해야 한다는 뜻이다.

주 망지(罔之)：정직함이 없음.

子曰 知之者는 不如好之者요 好之者는 不如樂之者니라

해설 공자가 말하기를, 「도를 알기만 하는 자는 좋아하는 자만 같지 못하고, 좋아하는 자는 즐기는 자만 같지 못하니라.」

이다。 즉、 학문과 도는 알고 좋아하며 더 나아가서는 그것에서 희열을 느끼는 경지에 이르러야 극치가 된다는 뜻

子曰 中人以上은 可以語上也어니 中人以下는 不可以
語上也니라

해설 공자가 말하기를、 「중인(中人) 이상은 높은 도(道)를 말해 주어도 괜찮으나、 중인 이하는 높은 도를 말할 것이 못 되느니라.」
즉、 교육은 그 대상에 맞추어 실시해야 함을 말한 것이다.
㈜ 중인(中人)‥여기서는 지식 수준보다 그 사람의 심성을 말함.

樊遲問知한대 子曰 務民之義요 敬鬼神而遠之면 可謂
知矣니라 問仁한대 曰 仁者先難而後獲이면 可謂仁矣니라

해설 번지가 지(知)에 대해서 묻자、 공자가 말하기를、 「백성의 뜻하는 바에 힘쓰고、 신을 공경하되 가까이 하지 않으면 되느니라.」 인에 대하여 묻자、 공자가 말하기를、 「어진 사람은 남보다 어려움을 먼저 하고 얻는 것을 뒤에 하면、 이것을 인이라 할 수 있느니라.」
즉、 지자란 신의 가호나 특혜를 바라지 않고 자기 일에 전력을 기울이는 사람이고、 인자는 어려운 일에는 앞장 서고 이익의 분배에는 뒤로 물러서는 정의의 인간이라는 뜻이다.

子曰 知者는 樂水하고 仁者는 樂山이니 知者는 動하고 仁者

靜하며 知者는 樂하고 仁者는 壽니라

해설 공자가 말하기를, 「지자는 물을 좋아하고, 인자는 산을 좋아한다. 지자는 움직이나 인자는 고요하다. 그리고 지자는 즐겁게 살고, 인자는 오래 사느니라.」

즉, 지자란 냉철한 지혜가 있는 이지적인 인간이고, 인자란 인후한 덕이 있는 군자라는 뜻이다.

㊟ 요(樂) : 좋아하다의 뜻으로 쓰임.

子曰 齊一變이면 至於魯하고 魯一變이면 至於道니라

해설 공자가 말하기를, 「제나라가 한 번 변하면 노나라에 이를 것이요, 노나라가 한 번 변하면 도에 이를 것이니라.」

즉, 노나라의 문화가 도에 가까워 조금만 노력하면 태평 성대가 될 수 있다는 뜻이다. 여기에서 제나라는 명예와 실리, 노나라는 예의와 신의를 중히 여기는 풍토가 있음을 말했다.

子曰 觚不觚면 觚哉觚哉아

해설 공자가 말하기를, 「모난 그릇에 모서리가 없으니, 어찌 모난 그릇이라 할 수 있겠는가. 어찌 모난 그릇이라 할 수 있겠는가.」

즉, 하찮은 물건도 그 특성이 없어지는 것이 안타까운데, 더구나 나라의 귀중한 문물 제도가 상실되어 감을 애석하게 생각하여 하는 말이다.

宰我問日 仁者는 雖告之曰 井有仁焉이라 其從之也야

子曰 何爲其然也오 君子는 可逝也언정 不可陷也며 可欺也언정 不可罔也니라

해설: 재아가 묻기를, 「어진 사람은 비록 우물에 사람이 빠졌다는 거짓 고함을 듣고도 그 말을 좇아야 합니까?」 공자가 말하기를, 「어찌 그럴 수가 있나」냐. 군자를 가게 할 수는 있지만 빠지게는 할 수 없으며, 이치에 맞는 말로 속일 수 있을지언정 어리석게 만들 수는 없느니라.」 즉, 군자를 일시적으로 속일 수는 있어도 그의 이지(理知)를 근본적으로 무디게 할 수는 없다는 뜻이다.

子曰 君子博學於文이오 約之以禮면 亦可以弗畔矣夫인저

해설: 공자가 말하기를, 「군자는 널리 학문을 배우고 예(禮)로써 단속한다면 역시 도에 어긋나지 않느니라.」 즉, 지식을 구하되 예로써 구하라는 뜻이다.

子見南子하신대 子路不說이어늘 夫子矢之曰 予所否者인댄 天厭之天厭之리라

해설: 공자가 남자(南子)를 만나 보니, 자로가 기뻐하지 않아서 공자가 맹세하여 말하기를, 「내가 잘못한 바가 있다면 벌을 받으리라.」

子曰 中庸之爲德也其至矣乎 民鮮久矣니라

(자왈 중용지위덕야기지의호 민선구의니라)

해설 공자가 말하기를, 「중용(中庸)의 덕(德)을 행함이 덕의 극치이다. 그런데도 이를 지니고 사는 사람이 적어진지 오래이니라.」

주 중용(中庸): 중은 과부족이 없음을 뜻하고, 용은 공평하고 떳떳함을 뜻함. 즉, 일상의 언행에 중용의 도를 지키는 것이 좋다는 뜻이다.

子貢曰 如有博施於民而能濟衆 何如 可謂仁乎

子曰 何事於仁 必也聖乎 堯舜 其猶病諸라시니

夫仁者는 己欲立而立人하며 己欲達而達人이니 能近取譬

可謂仁之方也巳니라

(자공왈 여유박시어민이능제중 하여 가위인호)
(자왈 하사어인 필야성호 요순 기유병저라시니)
(부인자는 기욕립이립인하며 기욕달이달인이니 능근취비)
(가위인지방야이니라)

해설 자공이 말하기를, 「백성들에게 널리 은덕을 베풀어 능히 무리를 구제하는 사람이 있다면 어떠합니까? 어질다고 말할 수 있겠읍니까?」 공자가 말하기를, 「어찌 인자에 그치랴, 반드시 성인이니라. 요순 같은 사람도 그렇게 하기에는 부족함을 느끼셨을 것이니라. 어진 사람은 자기가 서고 싶으면 남을 세워 주고, 자기가 이루고자 하는 마음이 생기면 다른 사람이 달하게 해주는 것이니라. 자기를 미루어 남을 이해할 수 있다면 그것이 바로 인에 이르는 방법이라 할 수 있느니라.」

66

즉、공자의 제자들은 항상 위대한 스승이 인정(仁政)을 베풀기를 갈망했다。자공이 그런 마음에 공자에게

述而(술이)

子曰
述而不作하며 信而好古를 竊比於我老彭라하노

해설 공자가 말하기를、「옛것을 전술하되 만들어 내지는 말며、옛것을 믿고 좋아함을 나는 가만히 노팽(老彭)에게 비기어 보노라。」

즉、공자의 전술 자세를 밝힌 것이다。지나간 것을 전할 때에는 사실 중심으로 간결하게 하라는 뜻이다。

주 노팽(老彭):상(商)나라의 어진 대부로 고사(古事)를 즐겨 전술한 사람。

子曰
默而識之하며 學而不厭하며 誨人不倦이 何有於我哉오

해설 공자가 말하기를, 「묵묵히 깨달으며 배움에 있어 싫어하지 않고, 남을 가르침에 게을리하지 아니하니, 그 밖에 또 무엇이 나에게 있단 말이오.」

子曰 德之不修와 學之不講과 聞義不能徙하며 不善不能改는 是吾憂也니라

해설 공자가 말하기를, 「덕이 닦아지지 않는 것과, 학문이 익혀지지 않는 것과, 의를 듣고도 실천하지 못하는 것과, 선하지 않음을 능히 고치지 못하는 것이 바로 나의 걱정이니라.」
즉, 덕을 쌓고 학문을 익히며 정의를 실천하고 잘못을 고치는 것이 곧 인격 도야의 길이라는 뜻이다.

주 수(脩) : 닦을 수. 수(修)와 같음.

子之燕居에 申申如也하시며 夭夭如也러시다

해설 공자가 한가하게 있을 때에는 마음을 턱 놓은 것 같았고, 기색이 즐거운 듯 화(和)하였다.
즉, 공자의 평소 생활 모습을 나타내는 말이다.

子曰 甚矣라 吾衰也여 久矣라 吾不復夢見周公이로다

해설 공자가 말하기를, 「심하다, 나의 노쇠함이여. 오래 되었구나, 내 다시 주공(周公)의 꿈을 꾸지 못한 것이!」
즉, 공자가 성인으로 받드는 주공을 그리는 마음이 나타나 있다.

주 주공(周公) : 이름은 단(旦), 주나라 문왕(文王)。

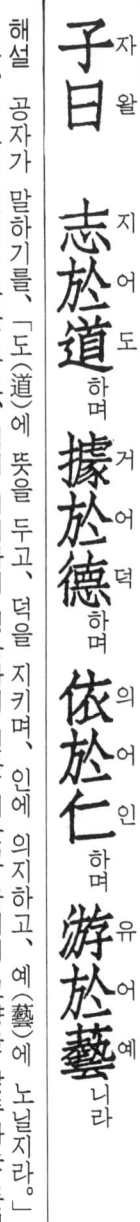

子曰 志於道하며 據於德하며 依於仁하며 游於藝니라

해설: 공자가 말하기를, 「도(道)에 뜻을 두고, 덕을 지키며, 인에 의지하고, 예(藝)에 노닐지라.」

즉, 최고의 진리에 뜻을 두고, 덕에 의거하여 행동하며 인을 베풀고 육예의 교양을 갖추라는 뜻이다.

子曰 自行束修以上은 吾未嘗無誨焉이로다

해설: 공자가 말하기를, 「속수(束修) 이상의 예를 행한 사람이면 나는 일찍기 가르치지 않은 적이 없느니라.」

즉, 배우려고 찾아오는 사람은 모두 가르쳐 주었다는 뜻이다.

子曰 不憤이어 不啓하며 不悱어든 不發하되 舉一隅에 不以三隅反이어든 則不復也니라

해설: 공자가 말하기를, 「알려고 애쓰지 않으면 지도해 주지 않고, 표현하려고 애쓰지 않으면 일깨워 주지 않으며, 한 귀를 일러도 나머지 세 귀를 미루어 알려 하지 않는 자에게는 다시 가르쳐 주지 않느니라.」

즉, 스스로 알려고 분발하여 부분을 일러 주면 전체를 추리하려고 노력하는 자세가 곧 학문의 자세라는 뜻이다.

子食於有喪者之側에 未嘗飽也러시니 子於是日에 哭則不歌러시니

해설 공자가 상을 당한 사람 곁에서 식사를 하면서는 배불리 먹는 적이 없었다. 그리고 공자는 곡을 한 날에는 종일 노래를 부르지 아니하였다. 즉, 공자가 모든 예법 중에서도 상례에 대하여 특히 극진함을 나타낸 것이다.

图 곡(哭) : 상사가 있어서 우는 것.

子謂顔淵曰 用之則行하고 舍之則藏을 惟我與爾有是夫인저 子路曰 子行三軍이면 則誰與시리잇고 子曰 暴虎馮河하여 死而無悔者를 吾不與也니 必也臨事而懼하며 好謀而成者也니라

해설 공자가 안연(顔淵)에게 말하기를, 「등용되면 나아가 도를 행하고 버려지면 물러나서 들어앉는다고 한 말은, 오직 나와 너만이 할 수 있는 일이다.」 자로가 묻기를, 「만약 선생님께서 삼군(三軍)을 거느리신다면, 누구와 더불어 하시겠읍니까?」 공자가 말하기를, 「맨손으로 호랑이에게 달려들고, 맨발로 강을 건너다가 죽어도 후회하지 않는 그런 무모한 사람과는 같이 하지 않을 것이니라. 반드시 어려운 일에 임하여 두려워하며, 미리 계획을 세워서 성공하는 사람과 함께 할 것이니라.」

즉, 아무리 힘과 용기가 필요한 군사도 지혜가 있어야 패하지 않음을 뜻한다.

子曰 富而可求也인댄 雖執鞭之士라도 吾亦爲之와니 如不

可求(가구)인댄 從吾所好(종오소호)하리라

해설 공자가 말하기를, 「부(富)를 구해서 옳은 일이라면 비록 마부 노릇이라 할지라도, 나는 하겠노라. 그러나 그것을 구함이 옳지 않다면 내가 좋아하는 바에 따라 살리라.」 즉, 누구나 부를 원하고 있으나 그것을 구하는 것 자체가 인생의 목표일 수는 없다는 뜻이다.

註 집편(執鞭) : 말채찍을 잡는 사람으로 천한 사람을 가리킴.

子之所愼(자지소신)은 齊戰疾(재전질)이러시다

해설 공자가 조심하는 것은 재계(齊戒)와 전쟁과 질병이었다. 즉, 공자는 조상에 대한 제사와 인명을 살상하는 전쟁, 사람을 불행하게 하는 질병에 대해 매우 조심하였다는 뜻이다.

註 재(齊) : 재계를 말하는 것으로, 곧 제사를 지내기 전에 조신하여 신을 받드는 것.

子在齊聞韶(자재제문소)하시 三月(삼월)을 不知肉味(부지육미)하사 曰(왈) 不圖爲樂之至(부도위악지지) 於斯也(어사야)호라

해설 공자가 제나라에 있을 때, 순임금의 풍악을 듣고 3개월 간을 음식맛을 잊었는데, 말하기를, 「풍류를 함에 있어서, 내 미처 이러한 경지에 이를 줄은 생각하지 못하였노라.」 즉, 공자가 순의 음악에 매료되었음을 뜻한다.

註 소(韶) : 순(舜)임금의 풍악을 말함.

冉有曰 夫子爲衛君乎아 子貢曰 諾다 吾將問之호리라
入曰 伯夷叔齊는 何人也이꼬 曰 古之賢人也니라 曰
怨乎이꼬 曰 求仁而得仁이어니 又何怨이리오 出曰 夫子不爲
也러시라

해설: 염유가 말하기를, 「선생님께서 위나라의 임금을 도와 주실까?」 자공이 말하기를, 「글쎄, 내가 여쭈어 보겠네.」 공자의 처소에 들어가서 말하기를, 「백이와 숙제는 어떤 사람입니까?」 말하기를, 「옛 현인이니라.」 「그들은 후회하였읍니까?」 말하기를, 「인을 구하여 인을 얻었는데, 무엇을 후회하겠느냐?」 자공이 밖으로 나와 말하기를, 「선생님께서는 돕지 않을 것일세.」

즉, 왕위 쟁탈전으로 도가 땅에 떨어진 위나라를 염유가 신하로써 도와야 할지 몰라서 자공을 통해 공자의 의중을 떠본 문장이다.

웨(爲) : 위하다, 도와 주다.

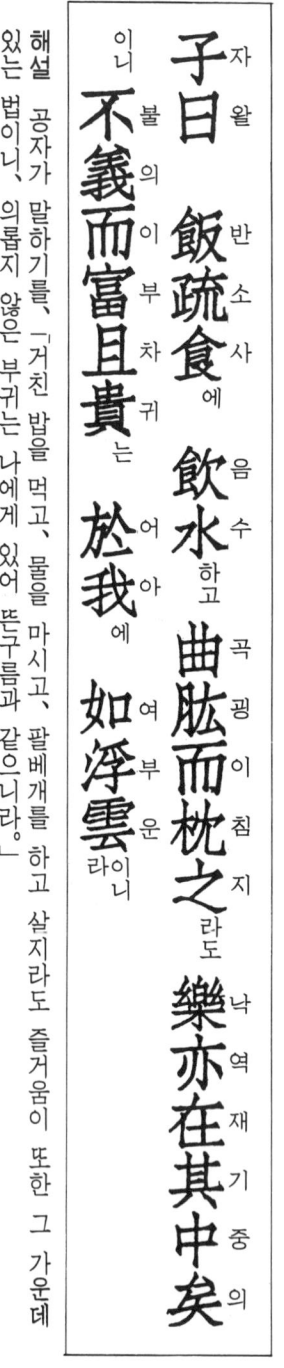

子曰 飯疏食에 飮水하고 曲肱而枕之라도 樂亦在其中矣
不義而富且貴는 於我에 如浮雲이니라

해설: 공자가 말하기를, 「거친 밥을 먹고, 물을 마시고, 팔베개를 하고 살지라도 즐거움이 또한 그 가운데 있는 법이니, 의롭지 않은 부귀는 나에게 있어 뜬구름과 같으니라.」

즉、가난 속에도 행복이 있고、인생의 의의는 옳게 사는 데 있다는 뜻이다.

子曰 加我數年하야 五十以學易이면 可以無大過矣니라

해설: 공자가 말하기를、「하늘이 나에게 수 년의 기간을 더하여 50에 〈역경〉을 배우게 한다면 세상 일에 큰 허물이 없으리라.」

즉、50세까지 역경을 완전히 터득한다면 그 뒤로는 일생에 큰 과오가 없겠다는 말이다.

㈜ 역(易): 음양〈陰陽〉의 원리와 자연의 법칙과、인간사의 길흉까지의 이치를 밝힌 책.

子所雅言은 詩書執禮니 皆雅言也러시

해설: 공자가 정음으로 말할 때는 〈시경〉、〈서경〉、그리고 예〈禮〉를 집행할 때 등이었다. 즉、공자가 평소에는 지방어를 쓰지만、시경과 서경、그리고 예를 집행할 때에는 정음(正音:표준어)으로 말했다는 뜻이다.

㈜ 아(雅): 원래는 맑다는 뜻이나、여기서는 항상의 뜻으로 쓰임.

葉公이 問孔子於子路어늘 子路不對한대 子曰 女奚不曰 其爲人也에 發憤忘食하며 樂以忘憂하야 不知老之將至云爾오

해설 섭공(葉公)이 자로에게 공자에 대해 물었으나 자로가 대답하지 못하자, 공자가 말하기를, 「너는 어찌 『그의 위인됨이 학문에 열중하면 식음을 전폐하며, 즐거워하여 근심을 잊어서 늙음이 닥쳐오는 것도 알지 못한다.』고 말하지 않았느냐?」 즉, 학문과 덕이 완성된 노후에도 식사도 잊은 채 학문에 몰두하는 공자의 면모를 볼 수 있는 문장이다.

子曰 我非生而知之者라 好古하여 敏以求之者也로다

해설 공자가 말하기를, 「나는 나면서부터 아는 사람이 아니라, 옛것을 좋아하여 부지런히 알아 내는데 힘쓰는 사람이로다.」 즉, 공자 자신이 천성적으로 남과 달리 천재가 아니라 꾸준히 도를 깨우치려고 노력할 뿐이라고 말한 것이다.

子不語怪力亂神이시다

해설 공자는 괴이한 일, 힘쓰는 일, 난동부리는 일, 그리고 귀신에 관하여는 말하는 일이 없었다. 즉, 공자가 비현실적이고 비이성적이며 초자연적인 것은 배격하였음을 뜻한다.

子曰 三人行에 必有我師焉이니 擇其善者而從之오 其不善者而改之니라

해설 공자가 말하기를, 「세 사람이 함께 가면 반드시 나의 스승이 있느니라. 그 착한 사람을 가려서 따를 것이고, 그 악한 점을 가려 내 잘못을 고쳐야 하느니라.」

즉, 세 사람이 함께 있으면 자기 외에 두 사람에게서 장점은 본받고 단점은 거울삼아 내 잘못을 고치라는 뜻이다.

子曰 天生德於予니 桓魋其如予何리오

해설 공자가 말하기를, 「하늘이 나에게 덕을 주셨으니 환퇴가 나를 해칠 수 있으랴.」 즉, 송나라의 환퇴가 공자를 제거하려 하자 공자가 한 말이다.

子曰 二三子는 以我爲隱乎아 吾無隱乎爾로라 吾無行 而不與二三子者니 是丘也니라

해설 공자가 말하기를, 「너희들은, 내가 숨기는 것이 있다고 생각하느냐? 나는 숨김이 없노라. 나는 너희들과 함께 행하지 않은 것이 없으니, 그것이 바로 나이니라.」 즉, 제자들이 아무리 공자를 따라가려 해도 스승을 따를 수가 없어서 무슨 비결이라도 있는 듯이 여기기에 공자가 한 말이다.

子以四敎하시니 文行忠信이니라

해설 공자는 항상 네 가지를 가르치니, 학문과 덕행과 성실과 신의이니라. 즉, 학문에는 실천이 따라야 하고 성실은 행동에서 신의로 나타난다는 말이다.

子曰 聖人을 吾不得而見之矣어든 得見君子者면 斯可

矣니라 子曰 善人을 吾不得而見之矣어든 得見有恒者면
恒矣니라

斯可矣니라 亡而爲有하여 虛而爲盈하며 約而爲泰니 難乎有

해설 공자가 말하기를, 「성인을 만나볼 수 없으니, 군자다운 자라도 만나본다면 만족하리라.」공자가 말하기를, 「선인(善人)을, 나는 만나보지 못하였으니, 한결같은 마음을 지닌 사람이라도 만나본다면 만족하리라. 없으면서 있는 체하고, 비었으면서 가득찬 체하고, 가난하면서 부유한 체하는 것이 세인의 성향이니 한결같은 마음을 지니기도 어려우니라.」
즉, 성인이나 인자는 고사하고, 군자나 선한 마음을 지닌 자라도 찾아보기 어려운 세상을 개탄한 말이다.

子는 釣而不綱하시며 弋不射宿이러시다

해설 공자는 낚시질은 하였으나 그물로 고기를 잡지는 않았으며, 주살로 자는 새를 쏘지는 않았다.
즉, 공자의 어진 마음을 엿볼 수 있는 말이다.

子曰 蓋有不知而作之者아 我無是也로라 多聞하야 擇其
善者而從之하며 多見而識之하니 知之次也니라

해설 공자가 말하기를, 「어찌 알지도 못하고 행동하는 사람이 있겠는가. 나는 그런 일이 없노라. 많이 들어서 착한 것을 가려서 따르고, 많이 보아서 나은 것을 기억해 둔다는 것이 아는 것 다음의 방법이니라.」

互鄉은 難與言이러니 童子見커늘 門人惑한대 子曰 與其進也언정 不與其退也니 唯何甚이리오 人이 潔己以進이어든 與其潔也언정 不保其往也니라

해설: 호향(互鄉)에 사는 사람들과 더불어 말하기가 어렵더니 한 동자가 공자를 만나러 오자, 제자들이 몹시 망설였다. 그러자 공자가 말하기를, 「나오려고 할 때에는 받아 주고, 물러갈 때에는 받아 주지 않는 것이다. 어찌하여 그리 심하게 구느냐, 사람이 몸을 깨끗하게 하여 나오면 깨끗함과 함께하는 것이요, 지나간 더러움을 지니고 있는 것이 아니니라.」

즉, 잘못을 뉘우치는 자에게 지난날의 허물을 따지지 말라는 뜻이다.

子曰 仁乎遠哉아 我欲仁이면 斯仁이 至矣니라

해설: 공자가 말하기를, 「인은 멀리 있는 것이 아니다. 내가 바라기만 하면 곧 인자함에 이르는 것이니라.」 즉, 마음에 늘 악을 배격하고 선함을 지니면 곧 인이라는 뜻이다.

陳司敗問하되 昭公이 知禮乎이꼬 孔子曰 知禮시니 孔子退어시늘 揖巫馬期而進之曰 吾聞君子는 不黨이라하니 君子도 亦

77

黨乎아 君取於吳하니 爲同姓이라 謂之吳孟子니라 君而知禮
면
孰不知禮리오 巫馬期以告한대 子曰 丘也幸다이로 苟有過

해설 진나라의 사패(司敗) 벼슬을 하는, 사람이, 소공(昭公)이 예를 아느냐고 물었다. 그러자 공자가 말하기를, 「예를 아십니다.」 공자가 물러나자, 사패가 무마기(巫馬期)에게 읍의 예를 취하며 말하기를, 「나는, 군자는 절대 편당하지 않는다는 말을 들었습니다. 그런데 군자께서도 역시 편당하시는 겁니까? 노나라 소공이 오(吳)나라에서 아내를 맞아 왔으니 동성이 되는데도 오맹자(吳孟子)라고 이르고 있지 않습니까? 그런 소공이 예를 아신다면 누가 예를 모르겠소이까.」 무마기가 그 이야기를 전했더니 공자가 말하기를, 「나는 행복하다. 조금의 잘못이 있어도 남이 반드시 알려 주는구나.」

즉, 노나라의 소공은 예에 밝은 군주이나 오나라에서 왕비를 맞아 동성인데도 이를 엄폐하려 하자 진나라의 사패가 공자에게 소공의 예에 대하여 말하였다. 그런데 공자는 신하로서 임금을 남에게 비방하지 않을 마음으로 말한 것이다.

주 사패(司敗): 관명(官名). 나라의 법을 다루는 법관과 같음.

子與人歌而善든이어 必使反之하시고 而後和之러시다

해설 공자가 남과 함께 노래할 때에, 그 사람의 노래가 좋으면 반드시 반복하여 부르게 하고 나서 그와 같이 노래하였다. 즉, 공자의 노래부르기를 좋아함과 배우는 태도를 볼 수 있는 글이다.

주 반(反): 다시 하다.

子曰 文莫은 吾猶人也아 躬行君子는 則吾未之有得호라

해설 공자가 말하기를, 「학문은 내가 다른 사람이 못 미치랴, 그러나 군자의 도(道)를 몸소 실천함에 있어서는 내가 아직 부족함이 많으니라.」
즉, 아는 것보다 아는 것을 실천하는 일이 더욱 어렵다는 뜻이 있다.
囹 유인(猶人)：겨우 다른 사람에 미침. 약간 부족하다는 뜻이 있음.

子曰 若聖與仁은 則吾豈敢이리오 抑爲之不厭하며 誨人不倦은 則可謂云爾已矣니라 公西華曰 正唯弟子不能學也니로소이다

해설 공자가 말하기를, 「성인과 인자가 하는 일을 내 어찌 감당하리요. 다만 성인과 인자의 도리를 행함에 싫증내지 않으며, 남을 가르침에 게을리하지 않는다고 말할 수 있을 뿐이니라.」 공서화(公西華)가 말하기를, 「바로 그것만도 저희는 능히 본받지 못하나이다.」
즉, 공자와 제자 간의 겸허한 대화이다.

子疾病어이시늘 子路請禱한대 子曰 有諸아 子路對曰 有之하니 誄曰 禱爾于上下神祇라더 子曰 丘之禱久矣니라

해설 공자가 병이 나자 자로가 기도드릴 것을 청하니 공자가 대답하기를, 「그런 일이 있었느냐?」 자로가 대답하기를, 「있었읍니다. 〈뇌사〉에 이르기를, 『너를 위하여 천신(天神) 지신(地神)에게 기도를 드리노라.』하였읍니다.」 공자가 말하기를, 「나도 그같은 기도를 한 지 오래이니라.」 즉, 미신을 벗어나지 못하고 있는 자로를 깨우쳐 주고, 철저한 인본주의 사상을 강조한 말이다.

子曰 奢則不孫하고 儉則固니 與其不孫也寗固니라

해설 공자가 말하기를, 「사치하면 거만해지고 지나치게 검약하면 인색해진다. 그러나 거만한 것보다는 차라리 인색한 것이 나으니라.」

즉, 지나친 사치나 지나친 검약은 모두 중용의 도를 잃고 있다. 그러나 오만함보다는 인색함이 낫다는 뜻이다.

子曰 君子坦蕩蕩이오 小人長戚戚이니

해설 공자가 말하기를, 「군자는 마음이 평정하며 넓고, 소인은 항상 걱정에 싸여 마음이 초조하니라.」

즉, 군자는 진리를 즐기고 정의를 행하므로 마음이 평온하나 소인은 사리 사욕을 쫓아 살기 때문에 항상 불안하다는 뜻이다.

참 탕탕(蕩蕩) : 마음이 넓고 너그러운 모양.

子는 溫而厲하시며 威而不猛하시며 恭而安이러시다

해설 공자는 온화하되 엄숙하며, 위엄이 있으나 지나쳐서 사납지 않으며, 공손하면서도 자연스러웠다.

즉, 공자의 풍모와 품격을 제자가 적은 글이다.

泰伯(태백)

子曰 泰伯은 其可謂至德也已矣로다 三以天下讓하되 民無得而稱焉이오

図 태백(泰伯)∶주나라 태왕(太王)의 장자(長子)。

해설 공자가 말하기를, 「태백(泰伯)이야말로 덕이 지극하다고 할 수 있느니라. 그러나 그는 여러 번 천하를 사양하였는데도 사람들은 그의 덕을 들어 칭찬함이 없구나. 즉, 지극한 덕은 남에게 드러나지 않는다는 뜻이다.」

子曰 恭而無禮則勞하고 愼而無禮則蒽하고 勇而無禮則亂하고 直而無禮則絞니라 君子篤於親則民興於仁하고 故舊不遺則民不偸니라

해설 공자가 말하기를, 「공손하되 예가 없으면 고생스럽고, 신중하되 예가 없으면 두렵게 여기고, 용감하면서 예가 없으면 난폭해지고, 곧되 예가 없으면 긴박하여진다.」 공자가 말하기를, 「군자가 친척들에게 후하게 대하면 백성들 사이에 인의 기풍이 일어나고, 옛친구를 버리지 않으면 백성이 각박하여지지 않느니라.」

즉, 위정자들은 국민에게 미치는 영향이 크므로 솔선 수범하여 인의를 실천해야 함을 강조한 뜻이다.

曾子有疾하사 召門弟子曰 啓予足하며 啓予手하라 詩云하되 吾知

戰戰兢兢하야 如臨深淵하며 如履薄氷하너라 而今而後에야

免夫라 小子아.

해설 증자는 병이 위독해지자 제자들을 불러 말하기를, 「나의 발을 펴고 나의 손을 펴 보아라. 《시경》에 이르기를 『두려워하고 조심함이 깊은 못가에 서있는 듯하고 살얼음을 밟는 듯하다.』하였으니, 이제부터 나는 그런 근심에서 해방되었음을 알겠노라, 제자들아!』 즉, 평생 동안 효를 실천하며 전전 긍긍, 깊은 물가에 선 듯 조심하며 살아온 몸이 임종에 이르러 편안해짐을 말한 것이다.

曾子有疾이어늘 孟敬子問之러니 曾子言曰 鳥之將死에 其

鳴也哀하고 人之將死에 其言也善이니 君子所貴乎道者

三이니 動容貌에 斯遠暴慢하며 正顏色에 斯近信矣며 出辭

氣에 斯遠鄙倍矣니 籩豆之事則有司存이라이니

해설 증자가 병이 나자 맹경자(孟敬子)가 문병을 하였더니, 증자가 말하기를, 「새가 죽음에 임하면 그 울음이 애처롭고, 사람이 죽음에 임하면 그 말이 선하여지는 것이오. 증자가 도를 실천하는 데에는 귀중하게 여기는 것이 세 가지가 있소. 몸가짐에는 난폭하고 교만함을 멀리하고, 안색을 바르게 하여 신의가 있어야 하오. 그리고 제사에 변두(籩豆)를 놓는 일은 맡아 볼 사람이 따로 있을 거요.」

즉, 행동은 거칠고 교만함이 없을 것, 안색은 꾸밈이 없이 누구에게나 신의로 대할 것, 말에는 저속함과 사리에 어긋남이 없도록 하는 군자의 도를 강조하는 뜻이다.

図 맹경자(孟敬子)∷노나라의 대부. 이름은 첩(捷).

曾子曰 以能問於不能하며 以多問於寡하며 有若無하며 實若虛하며 犯而不校를 昔者吾友嘗從事於斯矣라러니

해설 증자가 말하기를, 「유능하면서 무능한 사람에게 물어 보고, 많이 알면서 적게 알고 있는 사람에게 물어 보며, 도를 지녔으면서도 남보기에는 없는 것같이 하고, 덕이 실하되 허하며, 범하되 계교를 쓰지 아니함은 지난날 나의 친구 하나가 이를 실천했느니라.」

즉, 학문과 인격이 완전하게 겸비된 군자에 대한 설명이다.

曾子曰 可以託六尺之孤하며 可以寄百里之命이오 臨大節而不可奪也면 君子人與아 君子人也니라

해설 증자가 말하기를, 「14, 5세의 나이 어린 임금을 의탁함직하고, 백리 지역의 국가를 맡길 만하며, 국난을 당하여도 가히 충절을 잃지 않는다면 군자다운 사람이리라. 참으로 군자라 할 수 있느니라.」

즉, 어린 임금을 맡길 수 있는 신하, 한 나라를 다스려 부흥시킬 수 있는 신하, 국난을 당하면 목숨을 걸고 절개를 지킬 수 있는 신하, 이런 신하라면 군자라는 말이다.

曾子曰 士不可以不弘毅니 任重而道遠이라 仁以爲己 任이니 不亦重乎아 死而後已니 不亦遠乎아

(증자왈 사불가이불홍의 임중이도원 인이위기 임 불역중호 사이후이 불역원호)

해설 증자가 말하기를, 「선비는 뜻이 크고 마음이 꿋꿋하지 않으면 안 되는 것이니, 그 소임은 중대하고 갈 길은 멀기 때문이다. 인을 베푸는 것을 자기의 소임으로 하니, 어찌 중대하지 아니한가. 죽은 다음에야 끝이 나니 어찌 멀지 아니한가!」

즉, 선비는 일생을 정의와 인에 의해 살아야 함으로 그 짐이 무겁고 가는 길은 멀다는 뜻이다.

子曰 興於詩하며 立於禮하며 成於樂이니라

(자왈 흥어시 입어례 성어악)

해설 공자가 말하기를, 「시(詩)로써 뜻을 일으키고, 예(禮)에서 뜻이 확립되고, 악(樂)에서 뜻이 완성되느니라.」

즉, 인간의 정신적 발전의 3단계를 말하는 것이다.

※ 흥(興) : 감흥이 일어남.

子曰 民은 可使由之요 不可使知之니라

(자왈 민 가사유지 불가사지지)

해설 공자가 말하기를, 「백성을 이치에 따르게 할 수는 있으나, 그 이치를 다 이해시킬 수는 없느니라.」
즉, 백성은 무지한 사람이 대부분이기 때문에 위정자가 정당한 방법을 제시하여 따르게 한다는 뜻이다.

子曰(자왈) 好勇疾貧(호용질빈)이 亂也(난야)요 人而不仁(인이불인)을 疾之已甚(질지이심)이 亂(난)
也(야)니라

해설 공자가 말하기를, 「용맹을 좋아하고, 가난함을 싫어하는 것은 난동을 일으킬 징조이니라.」 즉, 용감한 자가 빈곤함을 지나치게 싫어하는 것도 악을 행할 요소가 되고, 선하지 못함을 지나치게 미워함도 마찬가지라는 뜻이다.

子曰(자왈) 如有周公之才之美(여유주공지재지미)오도 使驕且吝(사교차린)이면 其餘(기여)는 不足(부족)
觀也已(관야이)니라

해설 공자가 말하기를, 「주공에게 훌륭한 재주와 아름다움이 있다 하더라도, 교만하고 인색하다면 그 나머지는 볼 것이 없느니라.」

子曰(자왈) 三年學(삼년학)에 不至於穀(부지어곡)을 不易得也(불이득야)니라

해설 공자가 말하기를, 「삼년 동안 학문을 하고서도 벼슬에 뜻을 두지 않기란 쉬운 일이 아니니라.」 즉, 조금만 알게 되어도 책을 덮고 아는 것을 활용하려 한다는 뜻이다.

85

子曰 篤信好學하며 守死善道니라 危邦不入하고 亂邦不居하며 天下有道則見하고 無道則隱이니 邦有道에 貧且賤焉이 恥也며 邦無道에 富且貴焉이 恥也니라

해설 공자가 말하기를, "굳게 믿고 배우기를 좋아하며, 착한 도(道)를 죽음으로 지켜라. 위태로운 나라에는 들어가지 말고 혼란한 나라에는 살지 말며, 천하에 도가 행하여지면 나가고 도가 없으면 들어가 숨어라. 나라에 도가 있으면 가난하고 천하게 사는 것이 부끄러운 것이요, 나라에 도가 행하여지지 않는데 부를 누리고 귀하게 살면 부끄러운 것이니라."

즉, 굶은 신념을 가지고 인에 이르기를 노력하고, 정도가 행해지는 때가 오면 나아가 인을 펼치고 부정한 부귀는 누리지 말라는 뜻이다.

㈜ 위방(危邦) : 위태한 나라.

子曰 不在其位하야 不謀其政이니

해설 공자가 말하기를, "그 지위에 있지 않으면 그 직무를 주제넘게 간섭하지 말라는 뜻이다.

子曰 師摯之始에 關雎之亂이 洋洋乎盈耳哉라

해설 공자가 말하기를, "사지가 처음으로 악관(樂官)이란 벼슬을 하였을 때, 관저 마지막 장의 음악이 아름답고 성대하게 귀에 가득 찼도다."

子曰 狂而不直하며 侗而不愿하며 悾悾而不信을 吾不知之矣로다

해설: 공자가 말하기를, 「방자하며 곧지 아니하고, 무지하면서도 성실치 못하고, 재주가 없으면서 신실하지 못한 사람을 나는 이해할 수 없도다.」

즉, 단점이 있으면 대체로 그것을 보충하는 장점이 있게 마련인데, 단점을 보충할 장점조차 없는 사람은 자신을 그렇게 만든 것이라는 뜻이다.

子曰 學如不及이오 猶恐失之니라

해설: 공자가 말하기를, 「학문이란 미치지 못할 것같이 서둘러 하면서도, 오히려 잊어버릴까 두려워하라.」

즉, 목표에 이르지 못할까봐 촌각을 아껴 부지런히 해도 이루지 못하는 수가 많다는 뜻이다.

子曰 巍巍乎아 舜禹之有天下也而不與焉이여

해설: 공자가 말하기를, 「높고 크도다! 순과 우는 천하를 가지고서도 그것에 관여하여 집착하지 않았으니.」

즉, 순과 우의 덕이 지고함을 칭송한 말이다.

子曰 大哉라 堯之爲君也여 巍巍乎라 唯天이 爲大시어늘 唯堯則之니하시 蕩蕩乎라 民無能名焉다이로 巍巍乎라 其有成

功야 也_여 煥_환乎_호라 其_기有_유文_문章_장이여

해설 공자가 말하기를, 「크도다, 요임금이여! 위대하다, 오직 하늘만이 위대하다고 하지만 요의 덕은 이에 비할만하니, 넓고 넓어라, 백성은 요의 덕이 너무나 커서 무어라 형언하지 못하니, 위대하여라, 그가 이룬, 공적이여. 빛나도다. 그가 이룩한 문화여!」

즉, 고대 성군 요의 위대한 덕과 문물 제도를 찬양한 말이다.

舜이 有臣五人而天下治니라 武王曰 予有亂臣十人호라 孔子曰 才難이 不其然乎아 唐虞之際於斯爲盛하나 有婦人焉이라 九人而已니라 三分天下에 有其二하사 以服事殷 周之德은 其可謂至德也已矣로다

해설 순은 오명의 신하가 있어 나라를 잘 다스렸다. 무왕이 말하기를, 「나는 열명의 신하가 있어 나라를 잘 다스렸다.」 공자가 말하기를, 「인재를 구하기가 힘들다 하더니 과연 그렇구나, 요와 순의 교체기에 이만한 인재로 태평성세를 이루었다 하나, 무왕의 신하 중에는 부인이 한사람 있으니 실은 아홉 사람뿐이었다. 주 나라는 천하의 삼분의 이를 가지고도 은나라에 복종하였으니, 주나라의 덕이야말로 지극한 덕이라 할 수 있도다.」

즉, 인재를 구하기가 몹시 어려움을 뜻한다.

주 당우(唐虞) : 요순(堯舜)을 가리킨 말.

子曰 禹는 吾無間然矣로다 菲飲食而致孝乎鬼神하시며 惡

衣服而致美乎黻冕하시며 卑宮室而盡力乎溝洫하시니 禹는 吾

無間然矣로다

해설 공자가 말하기를, 「우에 대하여서는, 내 흠잡을 것이 없도다. 자신은 변변치 못한 음식을 먹으면서도 조상에게는 풍부한 제물을 바쳤고, 평소의 의복은 검소하였으나 제사의 예복은 아름답게 하였고, 거처하는 궁실은 허술하게 지어 살면서, 농사에 물댈 도랑을 내는 데는 전력을 다하였으니, 우에 대하여서는 나로서는 비판할 바가 없도다.」

즉, 우왕의 치적을 칭송하는 글이다.

子罕(자한)

子罕言利與命與仁 시이러다

해설 공자는 이익과 운명과 인에 관해서는 말하는 일이 드물었다.
즉, 제자가 공자의 일상 언어 생활의 태도를 기록한 글이 드물었다.

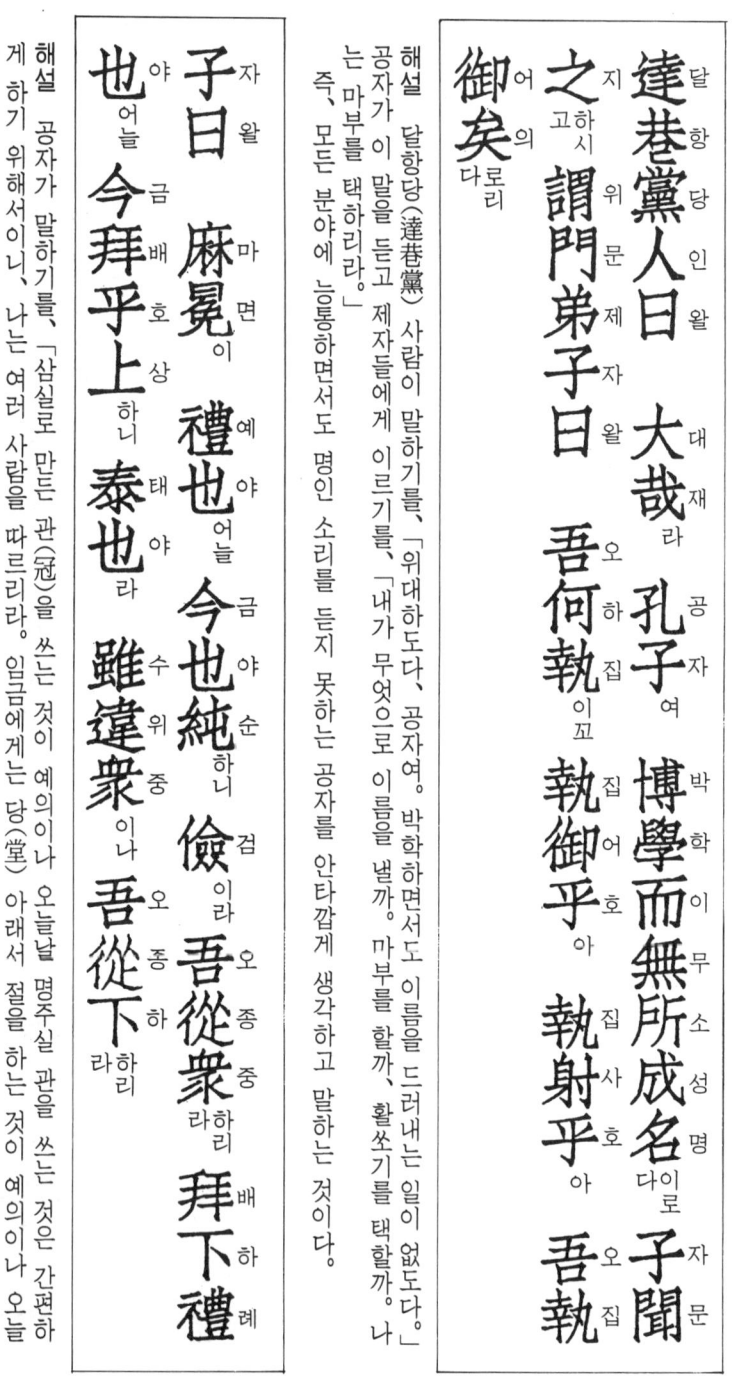

達巷黨人曰 大哉라 孔子여 博學而無所成名이로다 子聞
之하시고 謂門弟子曰 吾何執이꼬 執御乎아 執射乎아 吾執
御矣로리

해설 달항당(達巷黨) 사람이 말하기를, "위대하도다, 공자여. 박학하면서도 이름을 드러내는 일이 없도다." 공자가 이 말을 듣고 제자들에게 이르기를, "내가 무엇으로 이름을 낼까. 마부를 할까, 활쏘기를 택할까. 나는, 마부를 택하리라."

즉, 모든 분야에 능통하면서도 명인 소리를 듣지 못하는 공자를 안타깝게 생각하고 말하는 것이다.

子曰 麻冕이 禮也어늘 今也純하니 儉이라 吾從衆하리 拜下禮
也어늘 今拜乎上하니 泰也라 雖違衆이나 吾從下라하리

해설 공자가 말하기를, "삼실로 만든 관(冠)을 쓰는 것이 예의이나 오늘날 명주실 관을 쓰는 것은 간편하게 하기 위해서이니, 나는 여러 사람을 따르리라. 임금에게는 당(堂) 아래서 절을 하는 것이 예의이나 오늘날 위에서 절을 하는 것은 교만한 것이니, 비록 사람들과는 어긋난다 하더라도 나는 당 아래서 절하는 것을 따르리라."

즉, 전통을 존중하되 고루한 것은 타파하여 현실에 맞도록 시정해야 하고 새로운 유행이라도 도리에 맞지

子絶四니러시 毋意하고 毋必하고 毋固하고 毋我다러시

해설 공자는 네 가지를 절대 안하였다. 억측하는 일이 없고, 장담하는 일이 없으며, 고집하지 않고, 이기적인 일이 없었다.

子畏於匡시니러시 曰 文王旣沒니하시 文不在玆乎아 天之將喪 斯文也시니 後死者不得與於斯文也와어니 天之未喪斯文也야 匡人其如予何리오

해설 공자가 광(匡)땅에서 두려워하는 제자들에게 위로하여 말하기를, 「문왕은 이미 가셨으나, 그의 문화가 여기에 남아 있지 않느냐. 하늘이 이 문화를 버리려 하였다면 후세 사람으로 하여금 이 문화에 참여치 못하게 하였을 것이다. 그러나 하늘이 이 문화를 버리지 않을진대, 광땅의 사람들이 나를 어찌하겠느냐?」 즉, 공자는 고대의 문물 제도가 한 몸에 담겨 있었음을 인식하고 있었으므로 어려운 일에 부딪쳤을 때의 의연하게 대처할 수 있음을 뜻한다.

大宰問於子貢曰 夫子는 聖者與아 何其多能也오 子聞之曰 大宰 貢曰 固天縱之將聖이요 又多能也라시니 子聞之曰 大宰

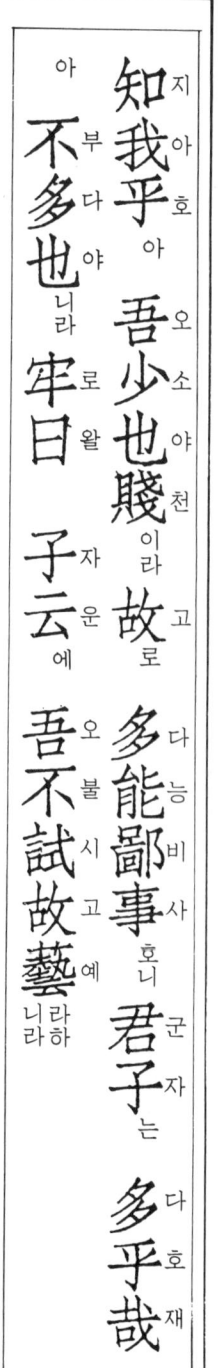

知我乎아 吾少也賤이라 故로 多能鄙事호니 君子는 多乎哉아 不多也니라 牢曰 子云에 吾不試故藝니라

해설 太宰(태재)가 자공에게 묻기를, 「공자께서는 성인이십니까? 어찌 그리도 다재 다능하십니까?」 자공이 대답하기를, 「선생님께선 하늘이 내려 주신 장래의 성인이시고, 또 다재 다능하십니다.」 공자가 이 말을 듣고 말하기를, 「태재야말로 나를 바로 아는구나. 나는 젊었을 때, 천하게 지냈기 때문에 변변찮은 잔재주에 능하게 되었느니라. 군자가 재능이 많아야 하겠는가? 다능할 필요가 없느니라.」 노가 말하기를, 「선생님께서는 『나는 세상에서 써주지 않았기 때문에 예를 익히게 되었느니라.』하고 이르셨느니라.」

子曰 吾有知乎哉아 無知也로다 有鄙夫問於我호되 空空如也라도 我叩其兩端而竭焉이라하노

해설 공자가 말하기를, 「내가 아는 것이 있는가, 아는 것이 없노라. 그러나 무지한 사람이 나에게 물어오되 그 사람이 아무리 무지하다 하더라도 나의 성의를 다하여 처음부터 끝까지 가르쳐 주겠노라.」

子曰 鳳鳥不至하며 河不出圖하니 吾已矣夫인저

해설 공자가 말하기를, 「봉황새가 오지 않고, 용마가 황하에서 그림을 지고 나오지도 않으니, 나는 이제 어찌할 수 없노라.」

즉, 끝내 때를 만나 뜻을 이루지 못하고 일생을 마치는 공자 만년의 말인 듯하다.

㊟ 하불출도(河不出圖)∷ 하수 가운데서 그림이 나타나지 않는다는 뜻. 전설에서 기인된 말.

子見齊衰者와 冕衣裳者와 與瞽者를 見之에 雖少나 必作하시며 過之必趨러시다

해설 공자는 상복을 입은 자와 관복을 입은 사람과 맹인을 보면 비록 연소자라 하더라도 반드시 일어났으며, 그들의 앞을 지날 때에는 반드시 빨리 지나갔다.
즉, 공자의 일상 생활에서의 예의를 엿볼 수 있는 말이다.

圀 최(衰) : 상복을 뜻함.

顏淵이 喟然歎曰 仰之彌高하며 鑽之彌堅하며 瞻之在前이러니 忽焉在後로다 夫子循循然善誘人하사 博我以文하고 約我以禮하시니 欲罷不能하야 旣竭吾才하니 如有所立이 卓爾라 雖欲從之나 末由也已로다

해설 안연이 탄식하여 말하기를, 「선생님의 도는 우러러볼수록 더욱 높고, 뚫고 들어갈수록 더욱 견고하다. 앞에 있는 것을 본 것 같으면 어느새 뒤에 와 있다. 선생님께서는 사람을 차근차근히 잘 달래어 이끌어 나가신다. 학문으로써 나의 지혜를 넓혀 주시고 예로써 나의 행위를 다듬어 주신다. 그만두려 하여도 할 수 없는 것은, 나의 재주를 다하여 쫓아가 보면 서 있는 바가 다시 우뚝한 모양 같기 때문이다. 그래서 그것을 좇으려고 하지만 좇을 길이 없도다.」

子疾病이어시늘 子路使門人으로 爲臣이러니 病閒曰 久矣哉라 由

之行詐也여 無臣而爲有臣하니 吾誰欺오 欺天乎아 且予

與其死於臣之手也론 無寧死於二三子之手乎아 且予

縱不得大葬이나 予死於道路乎아

해설 공자의 병이 심하여지자, 자로가 제자들로 하여금 가신을 삼아 공자 사후의 장례를 치르려 하였다. 공자가 병이 좀 나아지자 자로를 책망하여 말하기를, 「오래되었구나, 유가 거짓을 행한지가. 나에게는 지금 가신이 없는데도 가신이 있는 것처럼 하였으니 내가 누구를 속이리요! 하늘을 속일 것인가? 또 내가 가신의 손에 안겨서 죽는 것보다 차라리 제자들의 손에 안겨서 죽으리라. 또 내가 대장(大葬)의 예를 받지 못한다 하더라도, 나에게는 제자들이 있는데 나의 시체가 길가에 버려지겠는가.」

즉, 공자가 만년에 병이 들자 제자 자로가 성대하게 장례를 치를 생각을 하자 이를 나무라는 뜻으로 한 말이다.

子貢曰 有美玉於斯하니 韞匵而藏諸이꼬 求善賈而沽諸이꼬

子曰 沽之哉 沽之哉라 我는 待賈者也로다

해설 자공이 말하기를, 「여기에 아름다운 옥이 있다면 궤 속에 넣어 감추어 두어야 하겠읍니까?」 공자가 말하기를, 「팔아야지, 팔아야 하고 말고. 나는 좋은 값으로 팔리

은 값을 받고 팔아야 하겠읍니까?」 공자가 말하기를, 「여기에 아름다운 옥이 있으니 궤 속에 넣어 감추어 두어야 하겠읍니까? 아니면 좋

94

子欲居九夷니러시 或曰 陋커늘 如之何이꼬 子曰 君子居之 何陋之有리오

해설 공자가 동쪽 오랑캐의 땅에 가서 살기를 바라셨다. 이에 어떤 사람이 말하기를, 「누추할 터인데 어떻게 살겠읍니까?」 공자가 말하기를, 「군자가 거처하니 어찌 누추함이 있으리요!」 즉, 문화가 발달한 반면 인간의 순수성이 상실되어 가고 있는 중국에서 뜻을 펼 수 없자, 미개한 나라에 가서 어진 덕을 이루어 보려는 생각에서 한 말이다.

子曰 吾自衞反魯然後에 樂正하야 雅頌이 各得其所라하니

해설 공자가 말하기를, 「내가 위나라에서 노나라로 돌아온 후에야 풍악을 바로 잡아、아(雅)와 송(頌)이 각기 그자리를 얻게 되었느니라.」

즉, 왕도 정치의 큰 뜻을 품고 천하를 주유하고 다시 노나라로 돌아와 음악을 정리한 것을 말하는 것이다.

아송(雅頌) : 아는 궁정의 악가(樂歌)이고、송은 종묘에서 부르는 악장이다.

子曰 出則事公卿하고 入則事父兄하며 喪事를 不敢不勉하며 不爲酒困이 何有於我哉오

해설 공자가 말하기를, 「나가면 임금이나 대부를 섬기고 집에 들어오면 부형을 섬기며, 정성을 다하여 상사를 치르며, 술에 마음이 난잡해지지 아니함을 어찌 난들 못하겠는가.」

子在川上曰 逝者如斯夫 不舍晝夜로다

자재천상왈 서자여사부인저 불사주야

해설 공자가 냇가에서 말하기를, 「가는 것이 모두 이와 같구나. 밤낮으로 흘러 쉬는 일이 없구나.」

즉, 세월이 가고, 인생이 가고, 모든 것이 변천하여 가는 것을 말한 것이다.

子曰 吾未見好德 如好色者也니라

자왈 오미견호덕을 여호색자야

해설 공자가 말하기를, 「나는 아직까지는 미색을 좋아하는 것같이 덕을 좋아하는 사람을 보지 못하였노라.」

즉, 미색을 좋아하는 것은 본능적인 것이므로 그만큼 덕을 좋아하라는 말이다.

子曰 譬如爲山에 未成一簣하야 止도 吾止也며 譬如平地에 雖覆一簣나 進도 吾往也니라

자왈 비여위산 미성일궤 지 오지야 비여평 지 수복일궤 진 오왕야

해설 공자가 말하기를, 「학문을 비유컨대 마치 산을 쌓음과 같아서 한 삼태기를 마저 이루지 못하고 그만 두어도 내가 멈추것이며, 비유컨대 땅을 평평하게 하는 것과 같아서 비록 흙 한 삼태기를 부었다 하더라도 나아감은 내가 나아감이니라.」

즉, 학문함에 있어서 나아감과 후퇴는 결국 그 책임이 모두 자신에게 있다는 뜻이다.

子曰 語之而不惰者는 其回也與인저

자왈 어지이불타자 기회야여

96

해설 공자가 말하기를, 「말해 준 것을 게을리하지 않는 자는 바로 회(回)뿐이니라.」
즉, 묵묵히 실천해 나가는 안회를 칭찬한 말이다.

子謂顏淵曰 惜乎라 吾見其進也요 吾未見其止也호라
자위안연왈 석호 오견기진야 오미견기지야

주 석호(惜乎)‥아깝다. 애석하다.

해설 공자가 안연을 평하여 말하기를, 「애석하구나! 내 그의 도와 학문이 나아가는 것은 보았으나, 아직 그것이 멈추는 것을 보지 못하였노라.」
즉, 배우기를 몹시 좋아하고 부지런히 실천하는 안회의 단명을 애석해 하는 것이다.

子曰 苗而不秀者有矣夫며 秀而不實者有矣夫인저
자왈 묘이불수자유의부 수이불실자유의부

해설 공자가 말하기를, 「곡식에 싹은 나도 꽃이 피지 않는 것이 있고, 꽃은 피어도 열매를 맺지 못하는 것이 있구나.」
즉, 삼천 명이나 되는 제자들의 학문의 깊이와 자세를 비유한 말로 꽃피고 열매까지 맺었으나 일찍 서리를 맞고 떨어진 안회를 회상하며 하는 말이다.

子曰 後生이 可畏니 焉知來者之不如今也리오 四十五
자왈 후생 가외 언지래자지불여금야 사십오
十而無聞焉이면 斯亦不足畏也已니라
십이무문언 사역부족외야이

해설 공자가 말하기를, 「젊은 사람이 두려우니라. 어찌 장래의 그들이 지금의 나만하지 못하다 하리요. 그러나 사십, 오십이 되어도 학문과 덕으로 이름이 나지 않으면, 그런 자는 두려워할 것이 못 되느니라.」

子曰 法語之言은 能無從乎아 改之爲貴니라 巽與之言 能無說乎아 繹之爲貴니라 說而不繹하며 從而不改면 吾末如之何也已矣니라

해설 공자가 말하기를, 「법어의 말씀을 능히 따르지 않겠는가, 그러나 그 말씀에 따라 잘못을 고칠 줄 아는 것이 중요하니라. 부드럽게 타이르는 말을 능히 좋아하지 않을 수 있으랴? 그러나 그 말의 참뜻을 찾는 것이 중요하니라. 기뻐하여도 참뜻을 찾아내지 못하고, 따르면서도 자기의 잘못을 고치지 않는다면, 내 어찌할 수 없느니라.」

즉, 자신이 배워서 잘못을 고치려 들지 않는다면 스승에게서 아무리 훌륭한 가르침을 들어도 소용이 없다는 뜻이다.

図 법어(法語) : 바르게 이야기하여 깨우치게 하는 말.

子曰 主忠信하며 毋友不如己者요 過則勿憚改니라

해설 공자가 말하기를, 「충과 신을 주(主)로 하고, 나만 못한 사람을 사귀지 말고, 자신에 허물이 있거든 고쳐야 하느니라.」

즉, 성실과 신의를 생활 신조로 삼고, 나만 못한 사람을 벗으로 삼지 말며, 잘못이 있거든 기탄없이 고치라는 뜻이다.

子曰 三軍은 可奪帥也어니와 匹夫는 不可奪志也니라

해설 공자가 말하기를, 「삼군에서 그 장수를 빼앗을 수는 있을 지라도, 굳게 다져진 장부의 뜻은 빼앗을 수 가 없느니라.」
즉, 뜻은 인간의 의지요 신념이기 때문에 삼군의 무력으로도 꺾을 수가 없다는 뜻이다.

㋐ 삼군(三軍): 많은 군사.

子曰 衣敝縕袍하야 與衣狐貉者로 立而不恥者는 其由 也與인저 不忮不求면 何用不臧이리오 子路終身誦之한대 子曰 是道也로 何足以臧오이리

해설 공자가 말하기를, 「해진 무명 도포를 입고서 여우나 담비 가죽으로 만든 털옷을 입은 자와 함께 있어 도 부끄러워 하지 않는 사람은 바로 유일 것이니라. 남을 해하지 않고 또 남의 것을 탐내어 구하지 않으니, 어찌 선하지 않으리요.」하고 《시경》의 귀절까지 인용하여 칭찬해 주었다. 그러자 자로는 『남의 부귀를 사지 아니하고 탐내지 아니하면 어찌 쓴들 착하지 않겠느냐.』란 귀절을 항상 외었더니 공자가 말하기를, 「이는 바 로 도를 행하는 과정인데, 어찌 그것만으로 선을 행함에 족하다 하리요.」
즉, 공자가 시경에 있는 시구를 인용하여 자로를 칭찬해 주는 구절이다.

㋐ 온포: 무명으로 만든 도포.

子曰 歲寒然後에 知松柏之後彫也니라

子曰 知者는 不惑하고 仁者는 不憂하고 勇者는 不懼니라

해설 공자가 말하기를, 「지혜로운 사람은 당황하지 않고, 어진 사람은 근심하지 않고 용기 있는 사람은 두려워하지 않느니라.」
즉, 지는 이성적인 판단력, 인은 사랑, 용은 과감한 실천력이라는 뜻이다.
주 구(懼) : 두려워하다의 뜻.

子曰 可與共學이라 未可與適道며 可與適道라도 未可與
立이며 可與立이라 未可與權이니라

해설 공자가 말하기를, 「함께 배우더라도 함께 도에 나아가지는 못하고, 함께 도에 나아가더라도 함께 뜻을 세우지는 못하며, 함께 뜻을 세우더라도 함께 대의에 맞게 일을 적절히 처리할 수는 없느니라.」
즉, 같은 스승 밑에서 똑같이 배우더라도 타고나는 두뇌와 능력에 따라 차이가 날 수 있다는 뜻이다.
주 권(權) : 여기서는 저울 추(錘)의 뜻으로 쓰임.

唐棣之華여 偏其反而로다 豈不爾思마는 室是遠而니라 子曰
未之思也언정 夫何遠之有리오

100

산오얏 고운 꽃은, 퍼얼펄 춤을 추네. 그대 생각하네마는, 집이 멀어 못 가겠네. 공자가 말하기를, 「진정으로 생각하는 것이 아니로다. 만약 그렇지 않다면 어찌 먼 것이 관계 있으리요. 즉, 학문의 길이 아무리 멀다 해도 뜻만 있으면 이룰 수 있다는 뜻이다.」

鄉黨(향당)

孔子(공자)於(어)鄉黨(향당)에 恂恂(순순)如也(여야)하사 似不能言者(사불능언자)러시 其在宗廟(기재종묘)朝(조)

廷(정)는 便便言(변변언)하사 唯謹爾(유근이)러시다

해설 공자가 향당에 있을 때에는 신실하여서 마치 말할 줄 모르는 사람과 같았고, 종묘와 조정에 나설 때에는 거침없고 분명히 말하되 끝까지 신중하였다. 즉, 평소에는 말이 별로 없으나, 공사에 있어서는 사리를 따지고 대의 명분을 밝히되 경솔함이 없는 공자의 언어 생활이 나타난 문장이다.

朝(조)에 與下大夫言(여하대부언)에 侃侃(간간)如也(여야)하시며 與上大夫言(여상대부언)에 誾誾(은은)如(여)

也 君在 踧踖如也 與與如也

해설 공자가 조정에 나가서 하대부와 말할 때에는 화락한 듯하였고, 상대부와 말할 때에는 온순한 듯하였다. 그리고 임금이 계신 앞에서는 공경하는 중에도 태연하였다. 즉, 공자의 언행이 상대에 맞아 예절에서 벗어남이 없었음을 적은 글이다.

㈜ 상대부(上大夫) : 대부의 벼슬 중에서 맨 위의 계급.

君召使擯 色勃如也 足躩如也 揖所與立 左右
手 衣前後襜如也 趨進 翼如也 賓退 必復命
曰 賓不顧矣

해설 임금이 불러 내빈의 접대를 명하면 급히 낯빛을 긴장하며 걸음도 조심하였다. 내빈과 마주 읍(揖)을 할 때에는 두손을 조심스럽게 올려서 옷의 앞자락과 뒷자락을 가지런히 움직였다. 빨리 걸어갈 때에는 마치 새가 날개를 편 듯 두 팔을 곧게 폈다. 내빈이 물러간 뒤에는 반드시, 「내빈은 뒤를 돌아보지 않고 갔나이다.」하고 복명하였다.

入公門 鞠躬如也 如不容 立不中門 行不履閾
過位 色勃如也 足躩如也 其言 似不足者

해설 공자가 외국에서 온 사신을 접대함에 있어 예에 어긋남이 없음을 안 수 있다.
즉, 공자가 외국에서 온 사신을 접대함에 있어 예에 어긋남이 없음을 안 수 있다.

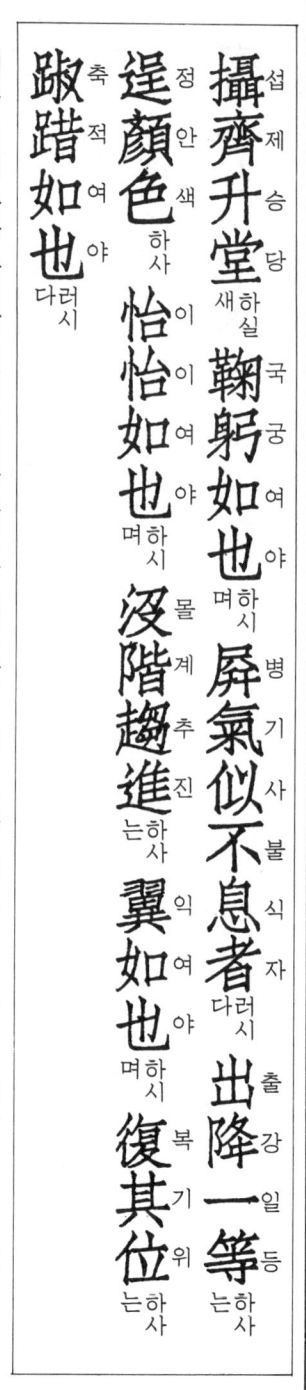

攝(섭)齊(제)升(승)堂(당) 새하실
鞠(국)躬(궁)如(여)也(야) 하시며
屛(병)氣(기)似(사)不(불)息(식)者(자) 다러시
出(출)降(강)一(일)等(등) 하사

逞(정)顔(안)色(색) 하사
怡(이)怡(이)如(여)也(야) 하시며
沒(몰)階(계)趨(추)進(진) 하사
翼(익)如(여)也(야) 하시며
復(복)其(기)位(위) 하사

趨(축)踏(적)如(여)也(야) 다러시

해설 대궐 문을 들어갈 때에 허리를 굽히는 것이 마치 둔이 좁아 들어갈이 허용되지 않는 것 같았고, 서 있을 때에는 문 가운데를 피하였으며, 갈 때에는 문지방을 밟지 않았다. 임금이 계시는 자리를 지날 때에는 안색을 긴장하고 걸음을 조심하였으며, 말은 마치 부족한 것같이 하였다. 옷자락을 잡고 당에 오를 때에는 허리를 굽히며, 숨을 죽이는 것이 마치 숨을 쉬지 않는 것같이 하였다. 나올 때에는 한계단 내려와서 낯빛을 푸는 것이 기쁨에 차서 화락한 듯하였다. 계단을 다 내려와서는 걸음을 빨리하되 몸가짐을 마치 새가 날개를 편 듯 두 팔을 곧게 펴고 걸었으며, 자리에 돌아와서는 그 태도가 공경하는 듯하였다. 즉, 공자가 입궐해서부터 퇴궐할 때까지의 언행을 기록한 글이다.

執(집)圭(규) 하사
鞠(국)躬(궁)如(여)也(야) 하시며
如(여)不(불)勝(승) 하시며
上(상)如(여)揖(읍) 하시고
下(하)如(여)授(수) 하시며
勃(발)如(여)
戰(전)色(색) 하시며
足(족)蹜(축)蹜(축) 하시며
如(여)有(유)循(순) 이러다
享(향)禮(례) 에
有(유)容(용)色(색) 하시며
私(사)覿(적) 에
愉(유)愉(유)
如(여)也(야) 다러시

해설 규(圭)를 잡고 계실 때에는 몸을 굽히는 것이 마치 그것을 못이기는 것 같았다. 올릴 때에는 마치 읍을 하는 듯하며, 내릴 때에는 물건을 내려 주는 듯하였는데 안색이 긴장되는 것이 두려워하는 듯하며, 발을 하는 듯하였고,

君子不以紺緅飾하시며

紅紫로 不以爲褻服이러시다

當暑하사 袗絺綌을 必表而出之러시다

緇衣羔裘요 素衣麑裘요 黃衣狐裘러시다

褻裘長호대 短右袂러시다

必有寢衣하시니 長一身有半이러라

狐貉之厚로 以居러시다

去喪이어든 無所不佩러시다

非帷裳이어든 必殺之러시다

羔裘玄冠으로 不以弔러시다

吉月에 必朝服而朝러시다

해설 공자는 보라색과 주홍색으로 옷깃을 달지 않으며, 분홍과 자주색으로 평복을 만들어 입지 않았다. 더울 때는 가는 갈포와 거친 갈포의 홑옷을 반드시 껴 입었다. 검은 옷에는 염소 가죽으로 만든 갖옷, 흰 옷에는 어린 사슴의 가죽으로 만든 갖옷은, 누런 옷에는 여우 가죽의 갖옷을 입었다. 평소에 입는 갖옷은 길게 입었는데, 특히 오른 소매를 짧게 하였다. 반드시 잠옷을 사용하였는데 그 길이가 한 키 반이었다. 여우와 담비의 두꺼운 털옷은 집에서만 입었다. 상(喪)을 벗고 나면 무슨 패물이든지 가리지 않고 찼다. 조복과 제복이 아니면 반드시 줄여서 간편하게 입었다. 염소 가죽옷과 검은 관을 쓰고 조문하지 않았다. 매달 초하루에는 반드시 조복을 입고 조회에 나갔다.

즉, 공자의 검소한 의생활을 소개한 글이다.

齊必有明衣러시니 布러라

齊必變食하시며 居必遷坐러시다

해설 재계(齊戒)할 때에는 반드시 깨끗한 옷으로 갈아입는데、 베로 만드는 것이었다。 재계할 때에는 술、 매운 것、 냄새나는 것 등을 먹지 않고 거처함도 반드시 자리를 옮겼다。 즉、 재계는 제사를 지내기 십일 전에 시작하는데 그 동안의 마음가짐을 적은 글이다。

㊐ 천좌(遷坐)：평상시에 있던 곳에서 자리를 옮김。

食不厭精하시며　膾不厭細러시다

食饐而餲와　魚餒而肉敗를 不食하시며

色惡不食하시며　臭惡不食하시며

失飪不食하시며　不時不食이러시다

割不正이어든 不食하시며　不得其醬이어든 不食하시며

肉雖多나 不使勝食氣하시며

惟酒無量하사대 不及亂이러시다

沽酒市脯를 不食하시며

不撤薑食하시며　不多食이러시다

祭於公에 不宿肉하시며　祭肉은 不出三日하더시니

出三日이면 不食之矣니라

食不語하시며　寢不言이러시다

雖疏食菜羹이라도　瓜祭하사 必齊如也러시다

해설　밥은 정한 것을 싫어하지 않았으며、 회는 가늘게 썬 것을 싫어하지 않았다。 밥이 쉬어서 맛이 변한 것과 생선이 상하여 고기가 썩은 것은 먹지 않았으며、 색깔이 나쁜 것과 냄새가 나쁜 것은 먹지 않았다。 익지 않은, 음식은 먹지 않았으며, 때가 아니면 음식을 먹지 않았다. 음식을 썬 것이 반듯하지 않으면 먹지 않았고, 간이 맞지 않은 것도 먹지 않았다. 고기를 비록 많이 먹는다 하더라도 밥 기운을 누를 정도까지는 먹지 않았다. 오직 술만은 일정한 양이 없으나 정신을 잃을 정도까지는 먹지 않았다. 나라의 제사에 쓰인 고기는 밤을 넘기지 않았으며, 집안 제사에 쓰인 고기도 삼 일을 넘기지 않았고, 삼 일이 지나면 먹지 않았다. 식사를 할 때에는 말씀을 하지 않으며, 잠자리에 들어도 말을 안하였다. 비록 거친 밥과 나물국에 오이조각이더라도 식사를 하기 전에 제식(祭食)를 하였는데, 반드시 재계에 임하는 것같이 하였다. 즉, 주로 식생활에 대한 모습을 적은 글이다.

席不正(석부정)이어든 不坐(부좌)러시다

해설: 자리가 단정하지 않으면 앉지 않았다.
즉, 앉음새를 단정히 하였다는 말이다.

鄉人飲酒(향인음주)에 杖者出(장자출)이어든 斯出矣(사출의)러시다 鄉人儺(향인나)에 朝服而立於(조복이립어) 阼階(조계)러시다

조(阼) : 동편 섬돌.

해설: 마을 사람들과 술을 마실 때에는 반드시 노인이 먼저 나가야 따라 나갔다. 마을 사람들이 나례를 지내면 조복을 입고 동쪽 섬돌에 서있었다.
즉, 마을에서도 노인을 공경하고 젊은이를 선도하였다는 뜻이다.

問人於他邦(문인어타방)이어든 再拜而送之(재배이송지)러시다 康子饋藥(강자궤약)이어늘 拜而受之曰(배이수지왈)

106

丘未達(구미달)이라 不敢嘗(불감상)ㅣ시이다

해설 다른 나라에 있는 사람에게 안부를 전할 때에는 가는 사람에게 두 번 절하고 보내었다. 계강자가 약을 보내 오자, 절하고 받으며 말하기를, 「나는 이 약에 대하여 모르므로 감히 먹지 못하노라.」

廄焚(구분)이어늘 子退朝日(자퇴조왈) 傷人乎(상인호)아 不問馬(불문마)다ㅣ시

해설 마구간에 불이 난 적이 있었는데, 공자는 조정에서 돌아오자 말하기를, 「사람이 상했느냐?」하고 말에 대해서는 물어 보지 않았다.
즉, 혹시 불을 끄다가 사람이 다치지 않았느냐는 말인데, 얼마나 사람을 아끼고 사랑하는지를 알 수 있다.

君(군)이 賜食(사식)이시든 必正席先嘗之(필정석선상지)하시고 君(군)이 賜腥(사성)이시든 必熟而薦之(필숙이천지)하시며 君(군)이 賜生(사생)이시든 必畜之(필축지)하시다 侍食於君(시식어군)에 君祭(군제)ㅣ시어든 先飯(선반)이러시다 疾(질)에 君視之(군시지)ㅣ시어든 東首(동수)하시고 加朝服拖紳(가조복타신)이러시다 君命召(군명소)ㅣ시어든 不俟駕行(불사가행)이러시다

矣(의)다러시

해설 임금께서 음식을 내리시면 반드시 자리를 바로 하고 먼저 맛을 보았다. 임금께서 날고기를 내리시면 반드시 익혀서 조상에게 올렸다. 임금께서 산 짐승을 내리시면 반드시 길렀다. 임금을 모시고 식사를 할 때

에는 임금께서 제식(祭食)을 하시는 동안에 먼저 하였다. 병환중에 임금께서 문병을 오시면 머리를 동쪽으로 두고 조복을 덮고 띠를 그 위에 올려놓았다. 임금께서 부르시는 명을 받으면 수레가 준비되기를 기다리지 않고 떠났다.

즉, 공자가 임금에게 신하로써 지키는 예의를 적은 글이다.

入太廟하사 每事를 問이러시다

해설 태묘에 들어가서는 매사를 묻곤 하였다.

즉, 공자가 매사에 신중했지만 특히 제사를 지내는 것에는 더욱 신중하였다는 것을 알 수 있다.

朋友死하야 無所歸어든 曰 於我殯하이라 朋友之饋는 雖車馬라도 非祭肉이어 不拜러시

해설 친구가 죽어서 맡아 데려갈 사람이 없자, 공자가 말하기를, 「나의 집에 빈소를 차려라.」 친구가 주는 선물이 수레와 말이라도 제육(祭肉)이 아니면 절하지 않았다.

즉, 갈 곳 없는 벗이 죽으면 그 뒷일을 보살펴 주기도 했지만, 친구가 보낸 선물이라면 비싼 것이라도 제사때 쓰는 고기가 아니면 절하지 않았다는 것이다.

寢不尸며 居不容이러시다
與瞽者와 雖褻이나 必以貌러시
見齊衰者하사 雖狎이나 必變하며 見冕者
凶服者를 式之며 式負版者

有盛饌(유성찬)든이어 必變色而作(필변색이작)하시며 迅雷風烈(신뢰풍렬)에 必變(필변)이러시다

해설 잠잘 때에는 시체같이 눕지 않았고, 집에 있을 때에는 엄숙한 얼굴을 짓지 않았다. 상복을 입은 사람을 만나면 아무리 친한 사이라 할지라도 반드시 얼굴색을 변하여 대하고, 면관을 쓴 사람이나 소경을 만나면 자주 대하는 사이라할지라도 예모를 갖추어 대하였다. 수레를 타고 갈 때에도 상복을 입은 자를 만나면 수레 옆을 잡고 예를 취하였으며, 부관(負版)을 진 사람을 만나도 마차 옆을 잡고 경례를 취하였다. 성찬이 들어오면 반드시 얼굴색이 변하여 일어났으며, 우뢰와 비바람이 심하게 몰아쳐도 안색이 변하였다. 즉, 공자는 마음에서 우러나는 예절이 몸에 배었으며 안색과 행동과 마음이 하나로 조화되어 자연스럽게 예를 행하였음을 알 수 있다.

親指(친지)다러시 升車(승차)하사 必正立(필정립)하여 執綏(집유)러시 車中(거중)에 不內顧(불내고)하시며 不疾言(불질언)하시며 不

해설 수레에 올라갈 때에는 반드시 똑바로 서서 고삐를 단단히 잡았다. 수레 안에서는 이리저리 보지 않았고 말을 빨리 하지 않으며, 직접 손가락질하지 않았다. 즉, 공자가 지킨 교통 도덕으로 수레에 타고 내릴 때와 다닐 때 행하는 모습을 알 수 있다.

유(綏)∶수레에 오를 때 잡고 올라가는 줄.

色斯舉矣(색사거의)하야 翔而後集(상이후집)이라니 曰(왈) 山梁雌雉時哉時哉(산량자치시재시재)인저 子(자)

路共之(로공지)한대 三嗅而作(삼후이작)다하시

해설 꿩이 놀라서 날아오르더니 나래치며 다시 모여앉았다. 공자가 말하기를, 「산골짝 다리 밑에 노는 암꿩아! 때를 만났구나, 때를 만났구나!」하니, 자로가 앞으로 나아가자, 꿩은 서너 번 냄새를 맡다가 날아갔다.

즉, 자유스럽게 놀고 있는 꿩을 보고 공자가 자신을 한탄하는 투로 한 말이다.

子曰 先進이 於禮樂에 野人也요 後進이 於禮樂에 君子也니라 如用之則吾從先進호리라

해설 공자가 말하기를, 「선진들의 예와 악은 야인적이고, 후진들의 그것은 군자적이니라. 만약 택한다면 나는 선진들의 예와 악을 좇으리라.」

즉, 고대의 문물이나 음악은 순수하고 소박한 반면에 문화가 발달해감에 따라 형식과 겉치레로 흐름을 개탄한 말이다.

子曰 從我於陳蔡者皆不及門也로다 德行엔 顏淵閔子

110

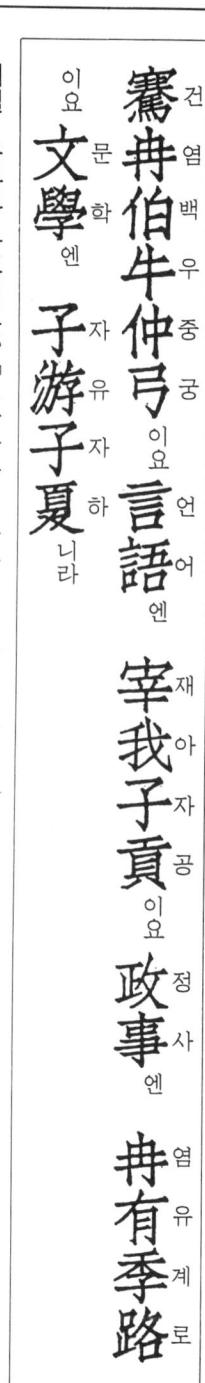

德行엔 顔淵閔子騫冉伯牛仲弓이요 言語엔 宰我子貢이요 政事엔 冉有季路요
文學엔 子游子夏니라

해설 공자가 말하기를, 「진나라와 채나라에 있을 때 나를 따르던 자들이 지금은 모두 나의 문하에 없구나. 덕행으로 뛰어났던 자는 안연, 민자건, 염백우, 중궁이고, 언어로 뛰어났던 자는 재아와 자공이며, 정사에 뛰어났던 자는 염유, 계로이고, 문학으로 뛰어났던 자는 자유와 자하이니라.」

즉, 공자가 13년간 천하를 주유할 때 진과 채나라에서 함께 고생하던 제자들이 모두 문하를 떠났음을 말한 것으로 여기서 말한 덕행, 언어, 정사, 문학을 『공문사과(孔門四科)』라 하고, 이 분야에 뛰어난 열 명의 제자를 『공문십철(公門十哲)』이라 한다.

㊟ 어진채(於陳蔡)∶진나라와 채나라에 있었을 때.

子曰 回也는 非助我者也로다 於吾言에 無所不說녀이오

해설 공자가 말하기를, 「회는 나에게 도움을 주는 자가 아니로다. 나의 말에 기뻐하지 않음은 바가 없었으니?」

즉, 공자가 하는 말에 질문도 반대도 없는 것이지만 이면에는 그를 칭찬하는 마음이 더 크게 작용하고 있음을 알 수 있고, 이런 안회의 덕과 학문을 말로 표현할 수 없어 오히려 원망하는 투로 말하는 것이다.

子曰 孝哉라 閔子騫이여 人不間於其父母昆弟之言다이로

해설 공자가 말하기를, 「효성스럽도다, 민자건이여, 남이 그의 부모나 형제의 말을 들어도 믿지 않는 사람이 없구나.」

南容(남용)이 三復白圭(삼복백규)어늘 孔子以其兄之子(공자이기형지자)로 妻之(처지)다하시

해설 남용이 반복하여 백규장(白圭章)을 외는 것을 보고, 공자는 자기 형의 딸을 그의 아내로 주었다.

즉, 남용이 시경 백규장의 시를 되풀이하여 외우는 것을 보고 조카사위를 삼았다는 뜻이다.

季康子問(계강자문)하되 弟子孰爲好學(제자숙위호학)니이꼬 孔子對曰(공자대왈) 有顏回者好學(유안회자호학)니하더 不幸短命死矣(불행단명사의)라 今也則亡(금야즉망)라하니

해설 계강자가 묻기를, 「제자들 중에서 누가 배우기를 좋아합니까?」 공자가 대답하기를, 「안회라는 사람이 있어 배우기를 좋아했는데 불행히도 명이 짧아 죽은지라 지금은 없소.」

즉, 여기서도 제자 안회의 단명을 애석해 하는 것을 볼 수 있고, 학문은 단순히 지식의 습득이 아니라 덕을 바탕으로 해야 함을 강조하는 말이다.

顏淵(안연)이 死(사)커늘 顏路請子之車(안로청자지거)하여 以爲之槨(이위지곽)한대 子曰(자왈) 才不(재부)才(재)에 亦各言其子也(역각언기자야)니 鯉也死(리야사)커늘 有棺而無槨(유관이무곽)하니 吾不徒(오부도)行(행)하야 以爲之槨(이위지곽)은 以吾從大夫之後(이오종대부지후)라 不可徒行也(불가도행야)니라

112

顔淵死커늘 子曰 噫라 天喪予다하셨 天喪予다하셨

해설: 안연이 죽자 공자가 말하기를, 「슬프다. 하늘이 나를 버리셨으니, 하늘이 나를 버리셨으니.」
즉, 안회의 죽음을 슬퍼하는 것이다.

顔淵이 死커늘 子哭之慟하신대 從者曰 子慟矣이자로 曰 有慟乎아 非夫人之爲慟이오 而誰爲리오

해설: 안연이 죽자 공자가 통곡하여, 공자를 따르던 한 제자가 말하기를, 「선생님께선 너무 슬퍼하십니다.」 즉, 안회의 죽음을 너무 슬퍼하는 공자를 보고 제자가 말하자, 그와 같은 사람의 죽음을 애도하지 않으면 누구를 위해 슬퍼하겠느냐고 반문한 대목이다.

顔淵이 死커늘 門人이 欲厚葬之한대 子曰 不可라하니 門人이

해설: 안연이 죽자 안로(顔路)가 공자의 수레를 팔아 안연의 외관을 마련하기를 청하였다. 공자가 말하기를,
「잘났든지 못났든지 간에 역시 각기 그 아들에 대한 정리는 있게 마련이오. 리(鯉)가 죽었을 때에도 관은 했으나 외관은 하지 않았소. 내가 외관을 장만하기 위해서 수레를 팔지 않는는 것은, 내가 대부의 뒤를 좇는 신분인지라 걸어다닐 수 없기 때문이오.」
즉, 안회를 사랑하는 마음이 지극하여 수레가 아니라 집까지 팔아서 장례를 치르고 싶지만 지나치게 성대하게 치르는 것도 예에 어긋남을 말한 것이다.
㊟ 안로(顔路): 공자의 제자이며 안회의 아버지. 이름은 무유.

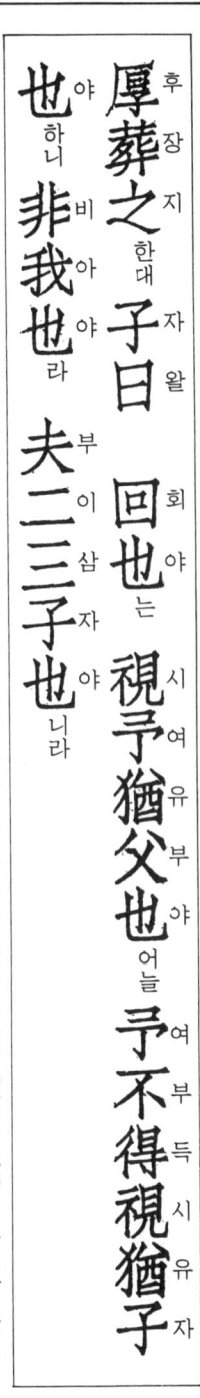

厚葬之한대 子曰 回也는 視予猶父也어늘 予不得視猶子
也니 非我也라 夫二三子也니라

해설 안연이 죽자 문인들이 장례를 성대하게 치르고자 하는데, 공자가 말하기를, 「회는 나를 부모같이 대하여 주었거늘, 나는 그를 아들같이 대하여 주지 못하였구나. 그러나 그것은 나 때문이 아니라 저 제자들 때문이다.」

즉, 아무리 사랑하고 아끼는 제자라도 장례는 그 처지에 맞게 지내야 하는데, 그 예를 지키지 못한 것은 제자들의 탓이라고 한 말이다.

季路問事鬼神한대 子曰 未能事人이면 焉能事鬼리오 敢問
死이다曰 未知生이면 焉知死리오

해설 계로가 귀신을 섬기는 일에 대하여 묻자, 공자가 말하기를, 「사람도 능히 섬기지 못하면서 어찌 귀신 섬기는 일을 할 수 있으리요.」 「그러면 죽음에 대하여 여쭈어 보겠습니다.」 말하기를, 「아직 삶도 모르는데 어찌 죽음을 알리요.」

즉, 사람이 하는 일을 깊이 터득하면 귀신이 무엇인지도 깨닫게 되고, 생을 제대로 알게 되면 죽음에 대하여도 자연히 알게 된다는 뜻이다.

閔子는 侍側에 誾誾如也하고 子路는 行行如也하고 冉有子
貢은 侃侃如也어늘 子樂다하시 若由也는 不得其死然다이로

해설 민자건이 스승 곁에 있을 때에는 그 태도가 온화하면서 공손하고, 자로는 굳세 보였고, 염유와 자공은 화락하여, 공자는 즐거워하였다. 그러나 공자는, 「유와 같은 사람은 제 명에 죽기 어려울 것이다.」하며 근심하였다.

즉, 제자들 중에는 그 나름대로의 특성을 지닌 당당한 인물이 많았다. 그런데 자로의 성격이 지나치게 괄괄하여 염려하는 말이다.

魯人이 爲長府러니 閔子騫曰 仍舊貫如之何오 何必改作이리오 子曰 夫人이 不言이언정 言必有中이니라

해설 노나라 사람들이 장부(長府)를 다시 지으려고 함에 민자건이 말하기를, 「옛것을 그대로 쓰면 어떠하여 다시 지으려는가.」공자가 말하기를, 「저 사람은 좀처럼 말이 없지만, 말을 하면 반드시 사리에 맞느니라.」

즉, 민자건의 과묵하고 진중한 태도를 칭찬하고 노나라의 위정자를 탓하는 그의 말에 동의를 표한 말이다.

子曰 由之瑟을 奚爲於丘之門고 門人이 不敬子路한대 子曰 由也는 升堂矣요 未入於室也니라

해설 공자가 말하기를, 「유가 비파 타는 것을, 어찌하여 나의 집에서 하는가?」이에 문인들이 자로를 공경하지 않으니 공자가 말하기를, 「유는 대청에는 올랐어도 아직까지 방에는 들지 못하였느니라.」

즉, 자로가 비파 타는 것을 보고 공자가 별로 칭찬하지 않자 그후로는 다른 제자들이 그를 존경하지 않아서, 공자가 그의 도를 들어 다른 사람들은 도에 입문하는 정도도 안 되었지만 자로는 대청까지는 올랐다는 말로 그를 두둔하자 다시 그를 공경하였다는 말이다.

子貢問師與商也孰賢이니꼬 子曰 師也는 過하고 商也는 不及라이니 曰 然則師愈與리꼬 子曰 過猶不及이니라

해설 자공이 사(師)와 상(商)은 누가 더 현명한가를 물었다. 공자가 말하기를, 「사는 지나치고 상은 미치지 못하느니라.」 말하기를, 「그러면 사가 낫다는 말씀입니까?」 공자가 말하기를, 「과함은 미치지 못함과 같으니라.」

즉, 자공이 자장과 자하 중에서 누가 나은가를 물었더니, 자장은 지나치고 자공은 모자라다고 하여 낫고 못한 것을 말한 것이 아니라 둘 다 중용의 도를 모른다고 한 말이다.

季氏富於周公이어늘 而求也爲之聚斂而附益之한대 子曰 非吾徒也니로소니 小子아 鳴鼓而攻之可也니라

해설 계씨는 주공보다도 더 부유한데도, 구는 계씨를 위하여 백성에게 조세를 가혹하게 거두어서 그를 더욱 부하게 만들어 주었다. 공자가 말하기를, 「그는 이제 나의 제자가 아니니, 제자들아, 북을 울리며 그를 성토해도 좋으니라.」

즉, 염구는 그의 제자였으나 계씨하에서 벼슬을 지내며 백성들에게 가혹한 세금을 걷는 것을 보고 분개하여 한 말이다.

柴也는 愚하고 參也는 魯하고 師也는 辟하고 由也는 喭이니

해설 「시(柴)는 우직하고, 삼(參)은 둔하고, 사(師)는 형식적이고, 유(由)는 추(麤)하고 속되느니라.」

즉, 공자의 제자에 대한 평으로 개인의 단점을 지적하여 충고한 말이다.

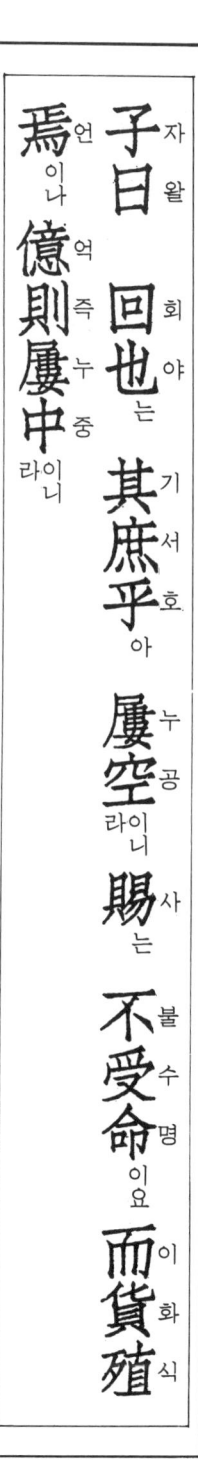

子曰 回也는 其庶乎아 屢空이니 賜는 不受命이요 而貨殖
焉이나 億則屢中이니라

해설 공자가 말하기를, 「회는 그 학문이 도에 가까왔으나 쌀뒤주가 자주 비었느니라. 사는 천명을 지키지 않고서 재물을 자꾸 불렸으나 억측(憶測)이 자주 적중되었기 때문이니라.」
즉, 대조적인 두 제자를 비교하여 평하였는데, 부정한 일이 아니면 재물을 모으는 것도 타당한 것이라고 한 것이다.

子張이 問善人之道한대 子曰 不踐迹이나 亦不入於室이니

해설 자장이 선인의 도에 대하여 묻자, 공자가 말하기를, 「배우지 않아도 본바탕이 선한 사람을 말하나, 그렇다고 방에 쉽게 들어가는 사람은 아니니라.」
즉, 선인이란 천성이 착하기는 하지만, 배우고 노력하지 않으면 지극한 도의 지경까지 이르지는 못한다는 뜻이다.

子曰 論篤을 是與면 君子者乎아 色莊者乎아

해설 공자가 말하기를, 「언론이 독실한 것을 따르기만 한다면 군자다운 사람이 겠는가, 겉만 장엄한 사람이 겠는가.」
즉, 말과 태도가 의젓한 것만 가지고는 군자인지 위선자인지 알 수 없고 언행이 일치되어야 한다는 뜻이다.

図 시여(是與) : 이에 더불음. 그 사람에게 편들음.

117

子路問聞斯行諸이꼬 子曰 有父兄이 在하니 如之何其聞
斯行之리오 冉有問聞斯行諸이꼬 子曰 聞斯行之니라 公西
華曰 由也問聞斯行諸어늘 子曰 聞斯行之시라 赤也惑하야 敢問이하노
聞斯行諸어늘 子曰 有父兄在시라 求也問
求也는 退故로 進之하고 由也는 兼人故로 退之호라

해설 자로가 묻기를, 「도리를 들으면 곧 이행하여야 합니까?」 공자가 대답하기를, 「부형이 계시거늘 어찌 그 들은 것을 곧 그대로 행한다 하리요.」 염유가 묻기를, 「도리를 들으면 곧 이행하여야 합니까?」 이에 공서화가 묻기를, 「유가 『도리를 들으면 곧 행하여야 하니까?』라고 여쭈었을 때는 선생님께서, 『부형이 살아 계신다』고 말씀하시고, 구가 『도리를 들으면 곧 행하여야 합니까?』하고 여쭈었을 때는 선생님께서, 『듣거든 곧 행하여야 한다』고 말씀하셨으니, 저는 의심이 나서 분별하지 못하겠기에 감히 묻겠나이다.」 그러자 공자가 말하기를, 「구는 매사가 물러서는 편이므로 앞으로 나아가게 하고, 유는 다른 사람의 일까지 겸해서 너무 나아가려 하므로 물러서게 한 것이니라.」

图 공서화(公西華) : 공자의 제자. 이름은 적(赤).

子畏於匡하실새 顔淵이 後러니 子曰 吾以女爲死矣호라 曰

子在니어시 回何敢死꼬리이

해설 공자가 광땅에서 난을 당하였을 때, 안연이 뒤늦게 도착했다. 공자가 기뻐하여 말하기를, 「나는 네가 죽은 줄만 알았다.」 「선생님께서 계신데 회가 어찌 감히 죽을 수 있겠읍니까.」하고 안연이 말했다.

즉, 사제간의 사랑과 존경이 극치를 이룬 문답이다.

㉱ 외어광(畏於匡) : 광성에서 위난(危難)을 당함.

季子然연이 問문하되 仲由冉求는 可謂大臣與이꼬 子曰왈 吾以오이 子爲異之問니이리 曾由與求之問니이리로 所謂大臣者는 以道事이도사 君가하다 不可則止니하나 今由與求也는 可謂具臣矣니라 曰왈 然연 則從之者與이꼬 子曰왈 弒父與君은 亦不從也리라

해설 계자연이 묻기를, 「중유와 염구는 훌륭한 신하라 하여도 좋겠읍니까?」 그러자 공자가 말하기를, 「나는 그대가 별다른 질문을 하는가 하였더니 바로 유와 구에 대한 물음이로다. 이른바 훌륭한 신하라 함은 도로써 임금을 섬기다가 옳지 않으면 그만두는 법이니, 이제 유와 구는 신하의 자리나 채우는 사람이라 하겠느니라.」 묻기를, 「그러면 따르기만 하는 자들입니까?」 공자가 말하기를, 「그러나 아비와 임금을 죽이는 일에는 역시 따르지 않으리라.」

子路使子羔로 爲費宰한대 子曰왈 賊夫人之子로다 子路曰

有民人焉하며 有社稷焉하니 何必讀書然後에 爲學이리꼬 子
曰 是故로 惡夫佞者라하노

해설 자로가 자고로 하여금 비(費)의 읍재를 시키려고 하거늘, 공자가 말하기를, 「그곳에는 백성들이 있으며 사직도 있읍니다. 어찌 꼭 책을 읽어야만 배움이 된
다」하겠읍니까?」 자로가 말하기를, 「그렇기 때문에 나는 말을 잘 둘러대는 사람을 미워하노라.」
즉, 전도가 유망한 제자를 아직 학문이 이루어지기도 전에 계씨가의 지방 장관으로 추천하자, 공자가 나
무라는 말이다.

子路와 曾晳과 冉有와 公西華가 侍坐러니 子曰 以吾一
日長乎爾나 毋吾以也니라 居則曰 不吾知也라하나니 如或知
爾면 則何以哉오 子路率爾而對曰 千乘之國이 攝乎
大國之間하야 加之以師旅요 因之以饑饉이어든 由也爲之면
比及三年하야 可使有勇이요 且知方也리라 夫子哂之하시다 求아
爾는 何如오 對曰 方六七十과 如五六十에 求也爲之

120

比及三年(비급삼년)하야 可使足民(가사족민)이어니와 如其禮樂(여기례악)엔 以俟君子(이사군자)라호리

赤(적)아 爾(이)는 何如(하여)오 對曰(대왈) 非曰能之(비왈능지)라 願學焉(원학언)하노니 宗廟之(종묘지)

事(사)와 如會同(여회동)에 端章甫(단장보)로 願爲小相焉(원위소상언)이어다 點(점)아 爾(이)는 何如(하여)

鼓瑟希(고슬희)러니 鏗爾舍瑟而作(갱이사슬이작)하야 對曰(대왈) 異乎三子者之撰(이호삼자자지선)

子曰(자왈) 何傷乎(하상호)리오 亦各言其志也(역각언기지야)니라 曰(왈) 莫春者(모춘자)에 春(춘)

服(복)이 既成(기성)이어든 冠者五六人(관자오륙인)과 童子六七人(동자륙칠인)으로 浴乎沂(욕호기)하고 風(풍)

乎舞雩(호무우)하야 詠而歸(영이귀)호리다 夫子喟然歎曰(부자위연탄왈) 吾與點也(오여점야)라호시다 三子(삼자)

者出(자출)커늘 曾皙後(증석후)러니 曾皙曰(증석왈) 夫三子者之言(부삼자자지언)이 何如(하여)하니잇고 子(자)

曰(왈) 亦各言其志也已矣(역각언기지야이의)니라 曰(왈) 夫子何哂由也(부자하신유야)시니잇고 曰(왈)

爲國以禮(위국이례)어늘 其言(기언)不讓(불양)이라 是故(시고)로 哂之(신지)호라 唯求則非邦(유구즉비방)

也與_{야여} 安見方六七十_{안견방륙칠십}과 如五六十而非邦也者_{여오륙십이비방야자} 唯赤_{유적}

則非邦也與_{즉비방야여} 宗廟會同_{종묘회동}이 非諸侯而何_{비제후이하}오 赤也爲之小_{적야위지소}면

孰能爲之大_{숙능위지대}리오

해설 자로, 증석, 염유, 공서화가 스승을 모시고 앉아 있으니, 공자가 말하기를, 「내가 다소 너희들보다 나이가 많기는 하나 나를 개의치 말아라. 너희들의 학덕을 알아준다면 어떻게 하겠느냐?」 자로가 불쑥 나서며 대답하기를, 「천승의 나라가 큰 나라 사이에 끼여서 대군의 침입을 당하고 기근으로 시달린다 할지라도, 제가 다스린다면 삼 년이면 그 나라의 백성들을 용감하게 만들고 또 도의 방향을 알도록 할 수 있겠나이다.」하니, 공자가 빙그레 웃었다. 「구야, 너는 어떠하냐?」 대답하기를, 「사방 6, 70리 혹은 5, 60리의 지역을 제가 다스린다면 삼 년이면 백성들을 풍족히 살게 할 수 있겠으나, 그 지방의 예(禮)와 악(樂)에 대하여는 군자의 힘을 빌어야 하겠나이다.」「적아, 너는 어떠하냐?」 대답하기를, 「해낼 수 있다는 것이 아니라 앞으로 배우고자할 따름입니다. 종묘의 일과 제후들의 모임에 예복과 예관차림으로 보좌하는 작은 벼슬이나 했으면 하나이다.」「점은 나직히 타던 비파를 치렁 소리가 나게 밀어내 놓고 자리에서 일어서며 대답하기를, 「저는 세 사람의 생각과는 다릅니다.」 그러자 공자가 말하기를, 「무슨 상관이 있겠느냐? 다만 각자 자기의 희망을 말하는 것이니라.」「늦은 봄철에 봄옷을 만들어지거든 어른 대여섯 명과 아이들 육칠 명과 더불어 기수에서 목욕하고, 무우에 올라 바람을 쐬고 노래를 부르다가 돌아오겠읍니다.」 공자가 깊이 탄식하며 말하기를, 「나도 점의 의견을 따르겠노라.」「세 제자가 나가고 증석이 뒤에 남아 말하기를, 「저 세 사람의 말을 어찌 생각하십니까?」 공자가 말하기를, 「그런 대로 각자의 뜻을 말했을 뿐이니라.」 묻기를, 「선생님께서는 어찌 유의 말을 들으시고 빙그레 웃으셨읍니까?」 말하기를, 「나라를 다스려야 하거늘 자로의 말에는 겸양의 빛이 없는지라 웃었느니라.」「구가 말한 것은 나라가 아닙니까?」 「어찌 사방 6, 70리나 또는 5, 60리라 하여 나라가 아니라 하겠느냐?」 「적이 말한 것은 나라가 아니고 무엇이겠느냐. 적이 소상을 한다면 누가 대상을 할 수 있겠느냐.」「종묘와 제후들의 모임이니 제후의 일이 아니고 무엇이겠느냐.」

顔淵(안연)

顔淵(안연)이 問仁(문인)한대 子曰(자왈) 克己復禮爲仁(극기복례위인)이니 一日克己復禮(일일극기복례)

天下歸仁焉(천하귀인언)하나니 爲仁(위인)이 由己(유기)니 而由人乎哉(이유인호재)아 顔淵(안연)이

曰(왈) 請問其目(청문기목)하노이다 子曰(자왈) 非禮勿視(비례물시)하며 非禮勿聽(비례물청)하며 非禮

勿言(물언)하며 非禮勿動(비례물동)이라니 顔淵(안연)이 曰(왈) 回雖不敏(회수불민)이나 請事斯語

해설 안연이 인에 대하여 묻자 공자가 말하기를, 「자기를 극복하고 예에 돌아감이 곧 인이니, 하루 자기를 극복하여 예로 돌아가면 온 천하가 다 인에 따르게 될 것이니라.」 인이 되는 것은 자기로 말미암은 것이지 어찌 남에게 의존할 수 있는 것이랴.」 안연이 말하기를, 「그 조목을 말씀하여 주시기 바랍니다.」 공자가 말하기를, 「예가 아니면 보지 말고, 예가 아니면 듣지 말고, 예가 아니면 말하지 말고, 예가 아니면 움직이지 말라.」 안연이 말하기를, 「제가 비록 우둔하오나 그 말씀을 받들어 실천하도록 힘쓰겠읍니다.」

즉, 인의 본질은 자신을 억제하고 타인의 인격을 존중함에 있으나 인간이 사리 사욕은 물론 모든 언행과 마음의 충동을 억제하기란 매우 어려운 일이다. 그러나 자신을 억제하지 않고서는 진정한 예에 이를 수 없다. 그 실천 방법은 보는 것, 언어와 행동이 예에서 벗어나지 말아야 한다는 뜻이다.

仲弓(중궁)이 問仁(문인)한대 子曰(자왈) 出門如見大賓(출문여견대빈)하며 使民如承大祭(사민여승대제)하고 己所不欲(기소불욕)을 勿施於人(물시어인)이니 在邦無怨(재방무원)하며 在家無怨(재가무원)이니라 仲弓(중궁)曰(왈) 雍雖不敏(옹수불민)이나 請事斯語矣(청사사어의)이로리

해설 중궁이 인에 관하여 묻자, 공자가 말하기를, 「문을 나설 때는 귀한 손님을 만난 듯 하고, 백성들을 부릴 때에는 큰 제사를 받드는 것같이 하고, 자기가 바라지 않으면 남에게 베풀지 말아야 하는 것이니, 그렇게 하면 나라에 있어서도 원망이 없고 집에 있어서도 원망이 없느니라.」 중궁이 말하기를, 「제가 비록 우둔...

司馬牛問仁(사마우문인)한대 子曰(자왈) 仁者(인자)는 其言也訒(기언야인)이라니 曰(왈) 其言也(기언야)

해설 중궁은 덕행이 매우 높았으므로 장차 관직에 나갈 것을 기대하고 인에 대하여 말한 것이다.

訒이면 斯謂之仁矣乎 子曰 爲之難하니 言之得無訒乎

해설 사마우가 인에 대하여 묻자, 공자가 말하기를, 「어진 자는 그 말을 참느니라.」 말하기를, 「실천하기가 어려우니 어찌 말하는 것이 어렵지 않겠느냐?」 공자가 말하기를, 「말을 참으면 곧 인이 이루어진다고 하시는 말씀입니까?」

즉, 사마우는 말이 많고 경솔한 사람이었으므로 말을 참고 안하는 것이 인자가 되는 길이라 말하는 것이다.

司馬牛問君子 子曰 君子는 不憂不懼니라 曰 不憂不懼면 斯謂之君子矣乎 子曰 內省不疚어니 夫何憂何懼리오

해설 사마우가 군자에 대하여 묻자 공자가 말하기를, 「군자는 근심하지 않고 두려워하지도 않는다.」 말하기를, 「근심하지 않고 두려워하지도 않는다면, 이를 곧 군자라 이른다는 말씀입니까?」 공자가 말하기를, 「스스로 마음을 반성하여 흠잡을 때가 없다면 어찌 근심하고 두려워할 것이 있으리요.」

즉, 군자는 하늘에 부끄러울 것 없고, 남들에게 부끄러움이 없으니 그렇게 되자면 우선 욕심부터 없애야 한다는 뜻이다. 모든 죄악의 근본이 욕심이기 때문이다.

司馬牛憂曰 人皆有兄弟어늘 我獨亡로다 子夏曰 商은

聞之矣러니 死生이 有命이요 富貴在天이라 君子敬而無失하며 與人恭而有禮면 四海之內가 皆兄弟也니 君子何患乎 無兄弟也리오

해설 사마우가 근심하여 말하기를, 「남들은 모두 형제가 있거늘 나만 유독 없구나!」 그러자 자하가 말하기를, 「내가 들으니, 『생사는 명에 있고 부귀는 하늘에 달렸다.』고 하오. 군자가 조심하여 과실이 없고 남을 공경하며, 예를 지키면 사해 안이 모두 형제가 되니 군자가 어찌 형제가 없음을 근심하리요.」
즉, 객지에서 홀로 외로워하는 사마우를 보고 학문이 높은 자하가 군자답게 위로해 주는 말이다.

子張이 問明한대 子曰 浸潤之譖과 膚受之愬不行焉이면 可謂明也已矣니라 浸潤之譖과 膚受之愬不行焉이면 可謂遠也已矣니라

해설 자장이 명철(明哲)에 관해서 묻자, 공자가 말하기를, 「물이 스며드는 듯한 참소와 피부를 자극하는 하소연을 받아들이지 않는다면 명철하다 하느니라. 은근히 스며드는 참소와 피부를 자극하는 하소연을 물리친다면 멀리 내다 본다고 말할 수 있느니라.」
즉, 사리를 옳게 파악하기 위해서는 참소와 하소연에 이끌리는 감정을 버리고, 남을 헐뜯는 말에는 정신을 차려야 한다는 뜻이다.

子貢이 問政한대 子曰 足食足兵이면 民이 信之矣리라 子貢

曰 必不得已而去인댄 於斯三者에 何先이리꼬 曰 去兵

이니 子貢曰 必不得已而去인댄 於斯二者에 何先이리꼬 曰

去食이니 自古로 皆有死어니 民無信不立이니라

棘子成曰 君子는 質而已矣니 何以文爲리오 子貢曰

惜乎라 夫子之說이 君子也나 駟不及舌이로다 文猶質也며

質猶文也니 虎豹之鞹이 猶犬羊之鞹이니라

해설 자공이 정사에 관하여 묻자, 공자가 말하기를, 「식량을 풍족히 하고, 군비를 충족하게 하여 백성이 믿고 따르게 하여야 하느니라.」 자공이 다시 묻기를, 「부득이하여 버려야 한다면 이 셋 중에서 어느 것을 먼저 버려야 합니까?」「군비를 버려야 하느니라.」 자공이 묻기를, 「또 부득이하여 버려야 한다면 나머지 둘 중에서는 어느 것을 먼저 버려야 합니까?」「식량을 버려야 하느니라. 예로부터 사람에게는 다 죽음이 있게 마련이니, 백성에게 믿음이 없으면 나라가 바로 서지 못하는 법이니라.」

즉, 국가의 기본 정책에는, 국민 생활의 필수 요건인 경제 정책과, 국가 안정에 필요한 병력과, 국민의 신망 등 세 가지를 들 수 있는데 그 중에서도 위정자들에 대한 국민의 신뢰 여부는 국가 존립에 기본이 되므로 가장 중요하다는 뜻이다.

해설 극자성이 말하기를, "군자는 바탕이 훌륭하면 그만이지 문(文)으로 꾸며서 무엇하리요?" 자공이 말하기를, "애석합니다. 군자를 단정한 그대의 말씀은 네 필의 말이 끄는 마차로도 혀에 미치지 못할 것입니다. 문은 바탕과 같아야 하며, 바탕도 문과 같아야 하는 것입니다. 범이나 표범의 털을 뽑은 가죽은 개나 양의 털을 뽑은 가죽이나 마찬가지입니다."
즉, 학문과 그 바탕이 일치할 때 비로소 군자가 됨을 나타낸 말이다.

哀公이 問於有若曰 年饑用不足하니 如之何오 有若
對日 盍徹乎이까 日 二도 吾猶不足이어 如之何其徹也
리오 對日 百姓이 足이면 君孰與不足이며 百姓이 不足이면 君
孰與足이리꼬

해설 애공이 유약에게 묻기를, "흉년이 들어서 나라의 비용이 부족하니 어떻게 하면 좋겠소?" 유약이 대답하기를, "어찌하여 십분의 일조세를 쓰지 않으십니까?" 말하기를, "십분의 이를 거두어도 부족하거늘 어찌 철법을 쓴단 말이오?" 유약이 대답하기를, "백성이 풍족하면 임금이 어찌 부족할 것이며, 백성이 풍족하지 못하면 임금인들 어찌 풍족할 것입니까?"

子張이 問崇德辨惑한대 子日 主忠信하며 徙義이 崇德也
니라 愛之한 欲其生하고 惡之란 欲其死니하나 既欲其生이오 又欲

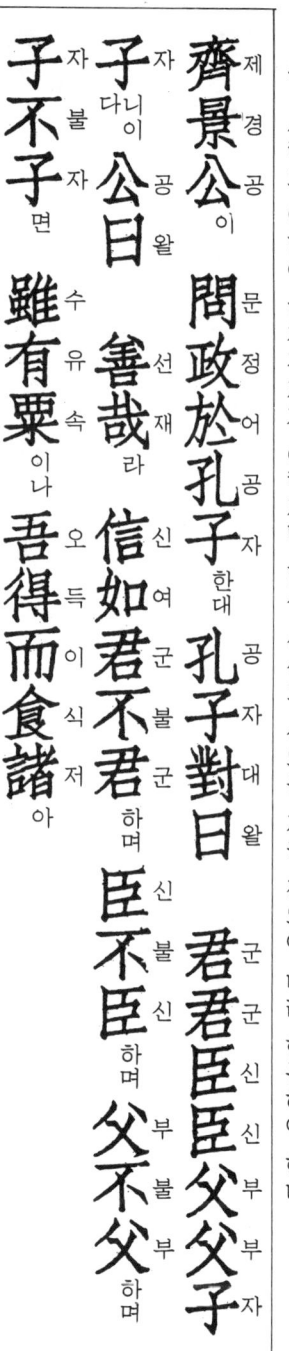

其死는 是惑也니라 誠不以富요 亦祗以異로다

해설 자공이 덕을 숭상하고 미혹됨을 분별하는 것에 관하여 묻자, 공자가 대답하기를, 「성실과 신의에 힘쓰고 정의로 옮겨감이 덕을 숭상하는 것이니라. 사랑하면 그가 살기를 바라나 미워하면 그가 죽기를 바라는 데, 이미 살기를 바란데다 또 죽기를 바라니 이것이 미혹이니라. 진심으로 부에 말미암은 것이 아니라 다만 사람에 따라 다르기 때문이니라.」

즉, 사람의 언행이 한결같기가 어렵지만 항상 성실과 신의를 지켜 정의에 따라 행동해야 한다.

齊景公이 問政於孔子한대 孔子對曰 君君臣臣父父子 子不子면 雖有粟이나 吾得而食諸아

子曰 善哉라 信如君不君하며 臣不臣하며 父不父하며

해설 제나라 경공(景公)이 공자에게 정사에 관하여 묻자 공자가 대답하기를, 「임금은 임금다와야 하고 신하는 신하다와야 하며, 아비는 아비답고 아들은 아들다와야 하나이다.」 공이 말하기를, 「좋은 말씀이오. 진실로 임금이 임금답지 않고 신하가 신하답지 않으며, 아비가 아비답지 않고 자식이 자식답지 않다면, 비록 식량이 넉넉하다 하더라도 내 어찌 얻어서 먹으리요.」

즉, 공자가 제나라에 가서 경공을 만났을 때, 제나라의 시회 질서가 혼란의 극을 이루고 있었다. 그래서 공자는 저마다 맡은 바대로 움직이면 사회가 안정된다고 충고한 것이다.

子曰 片言에 可以折獄者는 其由也與인저 子路는 無宿

諾 낙
라 이러

해설 공자가 말하기를, 「짤막한 한두 마디 말을 듣고도 옥사를 판결할 수 있는 자는 바로 유일 것이며, 자로는 승낙한 일을 미루고 실행하지 않음이 없느니라.」

즉, 자로의 성격이 옳다고 판단된 것을 곧 행동에 옮기는 사람임을 나타내는 말이다.

㉠ 편언(片言) : 한 마디 말.

子曰 자왈
聽訟 청송이
吾猶人也 오유인야 나
必也使無訟乎 필야사무송호 인저

해설 공자가 말하기를, 「송사를 듣고 재판을 함에 있어서는 나도 다른 사람과 같이 할 수 있으나, 반드시 송사가 없도록 해야 되느니라.」

즉, 재판을 바르게 하는 것도 중요하지만, 송사 자체가 일어나지 않는 도덕 사회를 이루는 것이 더욱 중요하다는 뜻이다.

子張이 자장이
問政한대 문정한대
子曰 자왈
居之無倦하며 거지무권하며
行之以忠이니 행지이충이니 라

해설 자장이 정사에 관하여 묻자, 공자가 말하기를, 「평소에도 늘 올바른 정치를 생각함에 게을리하지 말고, 정사를 실행함에는 충심으로 해야 하느니라.」

즉, 위정자는 자나 깨나 올바른 정치만을 생각하고, 그것을 성실히 실천하기에 노력을 기울여야 한다.

㉠ 거지(居之) : 마음에 둠. 항상 정치에 대하여 생각함.

子曰 자왈
博學於文이오 박학어문이오
約之以禮면 약지이례면
亦可以弗畔矣夫인저 역가이불반의부인저

子曰 君子는 成人之美하고 不成人之惡니하나 小人은 反是 니라

해설 공자가 말하기를, 「군자는 남의 장점을 키워 주고 남의 단점을 키워 주지 아니하나 소인은 이와 반대이다.」

즉, 남의 장점을 드러내서 그 사람의 용기를 돋우어 주어야 한다는 뜻이다.

해설 공자가 말하기를, 「학문을 널리 배우고 예로써 자신을 제어하면 도에 따라 살게 된다는 뜻이다.」

즉, 널리 학문을 배우고 자신을 예로써 제어하면 가히 도에서 벗어나지 않으리라.」

季康子 問政於孔子한대 孔子對曰 政者는 正也니 子帥以正이면 孰敢不正이리오

해설 계강자가 공자에게 정치에 관하여 묻자, 공자께서 대답하셨다. 「정치란 바로잡는 것이오. 그대가 바르게 통솔한다면 누가 감히 부정할 수 있으리요.」

즉, 위정자가 먼저 모범을 보이고 바르게 행동하면, 옳지 않고 바르지 않은 것은 자연히 없어지게 된다는 뜻이다.

季康子患盜하야 問於孔子한대 孔子對曰 苟子之不欲이면 雖賞之라도 不竊라하리

계강자가 도둑이 많은 것을 걱정하여 공자에게 물었다. 공자가 대답하기를, 「진실로 그대가 탐내는 것이 아니라면 상을 준다 하더라도 백성들은 훔치지 않을 것이오.」

季康子問政於孔子曰 如殺無道하야 以就有道인댄 何如하여

孔子對曰 子爲政에 焉用殺이리오 子欲善이면 而民善矣의

君子之德은 風이요 小人之德은 草라 草上之風이면 必偃

니하니라

해설 계강자가 공자에게 정치에 관하여 묻기를, 「무도한 자는 죽여서 도가 있는 곳으로 나아가게 하면 어떻겠읍니까?」공자가 말하기를, 「그대는 정치를 함에 어찌 함부로 사람을 죽이려 하시오? 그대가 선해지고자 하면 백성들도 선을 행하게 될 것이니, 군자의 덕이 바람이라면 소인의 덕은 풀이오. 풀은 바람이 불면 반드시 쓰러지는 것이오.」

즉, 법률이 엄하면 백성들이 복종할 수는 있어도 마음으로 따르는 것은 아니므로 엄한 법보다는 위정자의 덕으로 그들을 따르게 해야 한다는 뜻이다.

子張問하되 士何如라야 斯可謂之達矣잇고 子曰 何哉오 爾의

所謂達者여 子張이 對曰 在邦必聞하며 在家必聞이니라 子

曰 是는 聞也라 非達也니라 夫達也者는 質直而好義하며

132

察言而觀色하야 慮以下人하나니 在邦必達하며 在家必達이니라 夫
聞也者는 色取仁而行違요 居之不疑니하나 在邦必聞하며 在
家必聞라이니

해설 자장이 묻기를, 「선비가 어떻게 해야만 통달했다 할 수 있읍니까?」자장이 대답하기를, 「나라에 나아가 있어도 이름이 알려지고 집에 있어도 이름이 알려지는 것입니다.」공자가 말하기를, 「그것은 명성이지 달함이 아니니라. 무릇 달했다는 것은 질박하고 정직하여 의를 좋아하며, 남의 말을 잘 살피고 기색을 잘 관찰하여 신중하게 사람을 대하는 것이다. 그래야 나라에 있어서도 반드시 달하게 되고 집에 있어서도 반드시 달하게 되느니라. 대저 명성을 얻는 것이란 겉으로는 인을 취하면서 행함에는 어긋나나 의심하지 않고 태연함을 가장하는 것이다. 그렇게 하면 나라에 나아가서도 명성을 얻고 집에 있어도 반드시 명성을 얻게 되느니라.」즉, 명성을 얻기에만 급급해 하지 말고 덕을 쌓아 통달하여 이룰 것을 권한 말이다. 명성을 앞세우면 위선에 빠지기 쉽고 오명을 남길 수가 있음을 경고하였다.

□ 사(士) : 성인의 도와 학문을 배우는 사람.

樊遲從遊於舞雩之下러니 曰 敢問崇德脩慝辨惑하노이다 子
曰 善哉라 問이여 先事後得이 非崇德與아 攻其惡이오 無
攻人之惡이 非脩慝與아 一朝之忿으로 忘其身하야 以及其

해설 번지가 공자를 따라 무우대(舞雩臺) 아래에서 노닐 때에 말하기를, 「덕을 숭상하고 사악함을 바로잡으며 미혹을 분별하는 것에 관하여 감히 묻겠읍니다.」 공자가 말하기를, 「좋은 질문이로다. 일은 먼저 하고 소득은 뒤로 미루는 것이 덕을 쌓는 것이 아니겠느냐. 자기의 악은 공격하고 남의 악은 공격하지 않는 것이 간사함을 바로잡는 것이 아니겠느냐. 한때의 분노로 그 몸을 잊고 함부로 행동하여 자기 부모에게 화를 미치게 하는 것이 미혹됨이 아니겠느냐.」

즉, 옳은 일은 이득을 바라지 않고 앞장서고, 남의 잘못보다는 자신의 잘못을 반성하여 시정하고, 일시적 흥분에 따라 행동하지 말라는 뜻이다.

樊遲問仁한대 子曰 愛人이니라 問知한대 子曰 知人이니라 樊遲

未達이어늘 子曰 舉直錯諸枉이면 能使枉者直하야 樊遲退하야

見子夏曰 鄉也에 吾見於夫子而問知하니 子曰 舉直

錯諸枉이면 能使枉者直이라 하시니 何謂也오 子夏曰 富哉라 言

乎여 舜有天下에 選於眾하사 舉皋陶하시니 不仁者遠矣요

湯有天下에 選於眾하사 舉伊尹하시니 不仁者遠矣니라

해설 번지가 인에 대하여 묻자, 공자가 말하기를, 「사람을 사랑하는 것이니라.」 지에 대하여 묻자, 공자가 말하기를, 「사람을 알아보는 것이니라.」 번지가 말뜻을 알아듣지 못하자, 공자가 말하기를, 「정직한 사람을 정직하지 못한 사람 위에 두면, 정직하지 못한 사람을 정직하게 만들 수 있느니라.」 번지가 물러나와 자하를 만나서 말하기를, 「아까 내가 선생님을 뵈옵고 지에 대하여 물어 보았더니, 선생님께선 『정직한 사람을 등용하여 정직하지 못한 사람의 위에 두면 정직하지 못한 사람을 정직하게 할 수 있다.』고 하셨는데 그게 무슨 뜻이오?」 자하가 말하기를, 「뜻이 넓고 큰 말씀이오. 순임금께서 천하를 다스릴 때 여러 사람 중에서 고요(皐陶)를 골라 등용시키니 어질지 아니한 자가 멀리 사라졌으며, 탕왕께서 천하를 다스릴 때에 여러 사람 중에서 이윤(伊尹)을 골라 등용시키자 어질지 아니한 사람이 멀리 사라져 버렸소.」

즉, 인은 모든 사람을 널리 사랑하는 것이고, 지는 인재를 알아보고 이를 등용하여 인정(仁政)을 베풀 수 있게 한다는 뜻이다.

子貢이 問友한대 子曰 忠告而善道之호대 不可則止하야 毋自辱焉이라이니

해설 자공이 벗을 사귀는 것에 관하여 묻자, 공자가 말하시기를, 「성의있게 잘못을 일러주고 선함을 권하여 잘 이끌어 주되, 그것이 가능하지 않으면 그만두어 자기까지 욕되지 않도록 하여야 하느니라.」

※ 불가(不可) : 되지 않음. 듣지 않음.

즉, 선한 마음과 성의를 가지고 친구를 대하라는 뜻이다.

曾子曰 君子는 以文會友하고 以友輔仁이라이니

해설 증자가 말하기를, 「군자는 학문으로 벗을 모으고, 벗으로써 인을 향상시켜야 하느니라.」

즉, 학문과 예에 뜻을 가진 사람을 벗으로 하고, 벗의 장점을 본받아 인을 키우라는 뜻이다.

子路(자로)

子路問政한대 子曰 先之勞之니라 請益한대 曰 無倦라이니

해설 자로가 정사에 관하여 묻자, 공자가 말하기를, 「먼저 일하고 위로할 것이니라.」 더 청하자, 말하기를, 「게을리하지 말아라.」

주 청익(請益)∷ 한번 더 설명해 주기를 청하다.

즉, 백성들에게 앞장서서 일하고 그들이 따라 하면 노고를 위로해 주라는 뜻이다.

仲弓이 爲季氏宰라 問政한대 子曰 先有司요 赦小過하며 擧賢才니라 曰 焉知賢才而擧之리잇고 曰 擧爾所知면 爾所不知를 人其舍諸아

해설 중궁이 계씨의 가재가 되어 정사에 관하여 묻자, 공자가 대답하기를, 「먼저 유사(有司)들에게 알을 맡기되 사소한 일은 용서하며 어진 사람을 등용하도록 하라.」 말하기를, 「어떻게 어진 인재를 알아보고 등용

子路曰 衛君이 待子而爲政하시니 子將奚先이잇고 子曰 必

也正名乎인저 子路曰 有是哉라 子之迂也여 奚其正이잇고

子曰 野哉라 由也여 君子於其所不知에 蓋闕如也니라

名不正이면 則言不順하고 言不順이면 則事不成하고 事不成이면

則禮樂不興하고 禮樂이 不興이면 則刑罰不中하고 刑罰이 不

中이면 則民無所措手足이니라 故로 君子名之인댄 必可言也며

言之인댄 必可行也니 君子於其言에 無所苟而已矣니라

해설 자로가 말하기를, 「위나라 군주께서 선생님을 맞아들여 정치를 하게 된다면, 선생님께선 장차 무엇부터 시작하시겠읍니까?」 공자가 말하기를, 「반드시 명분을 바로 세우리라.」 자로가 말하기를, 「이러한 점에는 선생님께서 현실과 거리가 먼 것이 있읍니다. 어찌 그 명분을 밝히겠읍니까?」 공자가 말하기를, 「천하고 속되는구나, 유여. 군자는 자기가 알지 못하는 것에는 대개 참견하지 않는 것이니라. 명분이 바르게 서지 않으면 말이 서지 않고, 말이 서지 않으면 일이 이루어지지 않고, 일이 이루어지지 않으면 예와 악이 일어

137

樊遲請學稼한대 子曰 吾不如老農호라 請學爲圃한대 曰 吾不如老圃호라 樊遲出커늘 子曰 小人哉라 樊須也여 上이 好禮하면 則民莫敢不敬하고 上이 好義하면 則民莫敢不服하고 上이 好信하면 則民莫敢不用情이니 夫如是면 則四方之民이 襁負其子而至矣리니 焉用稼리오

해설 번지가 곡식을 심는 법에 관하여 배우기를 청했다. 공자가 말하기를, 「나는 늙은 농부만 못하니라.」 채소를 가꾸는 것에 관하여 배우기를 청하자, 말하기를, 「나는 채소 가꾸는 늙은이만 못하니라.」 번지가 물러나가자 공자가 말하기를, 「소인이로다. 번수는. 윗사람이 예를 좋아하면 백성이 감히 복종하지 않을 수 없고, 윗사람이 의를 좋아하면 백성이 감히 존경하지 않을 수 없고, 윗사람이 신의를 좋아하면 백성이 감히 성실하지 않을 수 없을 것이니, 대개 이렇게 하면 사방의 백성들이 포대기에 자식을 싸 들고라도 모일 것인데, 곡식을 심는 법을 배워서 무엇하리요.」
즉, 사람은 각자가 할 일이 있다는 뜻으로 정치가인 군자가 되려는 사람은 정치나 학문, 예악이나 덕행 등에 몰두하면 된다는 뜻이다.

子曰 誦詩三百하되 授之以政에 不達하며 使於四方에 不能專對하면 雖多나 亦奚以爲리오

해설 공자가 말하기를, 「〈시경〉의 시 3백 편을 다 외되 정사에 나아가서 이를 처리하지 못하고, 사방에 사절로 보내져도 자기의 독단으로 일을 처리하지 못한다면, 비록 시를 많이 외고 있다 한들 무슨 소용이 있으리요.」

즉, 학문은 지식을 쌓는데 그쳐서는 안 되며, 이를 활용하여 실생활에 실천 할 수 있어야 한다는 뜻이다.

子曰 其身이 正이면 不令而行하고 其身 不正이면 雖令不從라니

해설 공자가 말하기를, 「그 자신이 바르면 명령을 내리지 않아도 실천이 되고, 그 자신이 바르지 않으면 비록 명령을 내린다 하여도 따르지 않느니라.」

즉, 윗사람이 바르게 행하면 아랫사람은 저절로 따르고, 마음으로 깊이 복종한다는 뜻이다.

图 행(行)‥잘 되어 감. 저절로 되어 감.

子曰 魯衛之政은 兄弟也로다

해설 공자가 말하기를, 「노나라와 위나라의 정치는 형제이니라.」

즉, 노나라와 위나라가 정치 형태나, 나라가 어지러운 형세가 모두 비슷하다는 뜻이다.

子謂衛公子荊한대 善居室이로다 始有에 曰 苟合矣라하고 少有

에 曰 苟完矣라하고 富有에 曰 苟美矣니라하라

해설 공자가 위나라의 공자 형(荊)을 평하여 말하기를, 「집을 잘 다스렸도다. 재물이 좀 늘었을 때는 『진실로 완비되었다』라고 했으며, 부유해졌을 때는 『진실로 화

실히 모였다』로 했고, 조금 더 모였을 때는 『진실로 완비되었다』라고 했으며, 즉, 위나라의 대부인 형이 가난하면서도 재물을 탐내지 않고, 부유해져도 사치하거나 교만하지 않으며, 항상 겸허한 생활 태도를 지니는 것을 보고 칭찬한 말이다.

려하다』고 말하였느니라.」

子適衛하실새 冉有僕이러니 子曰 庶矣哉라 冉有曰 既庶矣어든

又何加焉이리꼬 曰 富之니라 曰 既富矣어든 又何加焉이리꼬

曰 敎之니라

해설 공자가 위나라에 갔을 때에 염유가 마차를 몰고 따르니, 공자가 말하기를, 「번성하구나.」 염유가 말하기를, 「이미 번성하면 또 무엇을 더 해야 합니까?」 말하기를, 「부를 베풀어야 하느니라.」 말하기를, 「부하게 된다면 또 무엇을 더 해야 합니까?」 말하기를, 「가르쳐야 하느니라.」

즉, 국가에는 백성이 많아야 하고 다음에는 백성이 골고루 부유해야 하며 그후에는 교화하여 문화의 향상

子曰 苟有用我者면 朞月而已라도 可也니 三年이면 有成

과 도를 확립하여 이상 국가를 이루어야 한다는 뜻이다.

해설 공자가, 「이미 번성하면 또 무엇을 더 해야 한다면 또 무엇을 해야 합니까?」 말하기를, 「부를 베풀어야 하느니라.」

140

해설 공자가 말하기를、「진실로 나를 등용해 주는 사람이 있다면 단 일 년만 되더라도 괜찮을 것이며、삼 년이 지나면 훌륭하게 되어지리라.」즉、삼 년이면 도의 정치를 실현할 수 있다는 포부를 밝힌 것이다.

子曰 善人이 爲邦百年이면 亦可以勝殘去殺矣니라하 誠哉라 是言也여

해설 공자가 말하기를、「선인이 백 년 동안 나라를 다스리면 가히 잔학함을 누르고 사형을 폐지시킬 수 있다고 하니、진실이로다、이 말은.」즉、옛말을 인용하여 선인도 이런 정도인데 하물며 군자나 성인이 나라를 다스리면 더욱 좋을 것이라는 말이다.

子曰 如有王者라도 必世而後仁이라니

해설 공자가 말하기를、「만일 성왕이 있을지라도 반드시 한 세대 이후에라야 인덕이 세상에 미치리라.」즉、치국은 삼 년이면 되지만、평천하는 삼십 년도 더 걸린다는 뜻이다.

子曰 苟正其身矣면 於從政乎에 何有며 不能正其身이면 如正人에 何오

141

해설 공자가 말하기를, 「진실로 그 자신이 바르다면, 정사에 종사함에 있어서 무슨 어려움이 있겠는가, 그 자신을 바로잡지 못한다면 어찌 남을 바르게 다스릴 수 있으랴.」

冉子退朝어늘 子曰 何晏也오 對曰 有政이러니 子曰 其
事也로다 如有政인댄 雖不吾以나 吾其與聞之니라

해설 염유가 조정에서 물러나오자, 공자가 말하기를, 「왜 그렇게 늦었느냐?」 대답하기를, 「정사에 관한 일이 있었나이다.」 공자가 말하기를, 「그것은 사사였을 것이다. 만일 정사에 관한 일이었다면, 비록 내 등용되지 않았았지만 나는 그일을 들었을 것이다.」
즉, 제자 염유에게 공과 사를 혼동하지 말라고 이르는 것이다.

定公이 問하되 一言而可以興邦하니라 有諸이꼬 孔子對曰 言
不可以若是其幾也어니와 人之言에 曰 爲君難하며 爲臣不
易라하나니 如知爲君之難也인댄 不幾乎 一言而興邦乎이꼬 曰
一言而喪邦하니라 有諸이꼬 孔子對曰 言不可以若是 其
幾也와어니 人之言에 曰 予無樂乎爲君이요 唯其言而莫予

違也

違也라하 如其善而莫之違也인댄 不亦善乎이꼬 如不善而莫

之違也인댄 不幾乎一言而喪邦乎이꼬

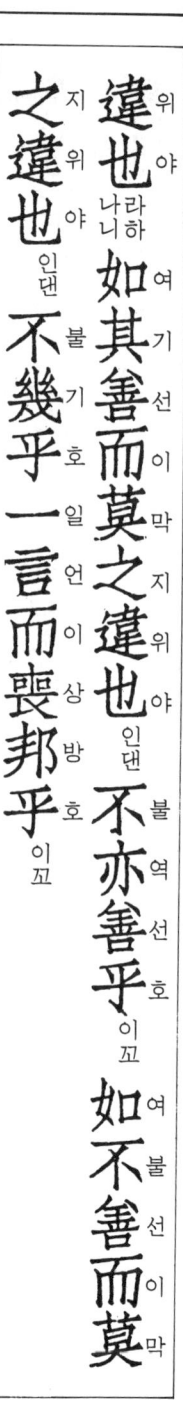

해설 정공이 묻기를, 「한 마디의 말로 나라를 흥하게 할 수 있다는데 그런 말이 정말 있읍니까?」 공자가 대답하여 말하기를, 「말이란 그렇게 한 마디로 그 뜻을 나타낼 수 없거니와, 세상 사람들의 말에 『임금 노릇 하기도 어렵고 신하 노릇 하기도 쉽지 않다.』라는 것이 있읍니다. 만일 임금 노릇 하기가 어려운 줄 안다면 그 한 마디가 바로 나라를 흥하게 하는 말에 가깝지 않겠읍니까?」 말하기를, 「한 마디의 말로 그 뜻을 잃는다 하였는데 그런 말이 있읍니까?」 공자가 대답하여 말하기를, 「말이란 그와 같이 한 마디로 그 뜻을 나타낼 수 없거니와 세상 사람의 말에는 『나는 임금이 된 것이 즐겁지 않고 내가 말만 하면 아무도 나를 어기지 못하는 것이 즐거우니라.』라는 것이 있읍니다. 만일 임금의 말이 옳기 때문에 어기지 못한다면 그 한 마디가 바로 나라를 잃는다는 말에 가깝지 않겠읍니까?」 그러나 옳지 않은데도 어기지 못한다면 역시 좋은 일이 아니겠읍니까? 깝지 않겠읍니까?」

즉, 위정자가 오로지 정치하기가 어려움을 깨닫고 정사를 게을리하지 않는다면 나라가 흥할 것이고, 임금이 오로지 자신의 말의 위력에 도취되어 있으면 그 나라는 망할 것이라는 뜻이다.

葉公問政한대 子曰 近者說하며 遠者來니라

해설 섭공이 정치에 관하여 묻자, 공자가 말하기를, 「가까운 사람들은 기뻐하고 멀리 있는 사람들은 오는 것이니라.」

즉, 덕으로 나라를 다스리면 사람들이 모인다는 뜻이다.

☞ 섭공(葉公) : 초(楚)나라 섭현(葉縣)의 영(令).

子夏爲莒父宰라 問政한대 子曰 無欲速하며 無見小利니

欲速則不達하고 見小利則大事不成이라니

해설 자하가 거보의 읍재가 되어 정치에 관하여 물었다. 공자가 말하기를, 「일을 빨리 하려고 하지 못하고 작은 이익을 돌아 보면 큰일을 이루지 못하느니라.」

즉, 급히 서둘러 하면 허술하게 되는 수가 많고 작은 이익에 마음이 걸리면 큰 일을 해내지 못한다는 뜻이다.

葉公이 語孔子曰 吾黨에 有直躬者하니 其父攘羊이어늘 而子證之이니 孔子曰 吾黨之直者는 異於是하니 父爲子隱하며 子爲父隱하나니 直在其中矣니라

해설 섭공이 공자에게 말하기를, 「우리 마을에 행실이 정직한 사람이 있읍니다. 그 아버지가 양을 훔친 것을 아들이 증언하였나이다.」 공자가 말하기를, 「우리 마을의 정직한 사람은 그와 다릅니다. 아버지는 자식을 위해서 숨기고 자식은 아버지를 위해서 숨기고, 그 가운데 정직함이 있읍니다.」

즉, 법률 이전의 도의적인 문제로서 은근히 잘못을 시정하도록 하는 것이 인정이고 도의라는 뜻이다.

樊遲問仁한대 子曰 居處恭하며 執事敬하며 與人忠을 雖之 夷狄이라도 不可棄也니라

해설 번지가 인에 대하여 묻자, 공자가 말하기를, 「평소에 공손하고, 일을 하는 데 있어 신중하고, 남과 사귀기를 성실히 하면 비록 오랑캐의 땅에 갈지라도 결코 버림을 받지 않으리라.」

즉, 평소의 언행은 공손히 하고, 공사의 집무는 신중히 하며, 대인 관계를 성실히 하라는 처세에 관한 교훈이다.

子貢이 問曰 何如斯可謂之士矣니잇고 子曰 行己有恥하며 使於四方하야 不辱君命이면 可謂士矣니라 曰 敢問其次하노이다 曰 宗族이 稱孝焉하며 鄕黨이 稱弟焉이니라 曰 敢問其次하노이다 曰 言必信하며 行必果하면 硜硜然小人哉나 抑亦可以爲次矣니라 曰 今之從政者는 何如하니잇고 子曰 噫라 斗筲之人을 何足算也리오

해설 자공이 묻기를, 「어찌하여야 가히 선비라 할 수 있겠읍니까?」 공자가 말하기를, 「행함에 있어 염치를 알고, 다른 나라에 사신으로 가서 임금의 명령을 욕되게 하지 않는다면 선비라 할 수 있느니라.」 말하기를, 「감히 그 다음가는 사람은 어떻읍니까?」 말하기를, 「친척들로부터 효자라는 말을 듣고 마을 사람들로부터 공손하다는 칭찬을 듣는 것이니라.」 말하기를, 「감히 그 다음을 묻겠나이다.」 말하기를, 「말에는 반드시 실행이 있고, 행동에는 언제나 성과가 있다면 좀 딱딱한 소인이기는 하나 억지로라도 다음에 놓을 수 있

느니라.」 말하기를, 「요즈음 정치에 종사하는 사람은 어떻습니까?」 공자가 말하기를, 「아, 한 말들이의 작은 도량을 가진 사람들을 어찌 셈에 넣을 수 있으리요? 즉, 선비는 군자 다음가는 사람이고 선비 중에서도 효성이 지극한 사람과 말을 하면 반드시 실천하는 사람 등이 있지만 그 당시의 위정자들은 그 정도에도 못미치는 사람이라고 한탄하는 말이다.

子曰(자왈) 不得中行而與之(부득중행이여지)인댄 必也狂狷乎(필야광견호)인저 狂者(광자)는 進取(진취)

狷者(견자)는 有所不爲也(유소불위야)니라

해설 공자가 말하기를, 「중용의 길을 행하는 사람을 얻어 가르치지 못할 바에는 반드시 과격하고 고집이 센 사람을 택하리라. 과격한 사람은 진취적이고 고집이 센 사람은 함부로 나쁜 짓을 하지 않느니라.」 즉, 중용의 도를 아는 사람이면 더욱 좋지만 그렇지 못하더라도 적극적으로 선을 행하려는 과격파나 아니면 소극적으로 악을 행하지 않으려는 고집장이만 되어도 바탕은 선하니, 가르치고 사귈 만하다는 뜻이다.

子曰(자왈) 南人(남인)이 有言曰(유언왈) 人而無恆(인이무항)이면 不可以作巫醫(불가이작무의)니라하 善夫(선부)라 不恆其德(불항기덕)이면 或承之羞(혹승지수)니라 子曰(자왈) 不占而已矣(부점이이의)니라

해설 공자가 말하기를, 「남방 사람들의 말에 『사람으로서 꾸준함이 없으면 무당이나 의원도 손을 쓸 수 없다.』라는 말이 있는데, 옳은 말이다. 그 덕을 행함에 꾸준함이 없으면 항상 부끄러움을 당하느니라.」 공자가 또 말하기를, 「그런 사람은 점을 칠 것도 없느니라.」

图 남인(南人) : 오(吳)나 월(越)나라 등의 남국인(南國人). 즉, 사람에게 꾸준한 끈기가 없으면 아무것도 이루지 못한다는 뜻이다.

子曰　君子는　和而不同하고　小人은　同而不和니라

해설　공자가 말하기를, 「군자는 남과 화합하되 뇌동하지는 않지만, 소인은 남과 뇌동은 하지만 화합하지는 못하느니라.」

즉, 대인 관계에서 군자는 개성과 주관을 가지고 조화를 이루지만 소인은 주관이 없이 이득에 따라 움직이므로 여러 사람과 고르게 잘 어울리지 못한다는 뜻이다.

子貢이　問曰　鄉人이　皆好之면　何如니잇고　子曰　未可也니라　不如鄉人之善者好之요　其不善者惡之니라

해설　자공이 묻기를, 「마을 사람들이 모두 어떤 사람을 좋아한다면 그는 어떠합니까?」 공자가 말하기를, 「아직 부족하니라.」 「마을 사람들이 다 싫어한다면 어떠합니까?」하니, 공자가 말하기를, 「아직 부족하니라.」

즉, 선인은 선인을 따르고 악인은 악인을 따른다는 뜻이다.

子曰　君子는　易事而難說也니　說之不以道면　不說也요　及其使人也하얀　器之니라　小人은　難事而易說也니　說之

147

雖不以道라도 說也요 及其使人也하얀 求備焉이니라

해설 공자가 말하기를, 「군자를 섬기기는 쉬워도 기쁘게 하기는 어려우니, 정도로써 기쁘게 하지 않으면 기뻐하지 않고, 사람을 부림에 있어서는 각기 그릇에 맞게 하느니라. 소인을 섬기기는 어려우나 기쁘게 하기는 쉬우니, 정도가 아니라도 기뻐하게만 하면 기뻐하고, 사람을 부림에 있어서 모든 일을 다 해주기를 바라느니라.」

즉, 윗사람이 군자면 일의 성과로써 기뻐하고, 소인이면 뇌물을 가지고도 기쁘게 할 수 있다는 뜻이다.

子曰 君子는 泰而不驕하고 小人은 驕而不泰니라

해설 공자가 말하기를, 「군자는 태연하지만 교만하지 않고, 소인은 교만하지만 태연하지 못하니라.」

즉, 군자는 정의에 살고 소인은 사욕에 산다는 뜻이다.

子曰 剛毅木訥이 近仁이니

해설 공자가 말하기를, 「강직하고, 의연하고, 질박하고, 어눌함은 인에 가까와지는 길이라는 말이다.」

즉, 묵묵히 자기의 옳은 뜻을 굳세게 실천하는 것이 인에 가까와지는 길이라는 말이다.

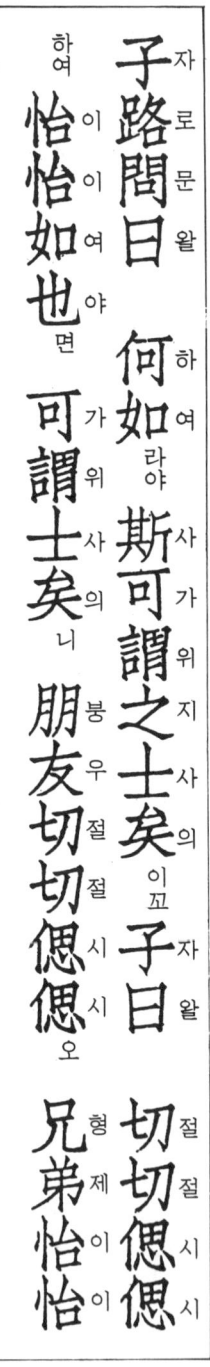

子路問曰 何如라야 斯可謂之士矣이꼬 子曰 切切偲偲하여 怡怡如也면 可謂士矣니 朋友切切偲偲오 兄弟怡怡니라

해설 자로가 묻기를, 「어떻게 하여야 선비라 할 수 있읍니까?」 공자가 말하기를, 「간절히 선을 권하고 기뻐하여 화락한다면 선비라 이를 수 있으니, 친구에겐 정과 의로 간절히 권하고, 형제에겐 기쁘게 화목함이니라.」

즉, 선비의 대인 관계에 대한 교훈으로써 자로의 성격에 맞게 세밀하면서도 근면하고 서로 화목할 줄 알아야 한다고 했다.

子曰 善人이 教民七年이면 亦可以卽戎矣니라
(자왈 선인 교민칠년 역가이즉융의)

해설 공자가 말하기를, 「선인이 백성을 칠 년 동안 교화시키면 가히 전쟁에라도 나가게 할 수 있느니라.」

즉, 선인이 교화시키면 병사가 교화되어 불의를 징벌하는 정의로운 십자군이 될 수 있다는 뜻이다.

子曰 以不教民戰이면 是謂棄之니라
(자왈 이불교민전 시위기지)

해설 공자가 말하기를, 「교화되지 않은 백성으로 전쟁을 하는 것은 곧 그들을 버리는 것이니라.」

즉, 백성을 정신적으로 교화시키고 전투 훈련을 충분히 시킨 정병이라야 전쟁에서 이길 수 있다는 뜻이다.

憲問(헌문)

憲問恥한대 子曰 邦有道에 穀하되 邦無道에 穀이 恥也니라
(헌문치 자왈 방유도 곡 방무도 곡 치야)

해설 헌이 부끄러움에 관하여 물었다. 공자가 말하기를, 「나라에 도가 있으면 녹을 받아야 할 것이나, 나라에 도가 없는데도 녹을 받는 것은 부끄러운 일이니라.」

즉, 도가 행해지는 나라는 정의로 다스려지고 그렇지 않은 나라는 불의가 행세하는 나라이니, 불의가 행해지는 나라에서 신하로써 녹을 받는 것은 선비의 도리가 아니라는 뜻이다.

克伐怨欲을 不行焉이면 可以爲仁矣니이꼬 子曰 可以爲難

극 벌 원 욕   불 행 언   가 이 위 인 의   자 왈   가 이 위 난

矣어니와 仁則吾不知也케라

의   인 즉 오 부 지 야

해설 「남을 꺾고, 자신을 뽐내고, 남을 원망하고, 욕심 부리는 일을 하지 않는다면 인이라 할 수 있읍니까?」

공자가 말하기를, 「가히 어려운 일이거니와 그것이 인인지는 내 아직 알 수 없느니라.」

즉, 사람들은 흔히 남을 누르고 서기를 좋아하고, 자신을 자랑하며 남을 원망하고 사욕을 부리게 되는데, 그런 것들을 하지 않는다고 해서 인자라 할 수는 없다는 뜻이다.

子曰 士而懷居면 不足以爲士矣니라

자 왈   사 이 회 거   부 족 이 위 사 의

해설 공자가 말하기를, 「선비가 편안하게 살기만을 원한다면 선비라 할 수 없느니라.」

즉, 선비가 안일한 생활에 빠져 있으면 학문에서 뜻이 멀어진다는 뜻이다.

子曰 邦有道엔 危言危行하고 邦無道엔 危行言孫이니

자 왈   방 유 도   위 언 위 행   방 무 도   위 행 언 손

해설 공자가 말하기를, 「나라에 도가 있으면 대담하게 말하고 대담하게 행하며, 나라에 도가 없으면 홀로 정직하게 행하되 말은 겸손해야 하느니라.」

즉, 정의로운 사회에서는 악과 불의를 기탄없이 지적하여 정의를 과감히 실천해도 되지만, 불의가 행행하는 사회에서 옳은 일을 실천하는데 겸손하지 않으면 불의의 화를 당하게 될 수 있다는 뜻이다.

子曰 有德者는 必有言이어니와 有言者는 不必有德이니 仁者는 必有勇이어니와 勇者는 不必有仁이니라

해설　공자가 말하기를, 「덕이 있는 사람의 말은 들을 만하지만, 말이 들을 만한 사람이라고 해서 반드시 어질지는 않느니라.」

즉, 말에는 반드시 정의가 따라야 하고 용기에는 반드시 정의가 따라야 한다는 뜻이다.

주　유언(有言) : 도리에 맞는 훌륭한 말을 들을 만한 것이 있다는 뜻.

南宮适이 問於孔子曰 羿는 善射하고 奡는 盪舟호대 俱不得其死어늘 然이나 禹稷은 躬稼而有天下하시니 夫子不答이러시니 南宮适이 出커늘 子曰 君子哉라 若人이여 尚德哉라 若人이여

해설　남궁괄이 공자에게 묻기를, 「예는 활을 잘 쓰고 오는 배를 끌만한 힘이 있었으나, 모두 제 명에 죽지 못하였읍니다. 그러나 우(禹)와 직(稷)은 몸소 농사를 지었는데도 천하를 다스리지 않았읍니까?」 공자가 대답이 없었다. 남궁괄이 나가자, 말하기를, 「군자로다. 그 같은 사람은. 덕을 숭상하도다. 그 같은 사람은.」

즉, 힘과 재주만을 믿고 덕으로 나라를 다스리지 않으면 평천하가 되지 않는다는 뜻이다.

주　남궁괄(南宮适) : 공자의 제자. 자는 남용(南容).

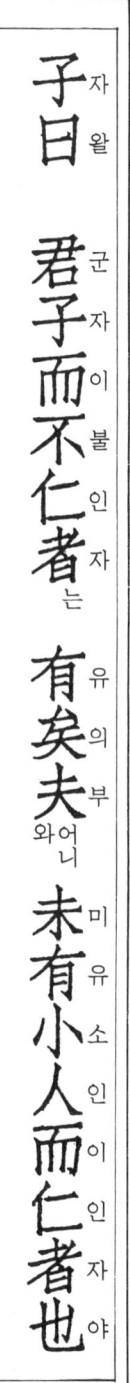

子曰 君子而不仁者는 有矣夫와어니 未有小人而仁者也 니라

해설 공자가 말하기를, 「군자이면서 어질지 않은 사람은 있으나, 소인이면서 어진 사람은 아직 없었느니라.」
즉, 군자는 노력하면 인자가 될 수 있지만 소인은 아무리 노력한다 해도 인자가 될 수 없다는 뜻이다.

子曰 愛之란 能勿勞乎아 忠焉이란 能勿誨乎아

해설 공자가 말하기를, 「사랑한다면 수고시키지 않을 수 있는가. 진심으로 위한다면 일깨워 주지 않을 수 있겠는가.」
즉, 자식이나 제자를 사랑한다면 그들이 학문과 덕을 닦도록 하지 않을 수 없으며, 벗이나 윗사람을 진심으로 위한다면 그들의 잘못을 일깨워 주지 않을 수 없다는 뜻이다.

子曰 爲命에 裨諶이 草創之하고 世叔이 討論之하고 行人
子羽修飾之하고 東里子産이 潤色之라하니

或이 問子産한대 子曰 惠人也니라 問子西한대 曰 彼哉여

해설 공자가 말하기를, 「정나라에서 외교문서를 작성할 때 비침이 초안을 작성하면 세숙(世叔)이 검토하고, 외교관 자우(子羽)가 수식하고 동리(東里)의 자산(子産)이 문체를 다듬어 아름답게 하였느니라.」

彼哉여 問管仲한대 曰 人也奪伯氏騈邑三百늘 飯疏食
沒齒하되 無怨言이라하니

해설 어떤 사람이 자산에 대하여 묻자, 공자가 말하기를, 「자애로운 사람이다.」 자서에 대하여 묻자, 말하기를, 「훌륭한 사람이다.」 백씨의 병읍 3백 호를 빼앗아 백씨를 평생토록 거친 밥을 먹게 하였으나, 백씨는 원망하지 않았느니라.」

즉, 정나라의 자산은 백성을 사랑하여 나라를 잘 다스린 사람이고, 초나라 자서는 나라를 아우에게 양보하고 그를 도와 정치를 잘했으나 후에 난을 일으켰으므로 그저 그런 사람이라 말하였다. 또 관중은 제나라 환공을 도와 정치를 잘 한 사람이라는 말이다.

圉 자서(子西) : 초나라의 공자(公子). 왕위를 양보하여 아우를 소왕(昭王)으로 세움.

子曰 貧而無怨은 難하고 富而無驕는 易라하니

해설 공자가 말하기를, 「가난하면서 원망하지 않기는 어렵고, 부자이면서 교만하지 않기는 쉬우니라.」
즉, 조금만 수양하여도 부유하면서 교만하지 않을 수는 있으나, 가난해도 안빈낙도하며 원망하지 않는 것은 많은 수양이 필요하다는 뜻이다. 생활이 곤란하면 근심 걱정이 따르고 불평과 원망이 반드시 생겨서 이를 억제하기가 매우 어렵기 때문이다.

子曰 孟公綽이 爲趙魏老則優어니와 不可以爲滕薛大夫
니라

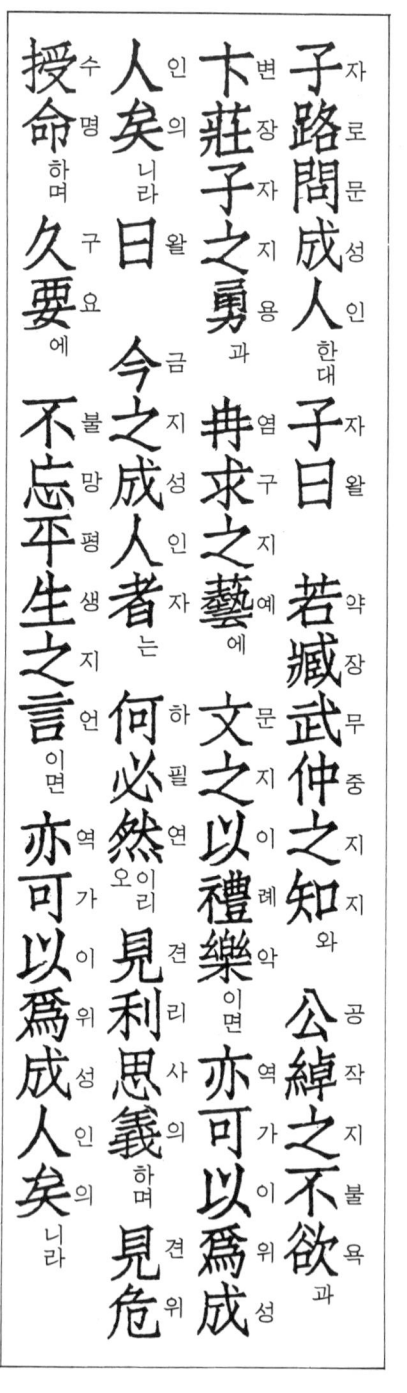

子路問成人한대 子曰 若臧武仲之知와 公綽之不欲과
卞莊子之勇과 冉求之藝에 文之以禮樂이면 亦可以爲成
人矣니라 曰 今之成人者는 何必然이리오 見利思義하며 見危
授命하며 久要에 不忘平生之言이면 亦可以爲成人矣니라

해설 자로가 성인에 대해서 묻자, 공자가 말하기를, 「장무중의 지혜와 맹공작의 무욕과 변장자의 용기와 염구의 예를 갖추고, 예와 악으로 꾸민다면 성인이라 할 수 있느니라.」 또 말하기를, 「오늘날의 성인이란 어찌 그럴 필요까지 있겠는가. 이익을 눈앞에 두고 의를 생각하며, 위험한 시기를 당하면 목숨을 내놓으며, 오랜 약속에 대하여 지나날의 말을 잊지 않고 실천한다면 또한 성인이 될 수 있느니라.」

즉, 성인이란 정의를 존중하여 이를 돌보지 않고, 나라의 위급함을 보면 목숨을 내놓으며, 오래된 언약이라도 평생토록 잊지 않고 지킬 수 있는 사람이라는 뜻이다.

※ 장무중(藏武仲) : 노나라의 대부였으나 계씨 일파의 세력에 몰려 제나라로 망명했음.

子問公叔文子於公明賈曰 信乎아 夫子不言不笑不

取乎아 公明賈對曰 以告者過也로소이다 夫子時然後言이라
人不厭其言하며 樂然後笑라 人不厭其笑하며 義然後取하니
人不厭其取이라하나 子曰 其然고 豈其然乎고

해설 공자가 공숙문자에 대하여 공명가에게 묻기를, 「진실이오? 그분은 말하지 않고 웃지도 뇌물을 취하지도 않는다는데.」 공명가가 대답하기를, 「전하여 말씀드린 것이 좀 지나쳤읍니다. 그분은 때가 된 연후에야 말하는지라 사람들이 그의 말을 싫어하지 않으며, 즐거워진 후에야 웃는지라 사람들이 그의 웃음을 싫어하지 않으며, 의로운 것임을 안 뒤에야 취하는지라 사람들이 그의 취함을 싫어하지 않나이다.」 공자가 말하였다. 「그러합니까, 어찌 그럴 수 있으리요.」 하는 말에 거짓이 없고, 웃음에 꾸밈이 없으며 의에 따라 사는 공숙문자야말로 군자라는 말이다.

공숙문자(公叔文子) : 위(衛)나라의 대부. 이름은 기(技), 문(文)은 시호.

子曰 臧武仲이 以防으로 求爲後於魯하니 雖曰不要君이나
吾不信也라하노

해설 공자가 말하기를, 「장무중이 방성을 점거하여 노나라에 자기의 후계자를 세울 것을 요구한 때에, 비록 다른 사람은 그가 임금을 위협하지 않았다 하나 나는 믿지 못하노라.」 즉, 장무중의 무례 무도함과 노나라의 처사가 못마땅함을 나타낸 말이다.

방(防) : 지명(地名).

위후(爲後) : 뒤를 이음.

子曰 晉文公은 譎而不正하고 齊桓公은 正而不譎라하니

해설 공자가 말하기를, 「진의 문공은 거짓이 있고 바르지 않았으나, 제의 환공은 바르고 거짓이 없었다.」 즉, 진나라의 문공은 권모 술수를 써서 세도를 누렸으나 제나라의 환공은 대의 명분을 지켜 군자답게 처신하였다는 뜻이다.

㊟ 환공(桓公)‥ 이름은 소백(小白). 제나라의 군주.

子路曰 桓公이 殺公子糾하야 召忽은 死之하고 管仲은 不死하니 曰 未仁乎인저 子曰 桓公이 九合諸侯하되 不以兵車는 管仲之力也니 如其仁如其仁오리

해설 사로가 말하기를, 「환공이 공자 규를 죽이자 소홀은 따라서 죽었으나 관중은 죽지 않았으니, 말하자면 관중은 인하지 못한 것입니까?」 공자가 말하기를, 「관중이 제후들을 규합하되 병거를 쓰지 아니함은 관중의 힘이었느니, 누가 그의 인함과 같으리요.」

子貢曰 管仲은 非仁者與인저 桓公이 殺公子糾어늘 不能死요 又相之오녀 子曰 管仲이 相桓公霸諸侯하여 一匡天

해설 즉, 위력을 쓰지 않고 제후들을 규합하여 인정을 베풀어 나라를 부강하게 한 관중의 인덕을 높이 평가한 것이다.

下하니 民도우금이

리오

豈若匹夫匹婦之爲諒也라 自經於溝瀆而莫之知也

到于今이 受其賜니하나 微管仲이면 吾其被髮左衽矣
기약필부필부지위량야

해설 자공이 말하기를, 「관중은 인한 사람이 아니었읍니까? 환공이 공자 규를 죽였거늘 따라 죽지 못하였고 더우기 돕기까지 하였으니.」 공자가 말하기를, 「관중이 환공을 도와서 제후들의 패자가 되게 하고 천하를 하나로 통일하여 바로잡았으니, 백성들은 지금도 그 혜택을 받고 있다. 만일 그가 없었다면 우리들은 머리를 풀고 옷깃을 외로 여미는 오랑캐족이 되었을 것이다. 어찌 필부필부(匹夫匹婦)들이 조그만 신의를 위하여 스스로 개천에서 목매어 죽어도 알아주는 사람이 없는 것과 같으리요? 즉, 작은 불의를 보고 목숨을 버리는 것보다, 후에 그의 공덕으로 많은 백성들이 나라를 잃지 않고 살 수 있게 된 것을 더 높이 평가하는 공자의 말이다.

㈜ 량(諒): 작은 믿음.

公叔文子之臣大夫僎이 與文子로 同升諸公이러니 子聞之
공숙문자지신대부선 여문자 동승제공 자문지

曰 可以爲文矣로다
왈 가이위문의

해설 공숙문자의 가신 대부 선이 문자와 함께 조정에 나아가 벼슬을 하자, 공자가 듣고 말하기를, 「시호를 문이라 할 만하구나.」
즉, 공숙문자가 그의 가신의 인물됨을 인정하고 그와 같이 조정에 나아가 국사를 의논하게 하자 그의 인물됨을 칭찬한 말이다.

㈜ 선: 위나라의 대부.

子言衛靈公之無道也러시니 康子曰 夫如是로대 奚而不喪이잇고

孔子曰 仲叔圉는 治賓客하고 祝鮀는 治宗廟하고 王孫賈는 治軍旅하니 夫如是奚其喪이리오

해설 공자가 위나라의 영공의 무도함을 말하자, 계강자가 말하기를, 「그와 같이 무도한데 어찌 군주의 자리를 잃지 않나이까?」 공자가 말하기를, 「중숙어는 빈객을 맡아 보고, 축타는 종묘를 맡아 보고, 왕손가는 군사의 지휘를 맡아 보고 있소. 이와 같이 하는데 어찌 왕의 자리를 잃을 까닭이 있겠소.」 즉, 영공은 무도한 군주이지만, 인재를 적재 적소에 배치하였으므로 왕위를 유지할 수 있다는 뜻이다.

子曰 其言之不怍이면 則爲之也難이라하니

해설 공자가 말하기를, 「말할 때 부끄럽게 생각하지 않으면 실행하는 것이 어려우니라.」 즉, 말을 함부로 하지 못하는 것은 실천이 뒤따르지 못할 것을 부끄러워하기 때문이라는 뜻이다.

陳成子弑簡公이어늘 孔子沐浴而朝하사 告於哀公曰 陳恆이 弑其君하니 請討之하소서 公曰 告夫三子하라 孔子曰 以吾從大夫之後라 不敢不告也하니 君曰 告夫三子者온여

之三子告_{한대} 不可_{야라하} 孔子曰 以吾從大夫之後_라 不敢

不告也_{니라}

해설 진성자가 제나라의 간공을 살해하자, 공자가 목욕하고 조정에 나아가 애공에게 고하여 말하기를, 「진항이 그의 임금을 살해하였으니 토벌할 것을 청하나이다.」공이 말하기를, 「삼환들에게 고해 보시오.」공자가 말하기를, 「나는 대부의 말석을 차지하고 있는지라 감히 고하지 않을 수 없었는데, 임금께서는 삼환들에게 고하라 하시는구나.」삼환에게 고하였으나 안 된다고 하자, 공자가 말하기를, 「나는 대부의 말석을 차지하고 있었기에 감히 말하지 않을 수 없었느니라.」

즉, 중대한 나라의 일은 비록 실권은 다른 사람이 쥐고 있으나 먼저 임금에게 고해야 한다는 뜻이다.

註 진성자(陳成子)∶제나라의 대부. 이름은 항(恒).

子路問事君_{한대} 子曰 勿欺也_요 而犯之_{니라}

해설 자로가 임금을 섬기는 일에 대하여 묻자, 공자가 말하기를, 「속이지 말고 직언으로 간하여라.」

즉, 임금에게 잘보이기 위해 속이지 말고 마음을 다하여 충성하라는 뜻이다.

子曰 君子_는 上達_{하고} 小人_은 下達_{라하니}

해설 공자가 말하기를, 「군자는 위로 달아 달하고, 소인은 아래로 달하느니라.」

즉, 군자는 인격어 날로 높아지고 권리욕에 눈이 먼 소인은 타락해 간다는 뜻이다.

子曰 古之學者_는 爲己_{러니} 今之學者_는 爲人_{다이로}

해설 공자가 말하기를, 「진리에 뜻을 둔 군자는 인격어 날로 높아지고 권리욕에 눈이 먼 소인은 타락해 간다는 뜻이다.

해설 공자가 말하기를, 「옛날의 학자들은 자기를 위해서 하였는데, 오늘날의 학자들은 남을 위해서 하느니라.」

즉, 학업은 원래 자기의 인격 수양을 위해 해야 되는데 남에게 자랑하기 위해 학문을 하는 세상 풍토를 개탄한 말이다.

蘧伯玉이 使人於孔子어늘 孔子與之坐而問焉曰 夫子는 何爲오 對曰 夫子欲寡其過나 而未能也니이다 使者出커늘 子曰 使乎使乎여

해설 거백옥이 사자를 공자에게 보내왔다. 공자가 함께 앉아 물어 보기를, 「그분께서는 무엇을 하고 계시오?」 사자가 대답하기를, 「그분께서는 과실을 적게 하려고 애쓰나 아직 충분히 못하옵니다.」 사자가 물러가자 공자가 말하기를, 「훌륭한 사자로구나, 사자여.」

즉, 심부름 온 사자에게 주인의 안부를 묻자 주인에게 배운대로 겸손하게 대답하여 그를 칭찬한 말이다.

子曰 不在其位하얀 不謀其政이라니

해설 공자가 말하기를, 「그 직위에 있지 아니하면 그 직무를 논하지 말아야 하느니라.」

즉, 다른 사람의 소관을 간섭하지 말라는 뜻이다.

曾子曰 君子는 思不出其位니라

子曰 君子는 恥其言而過其行이니라

해설 즉, 자신의 지위에서 벗어나지 않느니라.」

증자가 말하기를, 「군자는 생각이 그 지위에서 벗어나는 일을 도모하지 말라는 뜻이다.」

子曰 君子는 恥其言而過其行이니라

해설 즉, 공자가 말하기를, 「군자는 자신의 말이 행동보다 지나침을 부끄럽게 여기느니라.」

말을 앞세우고 실천하지 않으면 신의가 없다는 뜻이다.

子曰 君子道者三에 我無能焉호니 仁者는 不憂하고 知者

不惑하고 勇者는 不懼니라 子貢曰 夫子自道也샷다

해설 공자가 말하기를, 「군자의 도 세 가지 중에 내가 할 수 있는 것이 하나도 없다. 인자는 근심하지 않고, 지자는 사리에 미혹되지 않고, 용자는 두려워하지 않느니라.」 자공이 말하기를, 「선생님께서 스스로 겸손하여 하는 말씀입니다.」

즉, 군자가 갖추어야 할 세 가지 덕목 즉, 인과 지와 용에 대한 말이다.

子貢이 方人니하더 子曰 賜也는 賢乎哉아 夫我則不暇로라

해설 자공이 남을 비교하여 평하자, 공자가 말하기를, 「사는 현명하기도 하구나. 나는 저럴 여가가 없었노라.」

즉, 자기의 인격 수양을 하기에도 시간이 모자라는데 남의 인물평을 하며 시간을 낭비하는 자공을 은근히 나무라는 말이다.

주 방(方)：비교하다. 견주다.

해설 공자가 말하기를, "남들이 나를 알아주지 않음을 걱정하지 말고, 내 능력이 없음을 걱정하라." 즉, 실력을 쌓으면 저절로 알아줄 것이니 남에게 인정받기 위해 노력하지 말고 실력을 쌓으라는 말이다.

子曰 不逆詐하며 不億不信이나 抑亦先覺者是賢乎인저

해설 공자가 말하기를, "남이 나를 속일 것이라 미리 경계하지 않고, 남이 믿지 않을 것을 미리 억측하지 않으며, 일이 일어나면 먼저 잘못을 깨닫는 사람이야말로 현명한 사람이로다." 즉, 대인 관계에서 무조건 의심하거나 경계하지 말고 믿는 마음으로 대하라는 뜻이다. 믿을만하지 못한 사람은 기미를 사전에 알 수 있으므로 그때에 빨리 깨달으면 된다는 말이다.

微生畝謂孔子曰 丘는 何爲是栖栖者與오 無乃爲佞乎아 孔子曰 非敢爲佞也라 疾固也니라

해설 미생묘가 공자에게 이르기를, "구는 어찌하여 그리도 분주한가? 설마 구변으로 남의 마음을 사 보겠다는 생각은 아니겠지." 공자가 말하기를, "구변으로 남의 마음을 사려는 것은 아닙니다. 다만 고루함을 싫어할 뿐입니다."

즉, 공자의 천하 주유를 말재간이나 부리는 것이 아닌가 하고 묻는 미생묘에게 고루한 제후들의 사고 방식을 깨우치려 함을 말한 것이다.

子曰 驥는 不稱其力이요 稱其德也니라

해설 공자가 말하기를, 「천리마는 그 힘을 칭찬함이 아니라, 그 덕을 칭찬함이니라.」

즉, 말도 하루에 천리를 달리는 것이 힘 때문이 아니라 지시대로 움직이는 덕 때문인데, 하물며 사람은 재주로써 존경을 받는 것이 아니라 덕행이 높아야 존경을 받는다는 뜻이다.

图 기(驥) : 하루에 천리를 달린다는 명마.

혹 或 왈 曰 이덕보원 以德報怨이

원 怨이오 이덕 以德 보덕 報德라이니

何如하여 子曰 何以報德고 以直報

해설 어떤 사람이 말하기를, 「덕으로 원한을 갚는 것이 어떠하나이까?」 공자가 말하기를, 「그러시다면 덕에 대하여는 무엇으로 갚겠소? 원한은 강직으로 갚고 덕을 덕으로 갚아야 하는 것이오.」

즉, 은혜는 은혜로 갚고 원한은 상대방에게 강직함을 보여 주는 것으로 갚으라는 뜻이다.

图 하이보덕(何以報德) : 무엇으로 은덕을 갚으랴.

자 子 왈 曰 막아지야부 莫我知也夫인저 자공 子貢 왈 曰

불원천 不怨天하며 불우인 不尤人이요 하학이상달 下學而上達하노니 기천 知我者는 其天

何爲其莫知子也이꼬 子

호 乎인저

해설 공자가 말하기를, 「나를 알아 주는 사람이 없구나.」 자공이 말하기를, 「어찌 선생님을 알아 주는 사람이 없겠읍니까?」 공자가 말하기를, 「하늘을 원망하지 않고 남을 탓하지도 않으며, 아래로부터는 인사(人

163

事)를 배우고 위로부터는 천리(天理)에 통달해 가노니, 나를 알아 주는 것은 역시 저 하늘이리라.」

즉, 아무도 알아 주는 사람이 없지만 꾸준히 배우고 닦아 하늘이 준 사람을 통달하였으니 하늘만은 알아 주리라는 한탄조의 말이다.

㋐ 하학이상달(下學而上達) : 아래로 세상살이부터 배워 올라가 진리에 통달함.

公伯寮愬子路於季孫이어늘 子服景伯以告曰 夫子固有

惑志於公伯寮하나니 吾力이 猶能肆諸市朝니이다 子曰 道之

將行也與도 命也며 道之將廢也與도 命也니 公伯寮其

如命何리오

해설 공백료가 자로를 계손씨에게 참소하자, 자복경백이 이 일을 공자께 고하여 말하기를, 「그분은 확실히 공백료의 참소에 뜻이 흔들리고 있으나, 나의 힘은 그 공백료를 처단하여 시체를 시장이나 조정에 내걸게 할 수 있나이다.」 공자가 말하기를, 「장차 도가 행하여지는 것도 천명이며, 도가 행하여지지 않는 것도 천명인데, 공백료가 그 천명을 어찌하리요.」

즉, 삼환의 횡포가 극심하여 공자가 자로를 내세워 삼환의 세력을 꺾고 왕권을 회복하려다가 실패해서 망명 길에 올랐을 때의 이야기이다. 자로의 신변이 위험하다는 말을 전해 듣고도 공자는, 나라가 다스려지는 것은 천명이어서 자로를 참소하는 공백료 같은 일개 소인을 죽인다고 불의를 근본적으로 뿌리 뽑을 수 없기 때문에 그대로 두라는 말이다.

子曰 賢者는 辟世하고 其次는 辟地하고 其次는 辟色하고 其

해설 공자가 말하기를, 「현자는 어지러운 세상을 피하고, 그 다음 가는 사람은 군주의 안색을 보고 피하고, 그 다음 가는 사람은 말을 듣고 피하느니라.」 즉, 현명한 사람은 세상이 어지러우면 은거하고, 그 다음 현명한 사람은 군주의 태도가 옳지 않으면 은퇴한다. 또 그 다음 사람은 군주의 잘못을 간하다가 듣지 않으면 물러난다는 뜻이다.

子曰 作者七人矣로다

해설 공자가 말하기를, 「이것을 실천한 인물은 일곱 사람이로다.」 즉, 위와 같이 한 사람은 일곱 사람이 있었다는 뜻이다.

子路宿於石門이러러 晨門曰 奚自오 子路曰 自孔氏로라

曰 是知其不可而爲之者與아

해설 자로가 석문 근처에서 묵게 되었는데, 문지기가 말하기를, 「어디에서 오시는 거요?」 자로가 대답하기를, 「공씨 댁에서 옵니다.」 문지기가 말하기를, 「바로 그 안 될 줄 알면서도 애쓰는 자 말이오?」 즉, 석문 근처의 문지기는 은자였는데, 공자의 노력을 부질없이 애쓰는 사람으로 치부하는 말이다.

图 신문(晨門)∶ 새벽과 저녁으로 문을 여는 직책을 맡은 사람.

子擊磬於衛러시 有荷蕢而過孔氏之門者曰 有心哉라

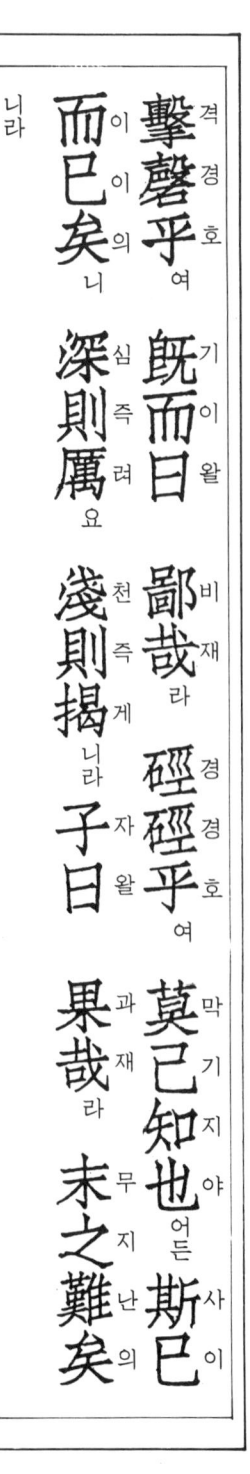

擊磬乎여 旣而曰 鄙哉라 硜硜乎여 莫己知也어든 斯已
而已矣니 深則厲요 淺則揭니라 子曰 果哉라 末之難矣
니라

해설 공자가 위나라에 있을 때 경쇠란 악기를 치자, 삼태기를 지고 공자의 집 문 앞을 지나던 사람이 말하기를, 「마음이 담겨 있도다. 경쇠 치는 소리는.」 다시 말하기를, 「속되도다, 경쇠의 소리가. 자기를 몰라 주면 그만두면 그뿐인데. 물이 깊으면 옷을 벗고 건너고 얕으면 옷을 걷고 건너면 될 것을.」 공자가 말하기를, 「과감하도다. 그렇게 산다면 어려울게 없느니라.」

즉, 세상이 알아 주지 않는다고 현실 도피자가 되는 것은 쉬운 일이나 그렇게 해서는 안 된다는 뜻이다.

子張曰 書云에 高宗이 諒陰三年을 不言이라하니 何謂也이꼬
子曰 何必高宗이리고 古之人이 皆然하니 君薨커시든 百官이 總
己하야 以聽於冢宰三年이라하니

해설 자장이 말하기를, 「〈서경〉에 이르기를, 『고종께서는 부왕의 삼년상 동안 말하지 않았다.』했으니, 무슨 뜻입니까?」 공자가 말하기를, 「어찌 고종만이 그러하였으랴. 옛사람들이 다 그러하였으니, 임금이 돌아가면 백관들은 각기 직책을 맡아 삼 년 동안 총재의 지휘에 따랐느니라.」

즉, 고대에는 왕이 죽으면 신왕은 삼 년 동안 여막에 거처하면서 정치에 간여하지 않고, 국무 총리가 대신 정치를 한다는 뜻이다.

166

子曰 上이 好禮면 則民易使也니라

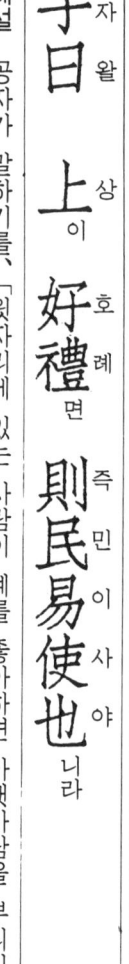

해설 공자가 말하기를, "윗자리에 있는 사람이 예를 좋아하면 아랫사람을 부리기 쉬우니라."
즉, 위정자가 먼저 법도에 맞게 처신하면 백성들이 스스로 따른다는 뜻이다.

子路問君子한대 子曰 修己以敬이니라 曰 如斯而已乎이꼬 曰 修己以安人이니라 曰 如斯而已乎이꼬 曰 修己以安百姓이니 修己以安百姓은 堯舜其猶病諸니라

해설 자로가 군자에 대하여 묻자, 공자가 말하기를, "마음을 경건히 하여 자기를 수양하는 것이니라." 말하기를, "그렇게 할 뿐입니까?" "자기 수양을 해서 남을 편안하게 해주는 것이니라." 말하기를, "그렇게 할 뿐입니까?" "자기 수양을 해서 백성들을 편안하게 해주는 것이다. 자기 수양을 해서 백성들을 편안하게 해주는 것은 요순(堯舜)도 오히려 부족하게 여기어 걱정하였느니라."
즉, 군자는 먼저 자신의 인격 수양부터 하고 겸허한 마음으로 학문을 닦아 덕을 쌓아야 한다. 그렇게 수신한 뒤에 제가 치국 평천하를 이루는 것이 군자의 목표이다.
㈜ 수기(修己): 자신의 마음을 닦아 인격 완성에 힘씀.

原壤이 夷俟러니 子曰 幼而不孫弟하며 長而無述焉이오 老而不死니 是爲賊이라시고 以杖叩其脛다하시

衞靈公(위영공)

해설 원양이 무릎을 세우고 앉아서 공자를 기다리니, 공자가 말하기를, 「어려서는 공손하지 못했고, 자라서는 칭찬받을 것이 없으며, 늙어서는 죽지도 않았으니 너야말로 도둑이로다.」하고 지팡이를 들어 그의 정강이를 두드렸다.

즉, 원양의 인간됨이 모자람을 나무라는 뜻이다.

闕黨童子將命이어늘 或이 問之曰 益者與잇가 子曰 吾見
其居於位也하며 見其與先生並行也하니 非求益者也라 欲
速成者也니라

해설 궐당의 동자가 손님의 안내를 맡아 하고 있었는데, 어떤 사람이 공자에게 묻기를, 「학문에 진취가 있는 사람입니까?」 공자가 말하기를, 「나는 그 아이가 어른들 자리에 앉고, 어른들과 나란히 걷는 것을 보았으니, 그는 학문에 정진하려는 아이가 아니라 빨리 이루어지기를 바라는 아이이니라.」

즉, 공문에 신입생이 들어 왔는데 학문에 정진하려 하지 않고 빨리 입신 출세나 했으면 하는 기질이 있어 예절부터 가르치려 하는 것이다.

衛靈公問陳於孔子한대 孔子對曰 俎豆之事는 則嘗聞
之矣어니와 軍旅之事는 未之學也라하시고 明日에 遂行다하시 在陳絶
糧하니 從者病하야 莫能興이러니 子路慍見曰 君子亦有窮乎
子曰 君子固窮이니 小人은 窮斯濫矣니라

해설 위의 영공이 공자에게 진법에 관하여 물으니, 공자가 말하기를, 「조두(俎豆)를 다루는 일에 관하여는 일찍이 들어서 알지만, 군사를 지휘하는 일은 아직 배운 바가 없나이다.」하고 그 이튿날 떠났다. 진나라에 있을 때에 양식은 떨어지고 따르던 사람들은 병들어 일어나지 못하니, 자로가 화를 내며 공자를 보고 말하기를, 「군자도 곤궁할 때가 있읍니까?」공자가 말하기를, 「군자는 곤궁에 대하여 잘 견디어 나아가지만 소인은 곤궁해지면 과도하게 행동하느니라.」 즉, 예로써 하는 도의 정치에 대해서는 도움을 줄 수 있으나 힘으로 하는 무력 정치는 아무 소용이 없다는 뜻이 앞 문장이고, 후문은 공자가 주유 천하 때 진나라에서 매우 큰 고난을 당한 이야기다.

子曰 賜也아 女以予로 爲多學而識之者與아 對曰
然다하이 非與이꼬 曰 非也라 予는 一以貫之니라

해설 공자가 말하기를, 「사야, 너는 내가 많이 배워서 그것을 모두 기억하고 있는 사람이라고 생각하느냐?」 대답하기를, 「그렇습니다. 그렇지 않사옵니까?」 말하기를, 「아니니라. 나는 하나로써 관철하고 있느니라.」

어 알 수 있다고 하는 말이다.

즉, 확고한 주관이 없이 산만하게 단편적인 지식만을 배우려는 자공에게 원칙을 알면 사물의 이치를 미루

子曰 由아 知德者鮮矣니라

해설 공자가 말하기를, 「유야, 덕을 알아 주는 사람은 드무니라.」 즉, 사람이 권력이나 재력에는 민감하나 덕이니 인격이니 하는 것에는 별로 관심을 갖지 않는다는 말이다.

子曰 無爲而治者는 其舜也與인저 夫何爲哉오시리 恭己正 南面而已矣라시니

해설 공자가 말하기를, 「아무것도 하지 않고 천하를 잘 다스린 사람은 그 순임금이었을 것이다. 그분이 무엇을 하였겠느냐. 자신을 공손히 하고 바르게 남면하셨을 뿐이니라.」 즉, 인자를 적재 적소에 등용하여 천하를 잘 다스렸다는 순임금의 덕을 칭송하는 말이다.

図 공기(恭己) : 자기 몸을 공손히 함.

子張問行한대 子曰 言忠信하며 行篤敬이면 雖蠻貊之邦이라도 行矣어니 言不忠信하며 行不篤敬이면 雖州里나 行乎哉아立 則見其參於前也요 在輿則見其倚於衡也니 夫然後行

子張(자장)이 書諸紳(서저신)라니

해설 자장이 행에 대하여 묻자, 공자가 말하기를, 「말이 성실하여 신의가 있고, 행동이 돈독하여 공경스러우면 비록 오랑캐의 나라에서라도 행할 수 있을 것이다. 말이 성실치 못하여 신의가 없고, 행동이 돈독하지 못하여 공경스럽지 않으면 비록 향리라 할지라도 행할 수 있겠느냐, 서 있을 때에는 이 말이 너의 눈앞에서 아른거리고, 수레에 탔을 때에는 이 말이 멍에에 걸려 있음을 보아야 한다. 그렇게 된 후면 진실로 행하게 되리라.」 자장은 이 말을 띠에 적었다.

子曰(자왈) 直哉(직재)라 史魚(사어)여 邦有道(방유도)에 如矢(여시)하며 邦無道(방무도)에 如矢(여시)로다 君子哉(군자재)라 蘧伯玉(거백옥)이여 邦有道則仕(방유도즉사)하고 邦無道則可卷而(방무도즉가권이)懷之(회지)로다

해설 공자가 말하기를, 「곧은 사람이로다, 사어여. 나라에 도가 있어도 화살같이 곧았고, 나라에 도가 없어도 화살같이 곧았도다. 군자로다. 거백옥이여. 나라에 도가 있으면 벼슬을 하고, 나라에 도가 없으면 덕을 거두어 숨길 수 있었노라.」

즉, 위나라의 대부 사어는 강직한 사람이고 거백옥은 군자라는 말이다. 사어는 임금인 영공에게 거백옥을 추천하였으나 영공이 그의 인물됨을 알아 보지 못하고 다른 사람을 등용시키니, 나중에 임종하면서 충간하여 옳지 않은 일을 막지 못하였으므로 시체를 창 밑에 버려 두라고 유언하며 죽었다. 공자가 이를 두고 한 말이다. 영공이 후에 이 말을 듣고 후회하며 거백옥을 등용시켰다는 일화가 있다.

子曰(자왈) 可與言而不與之言(가여언이불여지언)이면 失人(실인)이오 不可與言而與之(불가여언이여지)

言이면 失言이니 知者는 不失人하며 亦不失言이라이니

해설 공자가 말하기를, 「더불어 말할 만한 사람인데도 함께 말하지 않으면 사람을 잃고, 더불어 말할 수 없는데도 그와 함께 말하면 말을 잃는 것이 된다. 지자는 사람도 잃지 않고 말도 잃지 않느니라.」

즉, 사람이 사람을 얻는 일이 매우 어려우므로 처음부터 무조건 경계하지 말고, 진정을 토론할 수 있는 지기를 얻도록 노력하라는 뜻이다.

子曰 志士仁人은 無求生以害仁이오 有殺身以成仁이라이니

해설 공자가 말하기를, 「뜻이 있는 선비와 인자는 삶을 구하여 인을 해치는 일이 없고, 몸을 죽여 인을 이루는 일은 있느니라.」

즉, 지조가 굳고 수양을 쌓은 사람은 생명을 아껴 불의를 저지르는 일이 없고 정의를 위하여 목숨을 내놓는 일은 있다는 뜻이다.

子貢問爲仁한대 子曰 工欲善其事인댄 必先利其器니 居是邦也하야 事其大夫之賢者하며 友其士之仁者니라

해설 자공이 인을 행함에 대하여 묻자, 공자가 말하기를, 「장인이 그 일을 잘하려 하면 반드시 먼저 그 연장을 예리하게 해야 한다. 진실로 인을 행하려면 현재 살고 있는 나라에 대부 중에 현명한 사람을 섬기고, 선비 중에 어진 사람을 벗으로 사귀어야 하느니라.」

즉, 현명한 자공이 인을 행하는 방법을 질문한 것이다. 현명한 사람을 윗사람으로 섬기고 뜻이 같은 현자들과 벗하라는 말이다.

顔淵問爲邦한대 子曰 行夏之時하며 乘殷之輅하며 服周之
冕하며 樂則韶舞요 放鄭聲하며 遠佞人이니 鄭聲은 淫하고 佞人
은 殆니라

해설 안연이 나라를 다스리는 것에 대하여 묻자 공자가 말하기를, 「하나라의 역법을 쓰고, 은나라의 수레를 타고, 주나라의 면류관을 입고, 음악은 순의 소무(韶舞)를 해야 한다. 정나라의 음악을 추방하고 아첨하는 사람을 멀리할 것이니, 정나라의 음악은 음탕하고 아첨하는 사람은 위험하니라.」

즉, 정치는 백성을 위한 것이어야 하고 위정자들의 생활은 검소해야 하며, 특히 배제되어야 할 것은 비속한 음악과, 퇴폐적인 풍조, 그리고 아첨하는 사람들이라는 뜻이다.

子曰 人無遠慮면 必有近憂니라

해설 공자가 말하기를, 「사람은 멀리 생각하지 않으면 반드시 가까운 근심이 있느니라.」

즉, 목표가 장래에 있지 않다면 목전에 이익만을 추구하게 되므로, 곧 걱정거리가 생길 것이라는 뜻이다.

子曰 已矣乎라 吾未見好德을 如好色者也라

해설 공자가 말하기를, 「다 되었구나. 내 아직 덕을 사랑하기를, 여색을 좋아하는 것같이 하는 사람을 보지 못하였구나.」

즉, 세상이 끝없이 타락하는 것을 한탄한 말이다.

㋐ 이의호(已矣乎) : 끝이 났다.
미견(未見) : 아직까지 보지 못했음.

173

子曰 臧文仲은 其竊位者與 知柳下惠之賢을 而不 與立也로다

해설 공자가 말하기를, 「장문중은 그 벼슬 자리를 도둑질한 사람이로다. 유하혜의 현명함을 알면서도 그와 함께 서려 하지 않았으니.」

즉, 사람들은 흔히 자기보다 나은 사람을 싫어하고 두려워하는데 그것은 소인이 하는 짓이라는 뜻이다.

㈜ 유하혜(柳下惠) : 노나라의 대부. 유하읍(柳下邑)에 봉(封)함을 받았음.

子曰 躬自厚하며 而薄責於人이면 則遠怨矣니라

해설 공자가 말하기를, 「자기 스스로 택하기를 후히 하고, 남을 책망하기를 가볍게 하면, 남의 원망이 멀어지느니라.」

즉, 자기 반성은 가혹하게 하고 남의 잘못에 대하여는 관대하라는 뜻이다.

㈜ 궁자후(躬自厚) : 자기 자신의 잘못을 후하게 꾸짖음.

子曰 不曰如之何如之何者는 吾末如之何也已矣니라

해설 공자가 말하기를, 「어떻게 할까, 어떻게 할까하고 말하지 않는 사람은, 나도 어찌할 도리가 없느니라.」

즉, 본인이 의욕을 잃고 있으면 다른 사람도 도와줄 수 없다는 뜻이다.

子曰 羣居終日에 言不及義오 好行小慧면 難矣哉라

해설 공자가 말하기를, 「여럿이 종일 언불급의의 호행소혜의 난의재라」

174

해설 공자가 말하기를, 「종일토록 여럿이 모여 있으면서 이야기가 의에 미치지 못하고 잔꾀만 부린다면, 사람구실 하기가 어려우니라.」

즉, 무심코 나오는 화제가 바로 그 인격이니, 오랫동안 이야기 하고도 뜻있는 말이 나오지 않으면 벗할 필요가 없다는 뜻이다.

子曰 君子義以爲質이요 禮以行之하며 孫以出之하며 信以成之니라 君子哉라

(자왈 군자의이위질 예이행지 손이출지 신이성지 군자재)

해설 공자가 말하기를, 「군자는 의로써 바탕을 삼고, 예에 따라 행하고, 공손한 태도로 말하고, 신의로써 이루어야만 진실로 군자로다.」

즉, 군자는 언행이 의롭고, 뜻을 같이 하는 사람과 신의로 사귀어 정의를 실현시킨다는 뜻이다.

ㄷㅈ 위질(爲質)∶근본 바탕으로 삼음.

子曰 君子는 病無能焉이오 不病人之不己知也니라

(자왈 군자 병무능언 불병인지불기지야)

해설 공자가 말하기를, 「군자는 자기의 능력이 없음을 걱정하지만, 남이 자기를 알아 주지 않음을 걱정하지 않느니라.」

즉, 실력이 충분히 있으면 저절로 남들이 인정해 준다는 뜻이다.

ㄷㅈ 병(病)∶괴로와함. 걱정하여 애태움.

子曰 君子는 疾沒世而名不稱焉이니

(자왈 군자 질몰세이명불칭언)

해설 공자가 말하기를, 「군자는 죽은 뒤에 이름이 칭송되지 않을까 걱정하느니라.」 즉, 일생 동안 덕행을 쌓은 노력이 죽은 뒤에 어떻게 평가될 것인가에 대해 염려하라는 뜻이다.

子曰 君子는 求諸己요 小人은 求諸人이니
자왈 군자 구저기 소인 구저인

해설 공자가 말하기를, 「군자는 자기에게서 구하고, 소인은 남에게서 구한다.」 즉, 군자는 확실한 주관을 가지고 행동하므로 그 행동의 책임을 자기가 시지만, 소인은 결과가 나쁘면 그 원인과 책임을 남에게 전가한다는 뜻이다.

註 구저기(求諸己)‥자기에게서 구함. 책임을 자신에게 추궁함.

子曰 君子는 矜而不爭하며 羣而不黨이니
자왈 군자 긍이부쟁 군이부당

해설 공자가 말하기를, 「군자는 긍지를 지니면서도 다투지 않고, 여러 사람과 어울리면서도 편당하지 않느니라.」 즉, 군자는 정의와 지조를 지니며 남과 과도하게 경쟁하거나 헐뜯고 다투지 않는다는 뜻이다.

註 긍(矜):긍지. 자존심. 꿋꿋이 자리를 지킴.

子曰 君子는 不以言擧人하며 不以人廢言이라니
자왈 군자 불이언거인 불이인폐언

해설 공자가 말하기를, 「군자는 말로써 사람을 천거하지 않으며 사람으로써 말을 버리는 일이 없느니라.」 즉, 군자는 사람을 언변으로 평하지 않고, 보잘것 없어도 말이 훌륭하면 소홀히 하지 않는다는 뜻이다.

子貢問曰 有一言而可以終身行之者乎이꼬 子曰 其
자공문왈 유일언이가이종신행지자호 자왈 기

恕乎<small>인저</small> 己所不欲<small>을</small> 勿施於人<small>이라이니</small>

해설 자공이 묻기를, 「한 마디의 말로 평생토록 실행할 만한 것이 있읍니까? 」공자가 말하기를, 「그것은 서(恕)일 것이다. 자기가 원하는 것이 아니면 남에게 베풀지 말아야 하느니라。」

즉, 내가 하기 싫은 일을 남에게 하도록 하지 말라는 뜻으로, 남을 내 몸같이 생각하라는 것이다。

注 종신행지(終身行之) : 평생토록 지키어 행함。

子曰<small>자왈</small> 吾之於人也<small>오지어인야</small>에 誰毀誰譽<small>수훼수예</small>리오 如有所譽者<small>여유소예자</small>면 其有<small>기유</small> 所試矣<small>소시의</small>니라 斯民也<small>사민야</small>는 三代之所以直道而行也<small>삼대지소이직도이행야</small>니라

해설 공자가 말하기를, 「내가 사람에 대하여 누구를 헐뜯고 누구를 칭송하리요。 만일 칭송하는 사람이 있다면 그것은 그럴 만한 이유가 있느니라。 이 백성은 삼 대의 곧은 도를 행하고 있기 때문이니라。」

즉, 군자는 사욕으로 누구를 두둔하거나 헐뜯지 않고, 만일 칭찬한다면 그 사람을 사귀어 알아 보고 충분한 이유가 있다고 생각하기 때문이라는 뜻이다。

子曰<small>자왈</small> 吾猶及史之闕文也<small>오유급사지궐문야</small>와 有馬者借人乘之<small>유마자차인승지</small>하니 今亡<small>금무</small> 矣夫<small>의부</small>인저

해설 공자가 말하기를, 「내가 전에는 그래도 사관이 분명하지 않은 것을 기록에서 빼놓는 일과, 말을 가진 사람이 남에게 빌려 주어서 타게 하는 것을 볼 수 있었다。 그러나 이제는 그런 것들이 없구나 ! 」

177

즉, 정의에 대한 생각이 점점 없어지고 후하던 인심이 각박해지는 것을 한탄하는 것이다.

子曰 巧言은 亂德이오 小不忍則亂大謀니라

해설 공자가 말하기를, 「교묘하게 꾸미는 말은 덕을 어지럽히고, 작은 일을 참지 않으면 큰 계획을 어지럽히느니라.」

즉, 언행을 꾸미면 진위를 가리기 어려워 덕행을 잃고, 작은 괴로움을 이겨내지 못하는 사람은 큰 일을 이룰 수 없다는 뜻이다.

子曰 衆惡之라도 必察焉하며 衆好之必察焉이니라

해설 공자가 말하기를, 「여러 사람이 미워할지라도 반드시 살펴보아야 하며, 여러 사람이 좋아할지라도 반드시 살펴보아야 하느니라.」

주 오지(惡之): 미워함.

즉, 여론에 무조건 따르지 말고 정의에 입각한 자기의 안목으로 관찰하여 시비를 판단해야 한다는 뜻이다.

子曰 人能弘道요 非道弘人이니

해설 공자가 말하기를, 「사람이 도를 넓힐 수는 있으나, 도가 사람을 넓히는 것은 아니니라.」

즉, 정의나 도가 저절로 사람을 옳게 만들어 주는 것이 아니라 스스로 자각하고 노력하여야 옳은 사람이 될 수 있다는 뜻이다.

주 홍도(弘道): 도를 넓힘. 인도(人道)를 널리 폄.

子曰 過而不改를 是謂過矣니라

해설 공자가 말하기를, 「잘못을 저지르고도 이것을 고치지 않으면, 그것이 곧 잘못이니라.」 즉, 잘못이 있다는 것을 아는 즉시 이를 고쳐 다시 그 전철을 밟지 않도록 해야 한다는 뜻이다.

子曰 吾嘗終日不食하며 終夜不寢하야 以思하니 無益이라 不如學也로다

해설 공자가 말하기를, 「내 일찌기 하루 종일 먹지 않고, 밤새도록 잠자지 않으며 사색한 일이 있었으나 유익함이 없는지라, 배우는 것만 못하였도다.」 즉, 학문과 사색이 병행되어야 하지만, 그 중에도 학문에 치중하고 사색과 명상이 뒤따라야 한다는 뜻이다.

子曰 君子는 謀道요 不謀食이니 耕也에 餒在其中矣요 君子는 憂道不憂貧이니 學也에 祿在其中矣니

해설 공자가 말하기를, 「군자는 도를 얻기 위해 노력하나, 먹을 것을 얻고자 노력하지는 않는다. 농사를 지어도 그 가운데 굶주림이 있을 수 있으나, 학문에 힘쓰면 거기서 녹을 얻을 수도 있다. 군자는 도에 대하여 걱정할 뿐 가난함에 대하여 걱정하지 않느니라.」 즉, 농사를 지으면 가끔 천재지변으로 인해 흉년이 들 수도 있지만, 군자가 학문을 닦으면 부수적으로 벼슬이 따를 수 있으나 근본적으로 쌓은 덕행은 없어지지 않고 자기 인격을 높여 준다는 뜻이다.

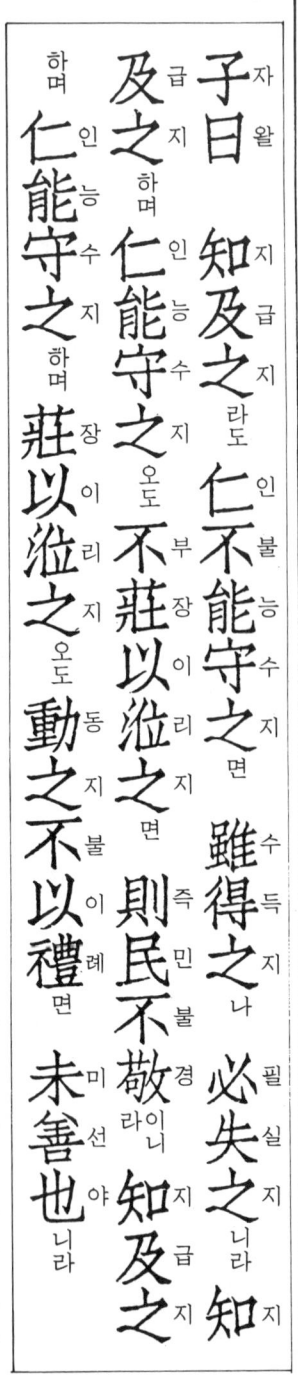

子曰 知及之라도 仁不能守之면 雖得之나 必失之니라 知及之하며 仁能守之오도 不莊以涖之면 則民不敬이니 知及之하며 仁能守之하며 莊以涖之오도 動之不以禮면 未善也니라

해설 공자가 말하기를, 「지혜가 그 지위에 미친다 하더라도 인으로써 지키시 못하면, 비록 얻었다 할지라도 반드시 잃게 되느니라. 지혜로 그 지위를 얻고 인으로 지킬 수 있다 할지라도 위엄으로 임하지 않으면 백성들이 공경하지 않느니라. 지혜로 그 지위를 얻고 인으로 그 자리를 지킬 수 있고, 위엄으로 임한다 할지도 예로써 백성을 다스리지 않는다면 아직 잘된 것은 아니니라.」

즉, 위정자는 명철한 지혜와 인애(仁愛)의 덕과 위엄을 갖추어야 세가지를 갖추고도 예로써 백성을 다스려야 한다는 뜻이다.

子曰 君子不可小知而可大受也요 小人은 不可大受而可小知니라

해설 공자가 말하기를, 「군자에게는 작은 지혜를 기대할 수 없으나 큰 일을 맡길 수 있고, 소인에게는 큰 일을 맡길 수 없으나 작은 지혜를 기대할 수 있느니라.」

즉, 군자는 시야가 넓어 작은 지혜로 처리하는 일에는 어두울 수 있으나 큰 일을 해낼 수 있고, 소인은 그 반대라는 뜻이다.

图 대수(大受) : 대임(大任). 큰 일을 맡음.

180

子曰 民之於仁也에 甚於水火하니 水火는 吾見蹈而死者矣어니 未見蹈仁而死者也케라

해설 공자가 말하기를, 「사람들에게 있어, 인은 물과 불보다 더 중요한 것이다. 물과 불을 밟아서 죽은 사람은 보았으나, 아직까지 인을 밟아서 죽은 사람은 보지 못하였도다.」
즉, 생활에 물과 불이 없다면 사람들은 단 하루도 살기 어렵다. 그러나 인은 그보다 더욱 중요하다는 뜻이다.

子曰 當仁하야 不讓於師니라

해설 공자가 말하기를, 「인을 주장함에 있어서는 스승에게도 양보하지 말아야 하느니라.」
즉, 인의 중요성을 강조한 말이다.

子曰 君子는 貞而不諒이니

해설 공자가 말하기를, 「군자는 곧지만 작은 신의를 무조건 고집하지는 않는다.」
즉, 언약을 하였더라도 그 시비를 가려서 실행해야 한다는 뜻이다.

子曰 事君하되 敬其事하고 而後其食이니

해설 공자가 말하기를, 「임금을 받드는 것에 있어서는 그 직무를 성실히 하고 녹은 뒤로 미루는 것이니라.」
즉, 임금을 충심으로 모시고 직무에 책임을 다하되 보수에 대한 생각을 미리 염두에 두지 말라는 뜻이다.

181

子曰 자왈 有敎유교면 無類무류니라

해설 : 공자가 말하기를, 「가르치면 선인과 악인의 구별이 없어지니라.」 즉, 올바르게 교육을 하면 누구나 선인이 된다는 뜻이다.

子曰 자왈 道不同도부동이면 不相爲謀불상위모니라

해설 : 공자가 말하기를, 「길이 같지 않으면 서로 같이 일을 계획하지 말아야 하느니라.」 즉, 군자는 소인과 일을 함께 할 수 없다는 뜻이다. 왜냐하면 목적이나 사고 방식이 다르기 때문이다.

子曰 자왈 辭는 達而已矣달이이의니라

해설 : 공자가 말하기를, 「사(辭)란 뜻을 전달하는 것일 뿐이니라.」 즉, 말과 문장은 의사 표시의 수단이기 때문에 진의만 전달되면 된다는 뜻이다.

師冕見사면현할새 及階급계어늘 子曰자왈 階也계야시라고 及席급석늘 子曰자왈 席也석야시라고 皆坐개좌어늘 子告之曰자고지왈 某在斯모재사요 某在斯모재사라하다 師冕出사면출커늘 子 張問曰장문왈 與師言之道與여사언지도여이꼬 子曰자왈 然티야 固相師之道也고상사지도야니라

季氏(계씨)

季氏將伐顓臾러니 冉有季路見於孔子曰 季氏將有事

於顓臾리로소이다 孔子曰 求야 無乃爾是過與아 夫顓臾는 昔

者先王이 以爲東蒙主하시고 且在邦域之中矣라 是社稷

之臣也니 何以伐爲리오 冉有曰 夫子欲之언정 吾二臣者

는 皆不欲也니라

해설 계씨가 전유를 정벌하려 함에 염유와 계로가 공자를 보고 말하기를, 「계씨가 장차 전유에 일을 일으키려 하나이다.」 공자가 말하기를, 「구야, 그것은 바로 너의 과실이 아니냐? 전유는 옛 선왕이 동몽산(東蒙山)의 제주(祭主)로 삼았고, 또 그 봉지(封地)는 노나라의 영역 안에 있느니라. 그는 나라의 사직을 맡은 신하인데 어찌 정벌하겠느냐.」 염유가 말하기를, 「그분이 하고자 하는 것이지, 저희 두 신하가 원하는 것이 아니옵니다.」

孔子曰 求아 周任이 有言曰 陳力就列하야 不能者止

危而不持하고 顚而不扶면 則將焉用彼相矣리오 且爾言

過矣로다 虎兕出於柙하며 龜玉이 毁於櫝中이면 是誰之過

與오

해설 공자가 말하기를, 「구야, 옛날 주임(周任)의 말에 『노력을 다하여 벼슬 자리에 나아가되 불가능하면 물러나라.』는 것이 있느니라. 위태로운데도 도와 주지 않고, 넘어지는데도 붙잡아 주지 않는다면 그러한 보조를 장차 어디에 쓰겠는가. 또 네 말도 잘못이로다. 호랑이나 외뿔소가 우리 밖으로 뛰쳐나오고 귀갑(龜甲)이나 보옥(寶玉)이 궤 속에서 깨진다면 이것은 누구의 과실이겠느냐?」 즉, 공자의 책망에 염유가 변명하자 관직에 임하는 자세를 일깨워 주는 말이다.

冉有曰 今夫顓臾는 固而近於費하니 今不取면 後世에

必爲子孫憂이하리 孔子曰 求아 君子는 疾夫舍曰欲之요

而必爲之辭니라 丘也聞有國有家者는 不患寡而患不均하며 不患貧而患不安하니라 蓋均無貧이요 和無寡요 安無傾이니 夫如是라 故로 遠人이 不服則修文德以來之하고 旣來之라니 則安之니라 今由與求也는 相夫子호대 遠人이 不服하여 而不能來也하며 邦分崩離析하며 而不能守也하고 而謀動干戈於邦內하니 吾恐季孫之憂不在顓臾요 而在蕭牆之內也라하노라

해설 염유가 말하기를, 「지금의 전유는 성의 방위력이 견고한데다가 비읍(費邑)에 가까이 있어서, 만일 지금 정벌하여 두지 않는다면 틀림없이 후세에 우환거리가 될 것입니다.」 공자가 말하기를, 「구야, 군자는 욕망을 솔직하게 드러내지 않고 언사로 꾸미는 것을 미워한다. 내가 듣건대『나라가 있고 가문을 지니고 있는 사람은 백성의 숫자가 적음을 걱정하지 않고 균등하지 않음을 걱정하며, 가난한 것을 걱정하지 않고 안정되지 않음을 걱정한다.』고 하였다. 대체로 고르면 가난하지 않고, 화합하면 백성이 적지 않으며, 안정되면 기울어짐이 없느니라. 그렇기 때문에 먼 데 사람이 복종하지 않으면 학문과 덕으로 교화시켜 따르게 하고, 이미 따르면 편안하게 해주어야 한다. 지금 유와 구는 계씨를 돕고 있으면서, 먼 데 사람이 복종하지 않는데도 이를 능히 지키지 못하며, 오히려 나라 안에서 창과 방패를 움직일 것을 계획하고 있으니, 나는 계손씨의 근심이 전유에 있지 않고 소장 안에 있을까 염려되노라.」

즉, 위정자가 인덕을 베풀면 이웃 백성들이 저절로 따를 것이나, 무력으로 정복하려는 것은 나라를 어지럽게 하는 결과만을 초래할 것이라는 뜻이다.

孔子曰 天下有道면 則禮樂征伐이 自天子出하고 天下
無道면 則禮樂征伐이 自諸侯出이니하나 自諸侯出이면 蓋十世에
希不失矣요 自大夫出이면 五世에 希不失矣요 陪臣이
執國命이면 三世에 希不失矣니라 天下有道면 則政不在大
夫하고 天下有道면 則庶人不議니라

孔子曰 祿之去公室이 五世矣요 政逮於大夫가 四世
矣니 故로 夫三桓之子孫이 微矣니라

해설 공자가 말하기를, 「천하에 도가 있으면 예악과 정벌에 대한 명령이 천자에게서 나오고, 천하에 도가 없으면 예악과 정벌에 대한 명령이 제후에게서 나온다. 명령이 제후에게서 나오면 대체로 10대 안에 망하지 않음이 드물고, 대부에게서 나오면 5대 안에 나라가 망하지 않음이 드물고, 배신(陪臣)이 국권을 잡는다면 3대에 나라가 망하지 않음이 드무니라. 천하에 도가 있으면 정권이 대부에게 있지 않고, 천하에 도가 있으면 백성들이 나라 일을 의논하지 않느니라.」

즉, 국가가 정의로 다스려지고 질서가 확립되어 있다면 신하가 정권을 휘두를 수 없고, 백성들도 국사를 비난하지 않는다는 뜻이다.

공자가 말하기를, 녹을 주는 권한이 군주에게서 떠난 지도 이미 5대요, 정권이 대부에게 돌아간 지도 4대이다. 그러므로 저 삼환(三桓)의 자손도 쇠잔해 가는 것이니라.

孔子曰 益者三友요 損者三友니 友直하며 友諒하며 友多聞이면 益矣요 友便辟하며 友善柔하며 友便佞이면 損矣니라

해설 공자가 말하기를, 「유익한 벗이 셋 있고, 해로운 벗이 셋 있느니라. 정직한 사람을 벗으로 삼고, 진실한 사람을 벗으로 삼으며, 박학 다식한 사람을 벗으로 삼으면 유익하니라. 아첨하는 사람을 벗으로 삼고, 굽신거리기를 잘하는 사람을 벗으로 삼으며, 말을 잘 둘러대는 사람을 벗으로 사귀면, 해로우니라.」

즉, 정직한 사람, 성실한 사람, 학문과 덕행이 높은 사람 등과의 만남은 이로움을 주고, 아첨하는 사람과 굽신거리며 불성실한 사람 또, 말이 앞서고 실천이 뒤따르지 않는 사람을 가까이 하면 해롭다는 뜻.

孔子曰 益者三樂요 損者三樂니 樂節禮樂하며 樂道人之善하며 樂多賢友면 益矣요 樂驕樂하며 樂佚遊하며 樂宴樂이면 損矣니라

해설 공자가 말하기를, 「유익한 즐거움이 세 가지 있고, 해로운 즐거움이 세 가지 있느니라. 예악(禮樂)으로 절제함을 즐기고, 남의 착한 점을 말하기를 즐기고, 어진 벗을 많이 갖기를 즐기면 유익하니라. 그러나 교만한 쾌락을 즐기고, 안일하게 놀기를 즐기고, 주색의 향락을 즐기면 해로우니라.」

즉, 사람의 마음은 그대로 버려 두면 근면보다는 나태를, 절제보다는 방탕을, 수양보다는 안일과 향락을 추구하려 하기 때문에 자신의 마음을 항상 조종하고 절제하여 올바른 길로 인도해야 한다는 뜻이다.

孔子曰 侍於君子에 有三愆하니 言未及之而言을 謂之躁요 言及之而不言을 謂之隱이요 未見顔色而言을 謂之 瞽니라

해설 공자가 말하기를, 「군자를 모실 때에 저지르기 쉬운 세 가지 과실이 있다. 말을 하기도 전에 먼저 말을 꺼내는 것은 경망함이요, 말하였는데도 말하지 않음은 숨김이요, 안색을 살피지 않고 말함은 눈치가 없는 것이니라.」
즉, 스승이나 윗사람을 대할 때, 갖추어야 할 예의를 말한 것이다.

孔子曰 君子有三戒하니 少之時에 血氣未定이라 戒之在色이오 及其壯也하야 血氣方剛이라 戒之在鬪요 及其老也하야 血氣旣衰라 戒之在得이니라

해설 공자가 말하기를, 「군자가 경계해야 할 세 가지가 있다. 젊었을 때에는 혈기가 안정되어 있지 않으므로 여색을 경계하고, 장년기에 이르러서는 혈기가 왕성하므로 싸움을 경계하고, 노년기가 되어서는 혈기가 이미 쇠잔했으므로 물욕을 경계하여야 한다니라.」
즉, 일생 동안 살면서 여색과 싸움과 과욕을 삼가해야 한다는 뜻이다.

주 미정(未定) : 안정되지 않음.

孔子曰（공자왈） 君子有三畏（군자유삼외）하니 畏天命（외천명）하며 畏大人（외대인）하며 畏聖人之（외성인지）

言（언）이니 小人（소인）은 不知天命而不畏也（부지천명이불외야）라 狎大人（압대인）하며 侮聖人之（모성인지）
言（언）이니

해설 공자가 말하기를, 「군자에게는 세 가지 두려워하는 것이 있느니라. 천명을 두려워하고, 대인（大人）을 두려워하고, 성인의 말씀을 두려워하느니라. 그러나 소인은 천명을 모르기 때문에 두려워하지 않으며, 성인의 말씀을 업신 여기느니라.」 즉, 군자와 소인의 언행의 차이를 비교하여 말한 것이다.

孔子曰（공자왈） 生而知之者（생이지지자）는 上也（상야）요 學而知之者（학이지지자）는 次也（차야）요
困而學之（곤이학지）는 又其次也（우기차야）니 困而不學（곤이불학）이면 民斯爲下矣（민사위하의）니라

해설 공자가 말하기를, 「태어나면서 아는 사람은 제일 위요, 배워서 아는 사람은 그 다음이요, 막힘이 있으면서도 애써 배우는 사람은 또 그 다음이니라. 그러나 애써 배우지도 아니한다면, 이는 곧 최하의 사람이니라.」 즉, 사람의 재능과 학문에 대한 열의를 구분하여 말한 것이다.

孔子曰（공자왈） 君子有九思（군자유구사）하니 視思明（시사명）하며 聽思聰（청사총）하며 色思溫（색사온）하며

貌思恭하며 言思忠하며 事思敬하며 疑思問하며 忿思難하며 見得
思義니라

해설 공자가 말하기를, 「군자에게는 아홉 가지 생각하는 일이 있느니라. 보는 것은 명백히 보기를 생각하고, 듣는 것은 총명하게 듣기를 생각하고, 낯빛은 부드럽게 하기를 생각하고, 자태는 공손하게 하기를 생각하고, 말은 성실하게 하기를 생각하고, 일에는 조심하기를 생각하고, 의심나는 것에는 묻기를 생각하고, 화가날 때에는 어려움을 당할 것을 생각하고, 이득을 보면 의로운가를 생각하느니라.」

즉, 군자가 항상 염두에 두고 실천해야 하는 항목을 말한 것이다.

孔子曰 見善如不及하며 見不善如探湯을 吾見其人矣요
吾聞其語矣로라 隱居以求其志하며 行義以達其道를 吾
聞其語矣요 未見其人也로라

해설 공자가 말하기를, 「선한 일을 보면 미치지 못할 것같이 하고, 악한 것을 보면 끓는 물에 손이 닿은 것같이 하라. 나는 그런 사람을 보기도 했고 그런 사람이 있었다는 말을 듣기도 했다. 은거하면서 자기의 뜻을 추구하고, 도가 있으면 의를 행하여 자기의 도를 달성하라. 나는 그런 사람이 있다는 말은 들었어도 아직까지 그런 사람을 보지 못하였노라.」

齊景公이 有馬千駟하되 死之日요 民無德而稱焉이오 伯夷

해설 즉, 군자는 옳은 일을 부지런히 하고, 악한 일은 하지 말며 도 있는 시대에는 인정을 펴야 한다는 뜻이다.

叔齊는 餓於首陽之下하여 民到于今稱之라하니 其斯之謂與인저

해설 제나라 경공은 말이 천 사가 있었으나 죽었을 때에 백성들이 그의 덕을 칭송하지 않았고, 백이와 숙제는 수양산 아래에서 굶어 죽었으나 백성들은 지금까지 그들의 덕을 칭송하고 있느니라. 그것은 바로 이를 두고 이르는 말이로다.」

즉, 제나라 경공은 대군주였지만 정의롭지 않았으므로 죽은 후에 그를 기리는 사람이 없고, 백이와 숙제는 비록 비참하게 죽었다 해도 덕이 높기 때문에 후세에 길이 덕이 칭송됨을 말한 것이다.

陳亢이 問於伯魚曰 子亦有異聞乎아 對曰 未也로라

嘗獨立이어시늘 鯉趨而過庭이러니 曰 學詩乎아 對曰 未也로이다

不學詩면 無以言이라하거시늘 鯉退而學詩호라 他日에 又獨立이어시늘 鯉

趨而過庭이러니 曰 學禮乎아 對曰 未也로라 不學禮면 無

以立이라하거시늘 鯉退而學禮호라 聞斯二者로라 陳亢이 退而喜曰

問一得三호니 聞詩聞禮하고 又聞君子之遠其子也호라

해설 진항이 백어에게 묻기를, 「당신은 선생님에게서 특별히 다른 말씀을 들은 것이 있읍니까?」 대답하기를, 「없었읍니다。」 한번은 홀로 계실 때 제가 종종걸음으로 뜰을 지나가자, 『시를 배웠느냐?』하시기에 『아

직 배우지 않았나이다.』하고 말씀드렸더니, 『시를 배우지 않았으면 이야기할 것이 없느니라.』하고 말씀하셨읍니다. 저는 물러나와 시를 배웠읍니다. 다른 날에 또 홀로 계실 때에 제가 종종걸음으로 마당을 지나가자, 『예를 배웠느냐?』하시기에 『아직 배우지 않았나이다.』하고 여쭈었더니 『예를 배우지 않았으면 남 앞에 설 수가 없느니라.』하고 말씀하셨읍니다. 저는 물러나와 예를 배웠읍니다. 이 두 가지 말씀을 들었읍니다.』진항이 물러나와 기뻐하며 말하기를, 「한 가지를 물었다가 세 가지를 배웠도다. 시를 듣고, 예를 듣고, 또 군자는 그 자식을 멀리한다는 것을 들었도다.」

즉, 자식이라해서 특별히 애를 써서 가르치지 않은 공자의 군자다운 모습을 볼 수 있는 말이다.

邦君之妻를 君稱之曰 夫人이요 夫人自稱曰 小童이요
邦人稱之曰 君夫人이요 稱諸異邦曰 寡小君이요 異邦
人이 稱之에 亦曰 君夫人이라니

해설 「군주가 국군(國君)의 아내를 부를 때에는 부인(夫人)이라하고, 부인이 스스로 말할 때에는 소동(小童)이라 하고, 그 나라 사람들이 부를 때에는 군부인(君夫人)이라하고, 다른 나라 사람이 부를 때에는 과소군(寡小君)이라 하며, 다른 나라 사람들이 말할 때에는 역시 군부인이라 하느니라.」

즉, 군주의 부인에 대한 호칭 예법이다.

陽貨欲見孔子어늘 孔子不見하신대 歸孔子豚이어늘 孔子時其亡(무)也而往拜之러시니 遇諸塗하시다 謂孔子曰 來하라 予與爾言호리라 曰懷其寶而迷其邦을 可謂仁乎아 曰不可라 好從事而亟(기)失時를 可謂知(지)乎아 曰不可라 日月이 逝矣라 歲不我與니라 孔子曰 諾(락)라 吾將仕矣(의)로라

해설 양화가 공자를 보고자 하였으나 공자가 보지 아니하였더니 그는 공자에게 돼지를 보내왔다. 공자는 그가 없는 틈을 타 사례를 하고 돌아오는 길에 그를 만났다. 그가 공자에게 말하기를, 「오시오, 내 당신에게 말을 좀 하리다.」 말하기를, 「그 훌륭한 재능을 가슴 속에 품고 있으면서 나라를 어지럽게 버려 두는 것을 인하다 할 수 있겠소?」 말하기를, 「그렇다고 할 수 없소.」 「정치에 임하기를 좋아하면서 자주 때를 잃는 것을 지혜롭다 할 수 있겠소?」 말하기를, 「그렇다고도 할 수 없소.」 「나날은 지나가고, 세월은 우리들을 기다려 주지 않소이다.」 그러자 공자가 말하기를, 「그렇소. 내 장차 벼슬을 하리다.」

즉, 계씨가의 신하로 있으면서 양화가 공자를 등용할 마음으로 말하지만 이를 부드럽게 피하는 말이다.

子曰 性相近也나 習相遠也니라

해설 공자가 말하기를, 「사람의 천성은 서로 비슷하나 습관에 의하여 서로 멀어지느니라.」

즉, 사람의 천성은 모두가 선하여 비슷하지만 후천적 환경과 교육으로 인해 차이가 생긴다는 뜻이다.

子曰 唯上知與下愚는 不移니라

해설 공자가 말하기를, 「오직 가장 지혜로운 사람과 가장 어리석은 사람은 달라지지 않는다.」 즉, 천재이거나 바보가 아니라면 교육을 받고 노력하는 여하에 따라 달라질 수 있다는 뜻이다.

子之武城하사 聞弦歌之聲하시다 夫子莞爾而笑曰 割雞에 焉用牛刀리오 子游對曰 昔者에 偃也聞諸夫子호니 曰 君子學道則愛人이오 小人은 學道則易使也이라호 子曰 二三子아 偃之言이 是也니 前言戲之耳니라

해설 공자가 무성에 갔을 때 현악에 맞추어 부르는 노랫소리를 들었다. 공자가 빙그레 웃으며 말하기를, 「닭을 잡는 데 어찌 소 잡는 칼을 쓸 수 있겠느냐.」 자유가 대답하기를, 「전에 저는 선생님께서 『군자가 도를 배우면 사람을 사랑하고, 소인이 도를 배우면 부리기 쉬우니라.』고 하신 것을 들었읍니다.」 공자가 말하기를, 「얘들아, 언(偃)의 말이 옳다. 내가 조금 전에 한 말은 농담이니라.」

즉, 자유와 같은 훌륭한 제자가 작은 마을에서 그 능력을 다하는 것을 보고 안타까워서 말한 것인데, 제자의 대답을 듣고는 그 자리에서 자신의 말을 바로 잡는 공자의 곧은 자세를 볼 수 있는 말이다.

图 무성(武城) : 노나라의 고을 이름.

公山弗擾以費畔하야 召커늘 子欲往이러시니 子路不說하여 曰 末

194

之也已(지야이)니 何必公山氏之之也(하필공산씨지지야)시리오 子曰(자왈) 夫召我者(부소아자)는 而(이)

豈徒哉(기도재)리오 如有用我者(여유용아자)인댄 吾其爲東周乎(오기위동주호)인저

해설 공산불요(公山弗擾)가 비읍에서 반란을 일으키고, 공자를 부르니 가려고 하자, 자로가 못마땅하게 생각하여 말하기를, 「가실 곳이 없으시면 그만 두실 것이지 하필이면 공산씨에게로 가시려 합니까?」 공자가 말하기를, 「나를 부르는 자가 어찌 함부로 부르겠느냐? 나를 써주는 사람이 있다면 나는 그 나라를 동쪽의 주나라로 만들리라.」

즉, 공산불요가 무뢰한인 것을 알았지만 일말의 기대를 걸고 그를 도울까 생각하는 것이다.

子張問仁於孔子(자장문인어공자)한대 孔子曰(공자왈) 能行五者於天下(능행오자어천하)면 爲仁(위인)이니

矣(의)니라 請問之(청문지)한대 曰(왈) 恭寬信敏惠(공관신민혜)니라 恭則不侮(공즉불모)하고 寬則得(관즉득)

衆(중)하고 信則人任焉(신즉인임언)하고 敏則有功(민즉유공)하고 惠則足以使人(혜즉족이사인)이니

해설 자장이 공자에게 인에 대하여 묻자, 공자가 말하기를, 「다섯 가지 덕을 천하에 행할 수 있는 것이 인이니라.」 자장이 그 다섯 가지에 대하여 듣기를 청하자, 말하기를, 「공손하고 관대하며, 신의가 있고 민첩하며, 은혜로우면 인이니라. 공손하면 모욕을 당하지 않고, 관대하면 여러 사람의 지지를 얻고, 신의가 있으면 남들이 일을 맡기고, 민첩하면 공적을 올리게 되고, 은혜로우면 사람을 부릴 수 있게 되느니라.」

즉, 인자의 다섯 가지 덕을 말한 것으로 이것을 실천하는 인자라야 천하를 평정할 수 있다는 뜻이다.

佛肸召(필힐소)어늘 子欲往(자욕왕)시너리 子路曰(자로왈) 昔者(석자)에 由也聞諸夫子(유야문저부자)호니

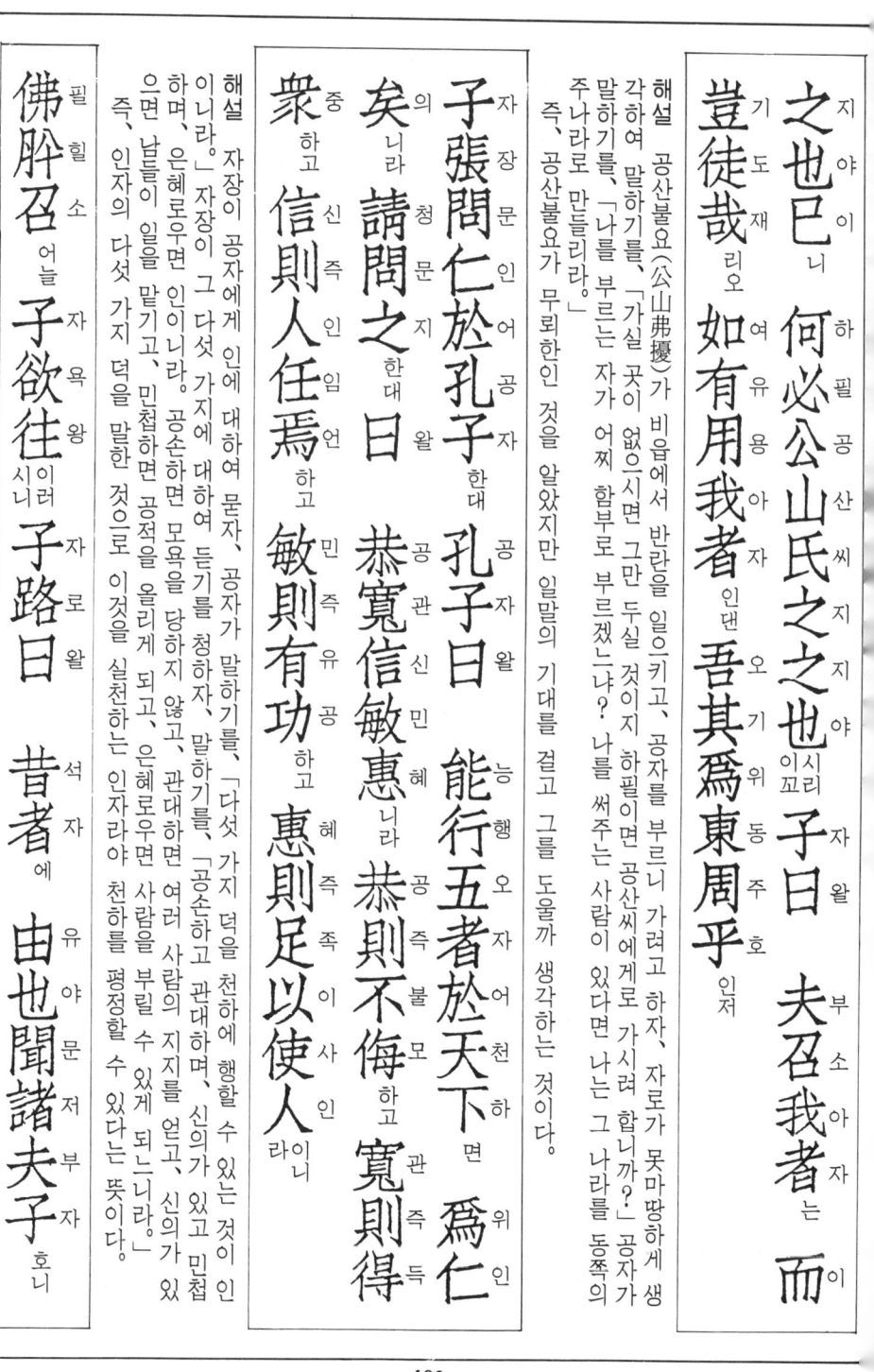

曰　親於其身에　爲不善者어든　君子不入也시니라　佛肸이　以
中牟畔이어　子之往也는　如之何이꼬　子曰　然타　有是言也니라　吾
不曰堅乎아　磨而不磷이니　不曰白乎아　涅而不緇니라
豈匏瓜也哉라　焉能繫而不食오리

해설　필힐이 부르니 공자가 가려 하자, 자로가 말하기를, 「전에 저는 선생님께서 『직접 그 자신이 악한 짓을 한 사람의 집에 군자는 들어가지 않는다.』고 하시는 것을 들었읍니다. 필힐이 중모읍에서 반기를 들었는데도 선생님께서 가시려 하니 어찌 된 일입니까?」고 공자가 말하기를, 「그렇다. 그런 말을 한 적이 있느니라. 갈아도 얇아지지 않는다면 군다고 할 수 있지 않겠느냐, 검게 물들여도 검어지지 않는다면 희다고 할 수 있지 않겠느냐, 내 어찌 조롱박처럼 매달려 있기만 하고 먹지 않을 수 있으리요.」
즉, 군자는 덕이 높기 때문에 주변의 환경에 물들지 않고 결백한 채로 있다는 뜻이다.

注　필힐：진(晉)나라 사람.

子曰　由也아　女聞六言六蔽矣乎아　對曰　未也로이다　居거
吾語女호리라　好仁不好學이면　其蔽也愚요　好知不好學이면
其蔽也蕩이오　好信不好學이면　其蔽也賊이오　好直不好學이면

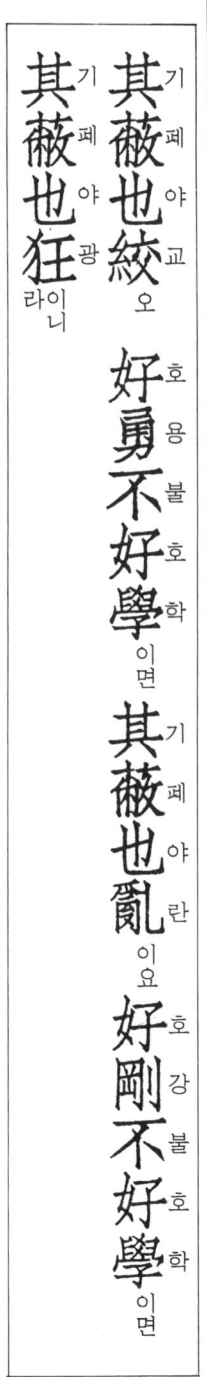

其蔽也絞오 好勇不好學이면 其蔽也亂이요 好剛不好學이면
其蔽也狂이니라

해설 공자가 자로에게 말하기를, 「유야, 너는 육언 육폐(六言六蔽)를 들었느냐?」 대답하여 말하기를, 「아직 듣지 못하였읍니다.」 「앉거라. 내 너에게 말하여 주리라. 인을 좋아하면서 배우기를 좋아하지 않는다면 그 폐단은 어리석어지고, 지혜를 좋아하면서 배우기를 좋아하지 않는다면 그 폐단은 의를 해치게 되고, 정직함을 좋아하면서 배우기를 좋아하지 않는다면 그 폐단은 가혹하여지고, 용기를 좋아하면서 배우기를 좋아하지 않는다면 그 폐단은 난폭하여지고, 굳세기를 좋아하면서 배우기를 좋아하지 않는다면 그 폐단은 무모해지는 것이니라.」

즉, 학문이 뒤따르지 않는 인은 어리석기 쉽고, 그런 지혜는 불의를 저지르게 되며, 그러한 신의는 남을 해치기 쉽고, 또한 그러한 정직은 각박하여지기 쉽다. 또, 학문을 하지 않는 용기는 무절제한 난동을 부리게 하고 그런 강직은 무모한 행동을 하게 한다. 그러므로 이러한 덕목은 학문과 예악으로 조절되어 중용의 도를 얻을 때 덕이 된다는 뜻이다.

子曰 小子는 何莫學夫詩오 詩는 可以興이며 可以觀이며 可以羣이며 可以怨이며 邇之事父미 遠之事君이오 多識於鳥獸草木之名이니라

해설 공자가 말하기를, 「너희들은 왜 〈시경〉을 배우지 않았느냐? 〈시경〉의 시는 감흥을 일으키며, 사물을 살필 수 있게 하고, 무리와 어울릴 수 있게 하며, 불의를 나무랄 수 있게 하고, 가까이는 부모를 섬기고 멀게 하고, 무리와 어울릴 수 있게 하며, 불의를 나무랄 수 있게 하고, 가까이는 부모를 섬기고 멀

197

리는 임금을 섬길 수 있게 하며, 새와 짐승, 풀과 나무의 이름을 많이 알게 하느니라.」
즉, 공자의 시에 대한 견해이다. 여기서의 시는 시경의 시를 말하는 것이다.

子謂伯魚曰 女爲周南召南矣乎아 人而不爲周南召
南이면 其猶正牆面而立也與인저

해설 공자가 백어에게 말하기를, 「너는 〈시경〉의 주남(周南)과 소남(召南)을 공부하였느냐, 사람으로서 주남과 소남을 공부하지 않는다면, 그것은 마치 담을 마주 대하고 서있는 것과 같으니라.」
즉, 〈시경〉 첫머리에 있는 주남과 소남은 수신 제가 치국 평천하를 읊은 것으로, 이것을 배우지 않으면 올바른 삶을 살 수가 없음을 강조한 말이다.

子曰 禮云禮云이나 玉帛云乎哉아 樂云樂云이나 鐘鼓云
乎哉아

해설 공자가 말하기를, 「예라, 예라 하지만, 어찌 옥과 비단과 같은 것을 말하리요, 악이라, 악이라 하지만 어찌 종과 북과 같은 악기를 말하는 것이리요.」
즉, 예의 근본은 형식에 있지 않고 마음에 있으며, 음악의 근본은 조화에 있다는 뜻이다.
주 옥백(玉帛) : 계급에 따라 천자가 주는 조회 때의 예의 형식.

子曰 色厲而內荏을 譬諸小人컨대 其猶穿窬之盜也與

해설 공자가 말하기를, 「얼굴빛은 위엄이 있으면서 마음 속이 유약한 것을 소인들에게 비유한다면 마치 벽을 뚫고 담을 넘는 것과 같으니라.」

즉, 마음과 표정이 일치하지 않는 것은 소인들이 좀도둑질을 하는 것과같이 수치스런 일이라는 뜻이다.

子曰 鄕原은 德之賊也니라

자왈   향원   덕지적야

해설 공자가 말하기를, 「마을 사람으로부터 덕이 있는 사람이라고 칭송을 받으나 실제는 그렇지 않은 사람은 도덕을 해치는 것이니라.」

즉, 평판만 가지고 그 사람의 인격을 가늠할 수 없다는 뜻이다.

쥐 향(鄕)‥비속(鄙俗)한 사람들이 모여 있는 곳.

子曰 道聽而塗說이야 德之棄也니라

자왈   도청이도설   덕지기야

해설 공자가 말하기를, 「큰 길에서 듣고 작은 길에 와서 이야기한다면 덕을 버리는 것이니라.」

즉, 남에게 배운 것을 완전히 체득하여 소화한 다음에 다른 사람에게 가르쳐야 한다는 뜻이다.

子曰 鄙夫는 可與事君也與哉아 其未得之也엔 患得之하고 既得之하야 患失之니하나 苟患失之며 無所不至矣니라

자왈 비부   가여사군야여재아 기미득지야   환득지   기득지   환실지   구환실지   무소부지의

해설 공자가 말하기를, 「비속한 사람과는 함께 임금을 섬길 수 없도다. 지위를 얻기 전에는 그것을 얻지 못하여 염려를 하고, 이미 얻었으면 잃지 않으려고 염려를 한다면 못하는 짓이 없게 되느니라.」

199

즉, 소인은 자기의 이득이나 명예를 위해서 남을 중상 모략하고 불의를 서슴지 않고 행하기 때문에 같이 정사를 의논할 수 없다는 뜻이다.

子曰 古者는 民有三疾이러니 今也엔 或是之亡也로다 古之
狂也肆러니 今之狂也는 蕩이오 古之矜也는 廉이러니 今之矜也
는 忿戾요 古之愚也는 直이러니 今之愚也는 詐而已矣로다

해설 공자가 말하기를, 「옛사람들에게는 세 가지 병폐가 있었는데 지금은 그것마저 없어진 것 같다. 옛날의 미친 사람은 자유 분방해서 그랬는데 지금의 미친 사람은 방탕해서 그런 것 같고, 옛날의 자존심이 강한 사람들은 청렴결백하여 문제점이 있었는데 지금의 사람들은 분노를 터뜨리며 날뛰고, 옛날의 어리석은 자는 정직했으나 지금의 어리석은 자는 속임수가 있을 뿐이로다.」
즉, 세상이 점점 타락하여 예전에 사람들은 자존심과 긍지와 강직함이 지나쳐서 문제가 되었는데, 이제는 방탕과 간사한 꾀가 사람들 마음 속에 도사리고 있음을 한탄한 것이다.
肆 사(肆) : 작은 예절에 꺼리끼지 않음.

子曰 巧言令色이 鮮矣仁이라

해설 공자가 말하기를, 「교묘하게 꾸며 대는 말과 보기좋게 꾸미는 표정에는 인이 드무니라.」
즉, 진심이 담겨 있지 않으면 그 속에 인이 없다는 뜻이다.

子曰 惡紫之奪朱也하며 惡鄭聲之亂雅樂也하며 惡利口

200

之覆邦家者라하노

해설 공자가 말하기를, 「나는 자주색이 붉은색을 뺏는 것을 미워하고, 정나라 음악이 아악을 어지럽힌 것을 미워하며, 약삭빠른 말이 나라를 뒤엎음을 미워하노라.」 즉, 정통적이고 올바른 모든 질서와 리듬을 사악하고 정갈하지 못한 것들이 흐트리는 것을, 군자나 의인은 싫어한다는 뜻이다.

子曰 予欲無言라하노 子貢曰 子如不言이시면 則小子何述언 焉이시리 子曰 天何言哉오시리 四時行焉하며 百物生焉하나니 天何 言哉오시리

해설 공자가 말하기를, 「나는 말을 아니하고자 한다.」 자공이 말하기를, 「선생님께서 말씀하지 않으시면 저희들은 무엇으로 도를 배우고 전하나이까?」 공자가 말하기를, 「하늘이 무엇을 말하더냐, 사시(四時)가 운행되며 만물이 생겨나지만, 하늘이 무엇을 말하더냐.」 즉, 원래 도는 스스로 깨달아야 하는 것으로 남이 설명해 주는 말로는 터득할 수 없다는 뜻이다.

孺悲欲見孔子어늘 孔子辭以疾고하시 將命者出戶어늘 取瑟而 歌하사 使之聞之다하시

해설 유비(孺悲)가 공자를 만나려 찾아오니 공자가 몸이 불편하다는 이유로 사절하였다. 그러나 명을 전달하는 사람이 문을 나가자, 비파를 타면서 노래를 불러 그로 하여금 듣게 하였다.

宰我問三年之喪이 期已久矣로다 君子三年을 不爲禮

禮必壞하고 三年을 不爲樂이면 樂必崩하리니 舊穀이 旣沒하고 新

穀이 旣升하며 鑽燧改火하니 期可已矣로소이다 子曰 食夫稻하며

衣夫錦이 於女에 安乎아 曰 安이로소이다 女安則爲之하라 夫君

子之居喪에 食旨不甘하며 聞樂不樂하며 居處不安이라 故로

不爲也니하나 今女安則爲之하라 宰我出커늘 子曰 予之不仁

也여 子生三年然後에 免於父母之懷니하나 夫三年之喪은

天下之通喪也니 予也有三年之愛於其父母乎아

해설 재아가 묻기를, 「삼년상은 기간이 너무 오래인 것 같습니다. 군자가 삼 년 동안이나 예를 차리지 않는다면 예는 반드시 무너질 것이며, 삼년 동안이나 악을 다루지 않는다면 악도 반드시 무너질 것입니다. 묵

은 곡식이 다 떨어지고 새 곡식이 나오고 불을 붙이는 나무를 새로 뚫어 불도 고치게 되었으니, 일 년이면 좋을까 하나이다." 공자가 말하기를, "쌀밥을 먹고 비단 옷을 입으면 너의 마음이 편하겠느냐?" 말하기를, "편하나이다." "네 마음이 편하다면 그렇게 해라. 군자는 상중에는 좋은 음식을 먹어도 맛이 없으며 음악을 들어도 즐겁지 않으며 편한 곳에 거처하여도 불안하기 때문에 그렇게 하는 것이다. 이제 네가 편하다면 그렇게 하여라." 재아가 나가자 공자가 말하기를, "재아는 어질지 못하구나. 자식은 낳은 지 삼 년이 지난 후에야 부모의 품에서 겨우 벗어난다. 그러기에 삼년상이 온 천하에 공통된 상례이거늘, 재아는 그 부모에게서 삼 년 동안의 사랑을 받지 못했단 말인가."

즉, 재아가 삼년상이 너무 길다고 일년상으로 고치자는 제안을 했다가 꾸중을 듣는 것이다. 상례란 마음에서 우러나와서 하는 것이지 관례라는 형식에 매이는 것이 아니라는 뜻이다.

圂 기가이(期可已) : 일 주년, 즉 만 일 년으로 끝냄이 좋음.

子曰 飽食終日하야 無所用心이면 難矣哉라 不有博弈者乎아 爲之猶賢乎已니라

해설 공자가 말하기를, 「종일 배불리 먹기만 하고 마음 쓰는 데가 없으면 어려운 노릇이다. 장기와 바둑이 있지 않느냐, 그런 것이라도 하는 게 오히려 좋을 것이니라.」 즉, 사람은 일정하게 하는 일이 있어야 하며 무위 도식하는 것은 해롭기만 하다는 뜻이다.

圂 무소용심(無所用心) : 마음 쓰는 데가 없음. 아무 하는 일이 없음.

子路曰 君子尚勇乎이꼬 子曰 君子義以爲上이니 君子 有勇而無義면 爲亂이오 小人有勇而無義면 爲盜니라

해설 자로가 말하기를, 「군자도 용기를 숭상하나이까?」 공자가 말하기를, 「군자는 정의를 가장 높이 숭상해야 한다. 군자가 용기만 있고 정의를 모르면 난동을 부리게 되고, 소인이 용기만 있고 정의를 모르면 도둑질을 하게 되느니라.」

즉, 용기는 반드시 정의로움이 바탕이 되어야 한다는 뜻이다.

子貢曰 君子亦有惡乎이꼬 子曰 有惡하니 惡稱人之惡者하며 惡居下流而訕上者하며 惡勇而無禮者하며 惡果敢而窒者니라 曰 賜也 亦有惡乎아 惡徼以爲知者하며 惡不孫以爲勇者하며 惡訐以爲直者이하노

해설 자공이 말하기를, 「군자도 미워하는 것이 있나이까?」 공자가 말하기를, 「미워하는 것이 있느니라. 남의 악함을 떠들어 대는 것을 미워하고, 아랫사람이 윗사람을 비방하는 것을 미워하고, 용맹스러우면서 무례한 것을 미워하고, 과감하면서 막힌 것을 미워하느니라.」 말하기를, 「사야, 너도 미워하는 것이 있느냐?」 「저도 미워하는 것이 있나이다. 남의 눈치만 실피고서 아는 체하는 사람을 미워하고, 남에게 불손한 사람을 미워하고, 남의 비밀을 폭로하여 정직한 체하는 사람을 미워하나이다.」

子曰 唯女子與小人이 爲難養也니 近之則不孫하고 遠

해설 즉, 군자라 하여도 악행과 불의와 무례함과 부정은 싫어한다는 뜻이다.

之則怨（지 즉 원）이니

해설 공자가 말하기를、「여자와 소인은 다루기 어렵다。가까이하면 불손하게 굴고、멀리하면 원망하느니라。」
즉、여자들은 대개 시야가 좁고 생활 영역이 좁아 소인과 다를 바가 없다는 뜻이다。

子曰（자 왈） 年四十而見惡焉（연 사십 이 견 오 언 기 종 야 이）이면 其終也已니라

해설 공자가 말하기를、「나이 사십이 되어서도 남에게 미움을 받는다면 그것은 더 이상 볼 것이 없느니라。」
즉、사람이 나이가 마흔쯤 되면 인생관이 확립되고 뚜렷한 신념을 갖고 살게 된다。그럴 때에도 바탕이 없어 남에게 미움을 받으면 더 말할 것이 없다는 뜻이다。

微子（미자）

微子（미 자）는 去之（거 지）하고 箕子（기 자）는 爲之奴（위 지 노）하고 比干（비 간）은 諫而死（간 이 사）라하니 孔子（공 자）
曰 殷有三仁焉（왈 은 유 삼 인 언）이라하니

해설 미자(微子)는 가고, 기자(箕子)는 종이 되고, 비간(比干)은 간하다가 죽었다。공자가 말하기를, 「은나라에 인자가 셋이 있었느니라。」

柳下惠爲士師하야 三黜이어늘 人曰 子未可以去乎아 曰 直道而事人이면 焉往而不三黜이며 枉道而事人이면 何必去父母之邦이리오

해설 유하혜(柳下惠)가 사사(士師)가 되어 세 차례나 쫓겨나자, 어떤 사람이 그에게 말하기를, 「당신은 그래도 다른 나라로 갈 수 없었던가요?」 말하기를, 「곧은 도리로 사람을 섬기려면 어디에 간들 세 번쯤은 쫓겨나지 않겠소? 정도(正道)를 굽혀서 사람을 섬기려 하면 어찌 꼭 조국을 떠나야 한단 말이오?」

즉, 정의로 윗사람을 섬기면 자연히 쫓겨나게 되며, 천하가 모두 어지러워 어디를 가나 마찬가지라면 굳이 조국을 떠날 필요가 있겠느냐는 말이다。

齊景公이 待孔子曰 若季氏則吾不能이어니와 以季孟之間으로 待之호리라 曰 吾老矣라 不能用也라한대 孔子行하시다

해설 제의 경공이 공자를 대우하는 일에 대하여 말하기를, 「계씨 정도로 대우하지는 못하지만 계씨와 맹씨의 중간쯤은 대우해 주리라。」하고 말했다가, 「내 늙었으니, 그나마 쓸 수 없구나。」 그러자 공자는 떠났다。

즉, 공자가 제나라에 갔을 때, 경공이 그를 등용하려 했으나 실권자들의 반대로 뜻을 이루지 못하는 대목이다。

㈜ 맹씨(孟氏) : 삼환의 일족으로 계씨 다음 가는 귀족。

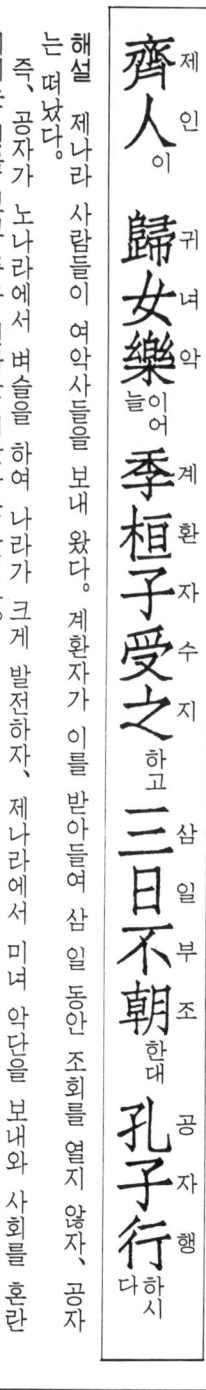

齊人이 歸女樂늘이어 季桓子受之하고 三日不朝한대 孔子行하시다

해설 제나라 사람들이 여악사들을 보내 왔다. 계환자가 이를 받아들여 삼 일 동안 조회를 열지 않자, 공자는 떠났다.

즉, 공자가 노나라에서 벼슬을 하여 나라가 크게 발전하자, 제나라에서 미녀 악단을 보내와 사회를 혼란시키는 것을 보고 주유 천하를 떠났다는 말이다.

楚狂接輿歌而過孔子曰 鳳兮鳳兮여 何德之衰오 往者는 不可諫이어니와 來者는 猶可追니 已而已而어다 今之從政者殆而니라 孔子下하사 欲與之言이러시니 趨而辟之하니 不得與之言다하시

해설 초나라의 광인인 접여가 공자의 앞을 지나치면서 노래하기를, 「봉황새야, 봉황새야, 어쩌다가 덕이 쇠하였는가. 지난 일이야 말릴 수 없지만, 오는 일은 따를 수 있거니, 그만두어라, 그만두어. 지금의 벼슬길을 따른다면 위태롭거니.」 공자가 내려가 그와 말하고자 했으나 급히 도망쳐 말을 나누지 못하였다.

즉, 접여는 미치광이로 가장한 초나라의 한 은자이다.

長沮桀溺이 耦而耕늘이어 孔子過之하실새 使子路로 問津焉하신대

長沮曰 夫執輿者爲誰오 子路曰 爲孔丘시니라 曰 是

魯孔丘與아 曰 是也시니라 曰 是知津矣니라 問於桀溺한대

桀溺이 曰 子爲誰오 曰 爲仲由로라 曰 是魯孔丘之

徒與아 對曰 然하다 曰 滔滔者天下皆是也니 而誰以

易之리오 且而與其從辟人之士也는 豈若從辟世之士哉

耰而不輟라하더 子路行하야 以告한대 夫子憮然曰 鳥獸는

不可與同羣이니 吾非斯人之徒를 與요 而誰與리오 天下有

道면 丘不與易也니라

해설 장저와 걸익이 함께 밭을 갈고 있는데 공자가 지나다가 자로를 보내어 나루터를 물어 오게 하였다. 장저가 말하기를, 「저 수레에 앉아 고삐를 잡고 있는 사람이 누구요?」 자로가 대답하기를, 「공우(孔丘)라는 분입니다.」 「저 사람이 바로 노나라의 공구라는 분이요?」 「그렇습니다.」 「그렇다면 나루터쯤은 알고 있을 거요.」 자로가 걸익에게 물으니 말하기를, 「당신은 누구요?」 말하기를, 「중유입니다.」 「바로 노나라 공구의 제자요?」 「그렇습니다.」 말하기를, 「도도한 물결에 온 천하가 다 휩쓸려 흐르는데 이를 누구의 힘으로 바

꿀 수 있겠소?」하고 고무래질하는 것을 멈추지 않았다. 자로가 가서 이 일을 이야기하자, 공자가 말하기를,
「새나 짐승과는 함께 떼지어 살 수 없으니, 내가 세상 사람들과 함께 살지 않으면 누구와 함께 산단 말인가.
천하에 도가 행해지기만 하면 나는 구태여 바꾸려 들지도 않을 것이니라.」
즉, 은자들의 은거 사상과 공자의 현실 참여 사상이 대조를 이루는 문장이나, 어려운 현실을 피하기는 쉬
어도 그것을 극복하기는 더욱 어렵다는 뜻이다.

子路從而後러니 遇丈人이 以杖荷蓧하야 子路問曰 子見

夫子乎아 丈人曰 四體를 不勤하며 五穀을 不分하나니 孰爲

夫子리오 植其杖而芸라하더라 子路拱而立한대 止子路宿하야 殺雞

爲黍而食之하고 見其二子焉이어늘 明日 子路行하여 以告한대

子曰 隱者也로다 使子路로 反見之러시니 至則行矣러라 子路

曰 不仕無義하니 長幼之節을 不可廢也니 君臣之義를

如之何其廢之리오 欲潔其身而亂大倫이로 君子之仕也는

行其義也니 道之不行은 已知之矣니라

자로가 공자를 수행하다가 뒤처졌는데, 지팡이에 대바구니를 꿰어 어깨에 맨 노인을 만났다. 자로가 묻기를, "영감님께선 우리 선생님을 보셨읍니까?" 노인이 말하기를, "사지를 부지런히 움직이지도 않고 오곡을 분별할 줄도 모르는 사람이 무슨 선생이란 말인가?"하고 지팡이를 땅에 꽂고 김을 매기 시작했다. 자로가 두 손을 마주잡고 경의를 표한 채 그대로 서 있었다. 노인은 자로를 붙들어 묵게 하고, 닭을 잡아 기장밥을 대접하였으며, 두 아들을 인사시켰다. 이튿날, 자로가 쫓아가 공자에게 이 사실을 고하였다. 공자가 말하기를, "그가 바로 은자일 것이다."하고, 자로를 보내어 다시 만나보게 하였다. 자로가 그 집에 가보니 노인은 이미 떠나고 없었다. 자로가 말하기를, "세상에 나가 벼슬을 하지 않는 것은 의롭지 못한 일입니다. 어른과 아이의 예절도 폐할 수 없는데, 어찌 임금과 신하의 의를 폐할 수 있겠읍니까? 이것은 자기 몸만 청결하게 하고 대의를 어지럽게 하는 것입니다. 군자가 벼슬살이를 한다는 것은 자기의 의리를 행하는 것이며, 도가 행하여지지 않는다는 것은 이미 알고 있는 바입니다."

즉, 군자가 나라에 도가 행하여지지 않는다고 숨어서 지내는 것은 군신 간의 예가 아니라는 뜻이다.

逸民은 伯夷와 叔齊와 虞仲과 夷逸과 朱張과 柳下惠와 少連이니 子曰 不降其志하며 不辱其身은 伯夷叔齊與인저 謂柳下惠少連하시대 降志辱身矣나 言中倫하며 行中慮하니 其 斯而已矣니라 謂虞仲夷逸하시대 隱居放言하나 身中淸하며 廢中 權이니 我則異於是하야 無可無不可호라

해설 은사(隱士)에는 백이, 숙제, 우중, 이일(夷逸), 주장(朱張), 유하혜, 소련(少連) 등이 있다. 공자가 말하기를, "자기의 뜻을 굽히지 않고 그 몸을 욕되게 하지 않음은 백이와 숙제였지." 유하혜와 소연에 대하여

말하기를, 「비록 뜻을 굽히고 몸을 욕되게 하였으나 말이 도리에 맞고 행동이 뜻과 맞았으니 그들은 옳게 살았다고 할 수 있느니라.」 우중과 이일에 대하여 말하기를, 「숨어 지내며 기탄없이 말했지만 몸가짐이 청렴하였고 세상을 버리는 것이 때가 맞았다. 나는 그들과 꼭 하겠다는 것도, 그렇지 않은 것도 없도다.」

즉, 백이와 숙제를 인자로 받들고, 유하혜와 소연, 또 우중과 이일이 그 나름대로 옳게 살긴 하였지만, 공자 자신은 세상을 등지지 않고 때가 되면 도덕 정치를 펴보겠다는 신념이 나타난 말이다.

大師摯는 適齊하고 亞飯干은 適楚하고 三飯繚는 適蔡하고 四
飯缺은 適秦하고 鼓方叔은 入於河하고 播鼗武는 入於漢하고
少師陽과 擊磬襄은 入於海라하니

해설 대사(大師)지는 제나라로 가고, 아반(亞飯) 간(干)은 초나라로 가고, 삼반(三飯) 요는 채나라로 가고, 사반(四飯) 결(缺)은 진나라로 갔다. 북치는 방숙(方叔)은 황하 유역으로 들어가고, 소고를 흔드는 무(武)는 한수(漢水) 유역으로 들어갔다. 소사(小師) 양(陽)과 경(磬)을 치는 양(襄)은 섬으로 들어갔다는 말이다.

즉, 노나라의 악사들이 삼환의 횡포를 피하여 사방으로 흩어졌다는 말이다.

周公이 謂魯公曰 君子不施其親하야 不使大臣으로 怨乎
不以하며 故舊無大故則不棄也하며 無求備於一人이라하니

해설 주공이 아들 노공에게 일컬어 말하기를, 「군자는 자기의 친척을 버리지 않으며, 대신들로 하여금 그들의 의견을 무시한다고 원망하지 않게 하며, 오랫동안 일해 온 사람은 큰 문제가 없으면 버리지 아니하며,

즉, 주왕이 아들에게 군주가 나라를 다스리는데 알아야 할 사항을 일러 주는 대목이다.

周有八士하니 伯達과 伯适과 仲突과 仲忽과 叔夜와 叔夏

와 季隨와 季騧니라

해설 주나라에 여덟 선비가 있었는데、백달、백괄、중돌(仲突)、중홀(仲忽)、숙야(叔夜)、숙하(叔夏)、계수(季隨)、계왜이니라. 즉, 나라에 덕이 있으면 어진 사람이 많이 나온다는 뜻이다.

子張(자장)

子張曰 士見危致命하며 見得思義하며 祭思敬하며 喪思哀면 其可已矣니라

212

해설 자장이 말하기를, 「선비가 위태함을 보면 목숨을 걸고, 이득을 보면 의를 생각하고, 제사에는 공경함을 생각하고, 상사에는 슬픔을 생각한다면, 족할 수 있느니라.」

子張曰　執德不弘하며　信道不篤이면　焉能為有며　焉能為　亡오리

해설　자장이 말하기를, 「덕을 지니되 넓지 못하고, 도를 믿되 두텁지 못하다면 무엇으로 덕과 도가 있다고 할 수 있으며, 또 어찌 없다고 할 수 있으리요.」

즉, 인과 덕은 철저하지 않으면 있으나마나라는 말이다.

주　집덕(執德)：덕을 지님. 덕을 실천함.

子夏之門人이　問交於子張한대　子張曰　子夏云何오　對曰　子夏曰　可者를　與之하고　其不可者를　拒之라하다라　子張曰　異乎吾所聞이로다　君子는　尊賢而容眾하며　嘉善而矜不能이니　我之大賢與인댄　於人에　何所不容이며　我之不賢與인댄　人將拒我니　如之何其拒人也리오

해설 자하의 제자가 자장에게 교우에 관하여 물으니 자장이 말하기를, 「자하는 무엇이라 하였는가?」 「자하께서는 『좋은 사람과는 사귀고 좋지 못한 사람은 사귀지 말라』고 하셨나이다.」 자장이 말하기를, 「내가 들은 바와 다르구나. 군자는 현자를 존경하고 많은 사람들을 포용하며, 선한 사람을 칭찬하며 그렇지 못한 사람도 동정한다. 내가 현자라면 사람들에게 용납되지 않을 것이 무엇이겠는가, 내가 현자가 아니라면 사람들이 나를 멀리할 것인데, 어찌 남을 멀리할 수가 있겠는가.」

즉, 교우 관계에 대한 자하와 자장의 견해 차이를 알 수 있는 말이다.

図 여지(與之)∙∙더불어 사귀다.

子夏曰　雖小道나　必有可觀者焉이어니와　致遠恐泥라　是以
로　君子不爲也니라

해설 자하가 말하기를, 「비록 작은 도라 할지라도 반드시 볼 만한 것이 있다. 그러나 원대한 뜻을 이루는 데 방해가 될까 염려되므로, 군자는 이런 것을 하지 않느니라.」

즉, 한 가지 분야에 몰두하는 것도 생활에 필요한 것이기는 하나, 이런 일에 빠지면 원래의 목표를 이루는데 장애가 될 수도 있다는 뜻이다.

子夏曰　日知其所亡하며　月無忘其所能이면　可謂好學也
已矣니라

해설 자하가 말하기를, 「나날이 모르던 것을 알아 가고, 달이 가도 할 수 있는 것을 잊지 않는다면 배우기를 좋아한다고 말할 수 있느니라.」

子夏曰 博學而篤志하며 切問而近思하면 仁在其中矣니라

해설 자하가 말하기를, 「넓게 배우고 뜻을 독실하게 하며, 간절히 묻고 가까운 것부터 생각하면, 인은 절로 그 가운데 있느니라.」

즉, 학문과 지식은 동서 고금에 걸쳐 넓을수록 좋으며, 새로운 것을 듣게 되면 자기 주변에 가까운 것과 연결지어 생각하여 확실하게 깨닫는 것이 곧 인에 이르는 길이라는 뜻이다.

子夏曰 百工이 居肆하야 以成其事하고 君子學하야 以致其道니라

해설 자하가 말하기를, 「모든 공인(工人)들은 그 작업장에서 일을 이루어 내고, 군자는 학문으로써 그 도를 달성하느니라.」

즉, 기능인은 공장에서 오랜 세월 동안 수련을 쌓아야 하고, 군자는 학문을 배움으로써 도를 이룰 수 있다는 뜻이다.

子夏曰 小人之過也는 必文이니라

해설 자하가 말하기를, 「소인이 과실을 저지르면 반드시 꾸민다.」

즉, 소인은 잘못을 인정하지 않고 남을 속이려 한다는 뜻이다.

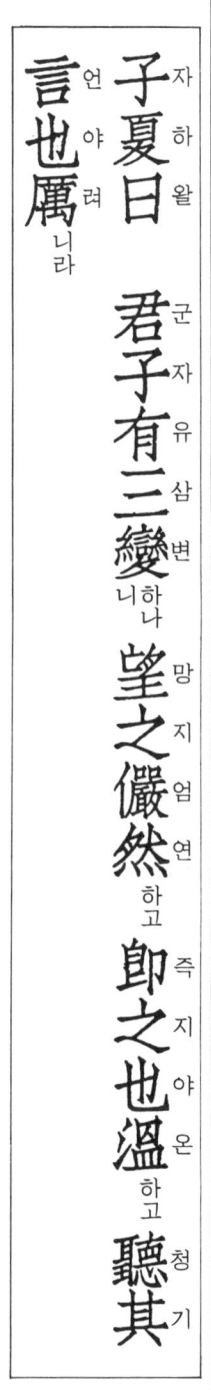

子夏曰 君子有三變니하나 望之儼然하고 即之也溫하고 聽其 言也厲니라

해설 자하가 말하기를, 「군자는 세 가지 다른 모습이 있다. 멀리서 바라보면 근엄하고, 가까이 다가가면 온화하고, 그 말을 들으면 엄정하니라.」

즉, 스승인 공자의 모습을 보고 하는 말일 것이다.

주(厲) : 엄정(嚴正)함. 말의 뜻이 바르고 확실함.

子夏曰 君子信而後에 勞其民이니 未信則以爲厲己也 信而後에 諫이니 未信則以爲謗己也니라

해설 자하가 말하기를, 「군자는 신뢰를 받고 난 뒤에야 백성을 부린다. 신뢰를 받기도 전에 백성을 부리면 자기를 심하게 부린다고 생각하느니라. 또한 신임을 받은 뒤에 간해야 한다. 신임을 받기도 전에 간하면 자기를 비방한다고 생각하느니라.」

즉, 대인 관계에서 항상 신의가 앞서야 한다는 뜻이다.

子夏曰 大德이 不踰閑이면 小德은 出入이라도 可也니라

해설 자하가 말하기를, 「큰 덕의 한계를 벗어나지 않는다면 작은 예절은 변동이 있어도 괜찮으니라.」

즉, 생활의 기본이 되는 윤리에서 벗어나지 않는다면 인사치레 등에 응통성을 발휘해도 된다는 뜻이다.

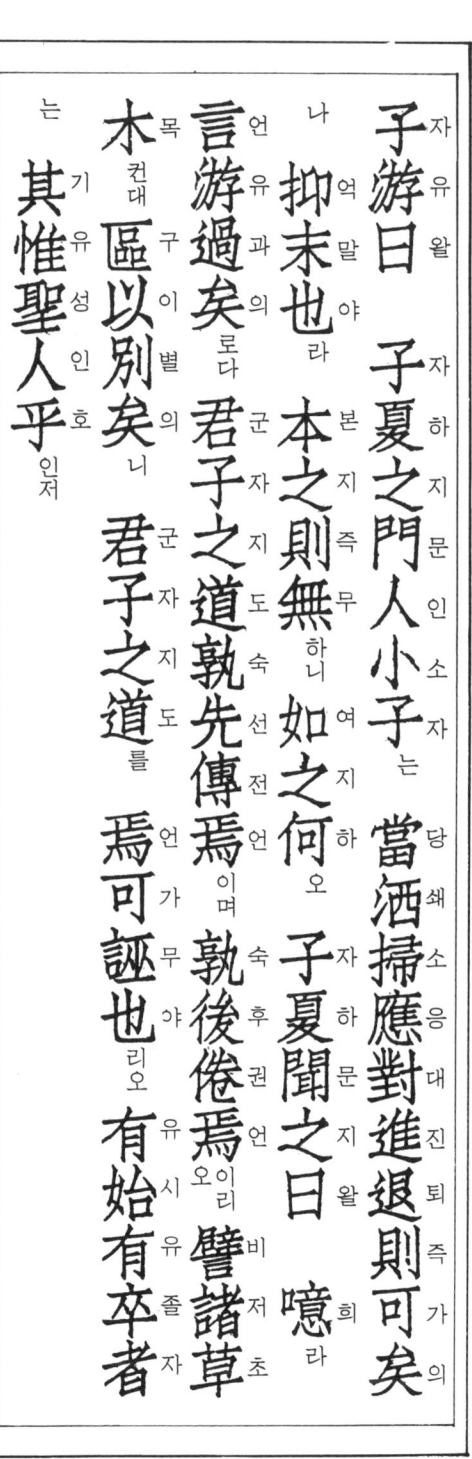

子游曰 子夏之門人小子는 當洒掃應對進退則可矣어니와 抑末也라 本之則無하니 如之何오 子夏聞之曰 噫라 言游過矣로다 君子之道 孰先傳焉이며 孰後倦焉이리오 譬諸草木컨대 區以別矣니 君子之道를 焉可誣也리오 有始有卒者는 其惟聖人乎인저

해설 자유가 말하기를, 「자하의 제자들은 물을 뿌리고 쓸고, 부르는 데 대답하고, 나아가고 물러가고 하는 예절 따위에는 제법이지만, 그런 것들은 말단의 일들이다. 근본이 되는 학문이 없으니, 어찌하겠는가.」자하가 듣고 말하기를, 「아아, 자유의 말은 잘못이로다. 군자의 도를 어느 것을 뒤로 미루어 게을리하겠는가. 초목에 비유하면 종류에 따라서 구별이 있는 것이니, 군자의 도야 어찌 속일 수 있으리요, 처음도 있고 끝도 있는 사람은 오직 성인뿐이리.」

즉, 자유와 자하의 교육에 대한 관점의 차이가 드러난 문장이다. 자하는 예절에 치중하는 편이고 자유는 학문에 더 큰 비중을 둔 것 같다.

子夏曰 仕而優則學하고 學而優則仕니라

해설 자하가 말하기를, 「벼슬하면서도 여력이 있으면 배우고, 배우면서도 여력이 생기면 벼슬을 해야 하느니라.」

217

즉, 학문을 어느 정도 마친 후에 관직을 맡거나 직업을 갖더라도 꾸준히 배워야 한다는 뜻이다.

子游曰　喪은　致乎哀而止니라
자유왈　상　치호애이지

해설　자유가 말하기를, 「상사에는 슬픔을 다하면 되느니라.」
즉, 상을 당했을 때에는 진심에서 우러나서 슬퍼해야 한다는 뜻이다.

子游曰　吾友張也는　爲難能也니　然而未仁이니
자유왈　오우장야　위난능야　연이미인

해설　자유가 말하기를, 「내 벗 자장은 어려운 일을 잘 해내지만, 그러나 아직 어질지는 못하다.」
즉, 자유가 자장에 대하여 평한 것이다.

曾子曰　堂堂乎라　張也여　難與並爲仁矣로다
증자왈　당당호　장야　난여병위인의

해설　증자가 말하기를, 「당당하도다, 자장이여. 그러나 함께 어울려 인을 실천하기는 어렵도다.」
즉, 증자가 자장의 위풍 당당함을 보고 칭찬하였으나 그가 어질지는 않다는 뜻이다.

曾子曰　吾聞諸夫子호니　人未有自致者也나　必也親喪乎인저
증자왈　오문저부자　인미유자치자야　필야친상호

해설　증자가 말하기를, 「내 선생님께 들었는데 『사람이란 스스로 진심을 다하는 일이 없지만 부모상을 당하여서만은 이를 볼 수 있다.』고 하셨도다.」

즉、 사람은 그 진심을 알기 어렵지만 부모의 상을 당했을 때는 누구나 진심으로 슬퍼한다는 뜻이다.

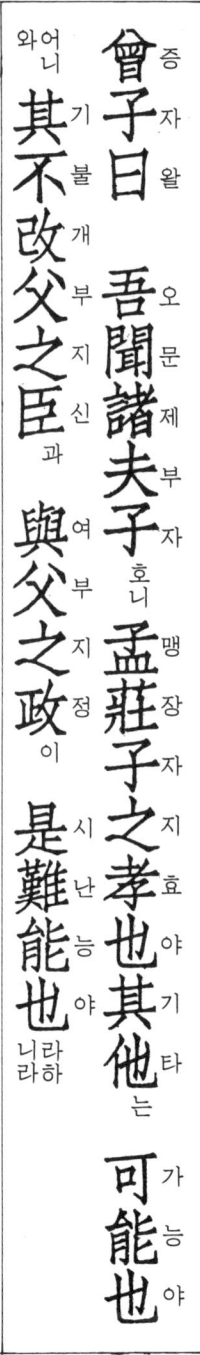

曾子曰 吾聞諸夫子호니 孟莊子之孝也其他는 可能也

其不改父之臣과 與父之政이 是難能也니라

해설: 증자가 말하기를, 「내가 선생님께 들으니, 『맹장자의 효는 다른 것은 남들도 해낼 수 있겠으나、 아버지의 가신과 정책을 바꾸지 않는 점은 아무나 하기 어려우니라.』고 하셨느니라.」

즉、 맹장자는 효성이 지극하여 아버지가 죽은 후에 사 년 동안이나 아버지가 하던 일을 고치지 않고 따랐다는 말이다.

孟氏使陽膚로 爲士師라 問於曾子한데 曾子曰 上失其

道하야 民散이 久矣니 如得其情則哀矜而勿喜니라

해설: 맹씨가 양부(陽膚)에게 사사(士師)를 시킨지라 양부가 증자에게 물었다. 증자가 말하기를, 「윗사람이 정도(正道)를 잃어 민심이 흩어진 지 오래되니, 만일 그 진상을 알게 된다면 슬퍼하고 불쌍히 여길 것이며 기뻐해서는 안 되느니라.」

즉、 노나라가 삼환의 무도한 세력으로 민심이 흩어졌으니、 죄인을 다스릴 때 그 범죄의 진상을 알게 되면 죄를 밝힌 것을 기뻐하지 말고 범죄의 동기를 생각하여 불쌍히 여기라고, 증자가 그의 제자 양부에게 하는 말이다.

㈜ 양부(陽膚): 증자의 제자.

子貢曰(자공왈) 紂之不善(주지불선)이 不如是之甚也(불여시지심야)니 是以(시이)로 君子(군자)는 惡居下流(오거하류)하나니 天下之惡(천하지악)이 皆歸焉(개귀언)이니라

해설 자공이 말하기를, 「주왕의 악함이 그처럼 심한 것은 아니다. 그러므로 군자는 하류에 처하기를 싫어한다. 천하의 모든 것이 다 그리로 돌아가기 때문이니라.」

즉, 강의 하류에는 모든 물줄기가 다 모이는 곳으로, 군자는 그런 하류처럼 모든 악이 몰려드는 위치에 서지 말아야 한다는 뜻이다.

子貢曰(자공왈) 君子之過也(군자지과야)는 如日月之食焉(여일월지식언)이라 過也(과야)에 人皆(인개) 見之(견지)하고 更也(경야)에 人皆仰之(인개앙지)니라

해설 자공이 말하기를, 「군자의 과실은 마치 일식, 월식과 같다. 과실을 저지르면 사람들이 모두 알아 보고, 이를 고치면 모두 우러러 보느니라.」

즉, 군자의 언행을 모든 사람들이 주시하고 이를 본받으려 하고 있다는 뜻이다.

㊟ 경야(更也) : 그 잘못을 고침.

衛公孫朝問於子貢曰(위공손조문어자공왈) 仲尼(중니)는 焉學(언학)고 子貢曰(자공왈) 文武(문무)之道未墜於地(지도미추어지)하야 在人(재인)이라 賢者(현자)는 識其大者(식기대자)하고 不賢者(불현자)는

識其小者이라 莫不有文武之道焉아 夫子焉不學아 而亦
何常師之有아

해설 위나라의 공손조가 자공에게 묻기를、「중니(仲尼)께서는 어디서 배우셨읍니까?」 자공이 말하기를、「문왕과 무왕의 도가 아직 땅에 떨어지지 않고 사람들 사이에 남아 있으니、현자는 그 큰 것을 기억하고 그렇지 못한 사람은 작은 것을 기억하고 있으니、문왕과 무왕의 도가 없는 곳이 없읍니다. 저의 선생님께서야 어디에선들 배우지 않은 데가 있겠읍니까、그리고 어찌 일정한 스승이 있었겠읍니까.」 즉、공자는 성현과 소인을 가리지 않고 얻어서 취할 것은 취하는 자세로 배웠다는 말이다.

叔孫武叔이 語大夫於朝曰 子貢이 賢於仲尼라하니 子服
景伯이 以告子貢한대 子貢曰 譬之宮牆컨대 賜之牆也及
肩이라 窺見室家之好와어니 夫子之牆은 數仞이라 不得其門而
入이면 不見宗廟之美와 百官之富니 得其門者或寡矣라
夫子之云이 不亦宜乎아

해설 숙손무숙(叔孫武叔)이 조정에서 한 대부에게 말하기를、「자공이 중니보다 더 현명하다.」 자복경백(子服景伯)이 이 말을 자공에게 전하자、자공이 말하기를、「궁궐의 담에 비유한다면 저의 담은 겨우 어깨에 차서 방과 집의 좋은 것을 다 들여다 볼 수 있읍니다. 선생님의 담은 몇 길이나 되어서 그 문을 찾아 들어가지 않는다면 종묘의 아름다움과 백관(百官)의 부함을 보지 못합니다. 그러나 그 문을 찾아 들어간 자가 별로 없는지라, 그분이 그렇게 말하는 것도 당연한 일이지요.

즉, 자공이 애공 때 등용되어 여러 차례 어려운 일을 해내자 대부인 숙손무숙이 공자보다 그를 더 높이 평가하였다. 그러자 자공은 공자의 인격이 너무 높고 훌륭하여 아무나 알아볼 수 없음을 말한 것이다.

叔孫武叔이 毀仲尼어늘 子貢曰 無以爲也하라 仲尼는 不可毀也니 他人之賢者는 丘陵也라 猶可踰也어니와 仲尼는 日月也라 無得而踰焉이니 人雖欲自絶이나 其何傷於日月乎리오 多見其不知量也로다

해설 숙손무숙이 공자를 헐뜯은자, 자공이 말하기를, 「소용이 없는 일이로다. 공자는 감히 헐뜯을 수가 없으니, 다른 현자라면 언덕이나 산과 같아서 그래도 넘을 수가 있겠지만, 공자께서는 마치 해와 달과 같은지라 도저히 넘을 수가 없는 분이다. 사람들이 비록 해와 달과 스스로 인연을 끊으려 하나 그렇게 한들 해와 달을 어떻게 손상시키겠는가, 자신의 지각없음만 훤히 드러낼 뿐이로다.」

즉, 공자를 해와 달에 비유하여 스승의 인격을 옹호하는 자공의 말이다.

陳子禽謂子貢曰 君子一言에 以爲知하며 一言에 以爲不知니 言不

子爲恭也언정 仲尼豈賢於子乎리오 子貢曰

可不愼也니라 夫子之不可及也는 猶天之不可階而升也니라

夫子之得邦家者인댄 所謂立之斯立하며 道之斯行하며 綏之斯來하며 動之斯和하며 其生也榮하고 其死也哀니 如之何

其可及也리오

堯曰(요왈)

해설 진자금(陳子禽)이 자공에게 말하기를, 「선생님께서 겸손한 것입니다. 공자가 어찌 선생님보다 현명하겠읍니까?」 자공이 말하기를, 「군자는 한 마디로 지혜로와지기도 하고, 또 그렇지 않을 수도 있으니, 말은 조심하지 않을 수 없느니라. 선생님에게 미칠 수 없는 것은 마치 층계를 밟고 하늘에 오를 수 없는 것이나 같으니라. 선생님께서 만일 제후국을 맡아 다스린다면, 이른바 세우면 서고, 이끌면 따라가고, 어루만지면 모이고, 움직이면 조화를 이룬다는 말 그대로여서, 살아 계시면 기쁨이요, 돌아 가시면 슬퍼할 것이니, 어찌 그분에게 미칠 수 있으리요.」

즉, 진나라의 자금이 자공을 공자보다 낫다고 하자, 이번에는 공자를 하늘에 비유하여 가당치 않은 말로 일축해 버리는 말이다.

堯曰 咨爾舜 天之曆數在爾躬 允執其中 四海
困窮 天祿 永終 舜 亦以命禹 曰 予小子履
敢用玄牡 敢昭告于皇皇后帝 有罪 不敢赦
帝臣不蔽 簡在帝心 朕躬有罪 無以萬方 萬方
有罪 罪在朕躬 周有大賚 善人 是富 雖有周
親 不如仁人 百姓有過 在予一人 謹權量 審
法度 修廢官 四方之政 行焉 興滅國 繼絕世
舉逸民 天下之民 歸心焉 所重 民食喪祭
寬則得衆 信則民任焉 敏則有功 公則說

해설 요임금이 말하기를, 「아아, 너 순아. 하늘의 역수(曆數)가 너의 몸에 있으니 진실로 그 중용을 취할 지니라. 사해(四海)가 곤궁해지면 하늘의 녹이 영원히 끊어지리라.」 순임금도 이 말을 우임금에게 일러 주었다.」

은나라 탕왕이 말하기를, 「나 불초한 리(履)는 검은 황소를 제물로 바쳐 감히 높고 위대하신 천제께 밝히어 고하옵니다. 죄 있는 자는 감히 용서할 수 없으며, 천제의 신하들을 버려 둘 수가 없으니 이를 분별함은 오직 천제의 마음에 달려 있나이다. 짐(朕)이 지은 죄는 만백성들에게 있는 것이 아니라, 만백성들이 지은 죄만이 오로지 짐에게 있는 것이니이다.」

그때에 무왕이 말하기를, 「주나라에는 하늘이 내려 준 큰 은혜가 있어, 선량한 사람들이 많으니라. 비록 은나라의 주왕에게 많은 지친(至親)이 있다 하나, 그것은 주나라의 인한 사람이 많은 것만 못하다. 백성들이 지은 죄는 나 한 사람에게 있는 것이니라.」

무왕은 저울 추와 말(斗)을 엄중히 다스리고 모든 예악과 제도를 자세히 살피고, 폐지했던 관서(官署)를 다시 세우자 천하 사방의 정사가 바르게 시행되었다. 멸망한 나라를 다시 일으키고, 끊어진 대를 이어 두고, 초야에 묻힌 인재를 등용하자 천하의 민심은 그에게로 돌아갔다. 무왕은 백성과 양식과 상사(喪事)와 제사를 소중히 다스렸다. 관대하면 백성의 지지를 얻고, 신의가 있으면 백성들이 신임하고, 근면하면 업적이 쌓이고, 공정하면 백성들이 기뻐하느니라.

즉, 이 문장은 네 단락으로 나뉘어져 있는데, 첫째 단락은 요임금이 순임금에게 왕위를 물려 주면서 일러 준 교훈이다. 두 번째 단락은 은나라 탕왕이 하나라의 걸왕을 토벌할 때 한 말이다. 천명을 거역하고 백성을 곤궁에 빠뜨린 폭군을 용서할 수 없어서 토벌하려 한다는 뜻이다. 세 번째 단락은 주나라 무왕이 은나라의 마지막 임금인 주왕을 토벌할 때 한 말이다. 그리고 마지막으로 네 번째 단락은 주나라 무왕이 천하를 다스린 뒤에 그의 덕행을 칭송하는 말이다.

㈜ 천록(天祿): 하늘이 내려준 천자의 지위.

子張問於孔子曰 何如 斯可以從政矣

五美 屏四惡 斯可以從政矣 子張曰 何謂五美

子曰 君子 惠而不費 勞而不怨 欲而不貪

泰而不驕하며 威而不猛이라 子張曰 何謂惠而不費꼬 子

曰 因民之所利而利之니 斯不亦惠而不費乎아 擇可

勞而勞之어니 又誰怨이리오 欲仁而得仁이어니 又焉貪이리오 君子無

衆寡하며 無小大히 無敢慢하나니 斯不亦泰而不驕乎아 君子

正其衣冠하며 尊其瞻視하야 儼然人望而畏之하나니 斯不亦威

而不猛乎아 子張曰 何謂四惡이꼬 子曰 不敎而殺을

謂之虐이요 不戒視成을 謂之暴요 慢令致期를 謂之賊猶

之與人也로되 出納之吝을 謂之有司니라

해설 자장이 공자에게 묻기를, 「어떻게 하여야 정치에 종사할 수 있나이까?」 공자가 말하기를, 「다섯 가지의 미덕을 존중하고 네 가지의 악덕이라 물리칠 수 있다면 정치에 종사할 수 있느니라.」 자장이, 「무엇을 다섯 가지 미덕이라 합니까?」 공자가 말하기를, 「군자는 은혜를 베풀되 낭비하지 않으며, 수고를 시키되 원망을 사지 않으며, 하고자 하되 탐욕을 내지 않으며, 태연하되 교만하지 않으며, 위엄이 있으되 사납지 않아야 하느니라.」

자장이 말하기를, 「은혜를 베풀되 낭비하지 않는다 함은 무엇을 말합니까?」 공자가 말하기를, 「백성의 이로운 것에 따라서 이로움을 행한다면, 이것이 곧 은혜를 베풀되 낭비하지 않는 것이 아니겠느냐, 마땅히 수고할 만한 것을 가려서 백성들을 동원시킨다면, 또 누가 원망을 하겠는가. 선함을 베풀고자 하여 인정을 베푼다면, 그 무슨 탐욕스러운 것이 있겠는가, 군자가 사람이 많거나 적거나, 작거나 크거나를 가리지 않고 감히 소홀하게 다루는 일이 없다면, 이 또한 태연하되 교만하지 않은 것이 아니겠는가. 군자는 그의 관을 단정히 하고, 표정을 엄숙히 하면, 그 엄숙한 모양을 사람들이 바라보고 두려워하는 것이니, 이 또한 위엄이 있되 사납지 않는 것이 아니겠느냐.」

자장이 말하기를, 「무엇이 네 가지 악덕입니까?」 공자가 말하기를, 「백성들을 가르치지 않고 죽이는 것은 잔학하다고 이르며, 미리 경계하지 않고서 일의 결과를 재촉하는 것은 난폭하다고 하며, 소홀하게 명령을 해 놓고 시기를 재촉하는 것은 해친다고 이르며, 마땅히 나누어 주어야 할 것을 내주기에 인색하게 구는 것을 유사(有司)라고 이르니라.」

즉, 정치는 국민의 행복과 국가의 발전을 위하여 필요한 것으로, 위정자가 갖추어야할 다섯 가지 미덕과 네 가지 악덕을 말한 것이다. 다섯 가지 미덕은 국민의 복리를 도모할 뿐 자신의 낭비를 금할 것과, 백성을 동원함과 세금의 부과는 국민이 원망하지 않도록 할 것, 인정을 베풀 때는 과욕을 내고 사리 사용을 버릴 것, 큰 일이나 작은 일이나 신중히 처리할 것과 그리고 위엄을 잃지 않고 난폭하지 말 것 등이다. 또 네 가지 악덕은 백성을 가르치지 않고 죄로 다스리는 것과 미리 경계시키지 않고 결과만 보고서 나무라는 것, 명령을 소홀히 하고서 일의 완성을 독촉하는 것과 그리고 의당히 주어야 할 것을 주지 않으려 하는 것이다.

子曰 不知命이면 無以爲君子也오 不知禮면 無以立也니라
不知言이면 無以知人也니라

자왈 부지명 무이위군자야 부지례 무이립야
부지언 무이지인야

해설 공자가 말하기를, 「천명을 알지 못하면 군자가 될 수 없고, 예를 알지 못하면 세상에 설 수 없으며, 말을 알지 못하면 남을 알아 볼 수가 없느니라.」 즉, 천명을 알아야 하고, 예를 알아야 하며, 또 교양을 갖춰 말귀를 알아들을 수 있어야 군자가 된다는 뜻이다.

朱子十悔 (주자십회)

不孝父母死後悔 (불효부모사후회)
부모에게 효도하지 않으면 죽은 뒤에 뉘우친다.

不親家族疎後悔 (불친가족소후회)
가족에게 친절치 않으면 멀어진 뒤에 뉘우친다.

少不勤學老後悔 (소불근학노후회)
젊을때 부지런히 배우지 않으면 늙어서 뉘우친다.

安不思難敗後悔 (안불사난패후회)
편할때 어려움을 생각하지 않으면 실패한 뒤에 뉘우친다.

富不儉用貧後悔 (부불검용빈후회)
편할 때 아껴쓰지 않으면 가난한 후에 뉘우친다.

春不耕種秋後悔 (춘불경종추후회)
봄에 종자를 갈지 않으면 가을에 뉘우친다.

不治垣墻盜後悔 (불치담장도후회)
담장을 고치지 않으면 도적 맞은 후에 뉘우친다.

色不謹愼病後悔 (색불근신병후회)
색을 삼가치 않으면 병든 후에 뉘우친다.

醉中妄言醒後悔 (취중망언성후회)
술 취할 때 망언된 말은 술 깬뒤에 뉘우친다.

不接賓客去後悔 (불접빈객거후회)
손님을 접대하지 않으면 간 뒤에 후회한다.

原本解說 大學·中庸
대학 중용

머리말

〈대학〉이라는 책은 옛날 태학에서 사람들을 가르치던 법을 다룬 것이다.

대저 하늘이 사람을 세상에 내실 때부터, 이미 인·의·예·지의 본성을 부여해 주시지 않음이 없건만, 그러나 그 타고난 기질이 다 한결같을 수가 없기 때문에, 이로하여 모든 사람마다가 자기의 본성이 지니고 있는 바를 능히 그 본성을 다 발휘하는 이가 그들 사이에서 나이리하여 일단 총명하고 예지가 있어 능히 그 본성을 다 발휘하는 이가 그들 사이에서 나오기만 하면, 하늘은 반드시 그에게 명하여 억조창생의 군사가 되게 하시어, 그로 하여금 그들을 다스리어 교화하게 하여 각기 그 본성을 되찾게 하셨던 것이다.

이것이 곧 복희·신농·황제·요·순과 같은 어진 임금들이 하늘의 뜻을 이어 법도를 세우고, 사도의 직책과 전악의 관직을 설치하게 된 까닭이었던 것이다. 삼대가 융성했던 때에 그 법제가 차차로 갖추어진 뒤에는, 왕궁이나 국도로부터 항간에 이르기까지 학교 없는 곳이 없어, 사람이 나서 여덟 살이 되면 왕공의 자제로부터 서민의 자제에 이르기까지 다 소학에 입학하게 하여, 그들에게 물뿌리고 쓸고 응대하는 절도와 예법·음악·활쏘기·말몰기·글쓰기·셈하기를 가르치게 하였다.

대저 상고시대에 성인이-하늘을 이어 법도를 세우면서부터 도의 전통이 전승되어 오기 시작했으니, 그 경서에 나타난 것으로는 「진실로 그 중을 잡으라」고 한 것은 요임금이 순임금에게 전수해 준 것이요. 「사람의 마음은 위태롭고 도의 마음이 미묘한 것이니 오로지 정밀히 하고, 한결같이 하여야 그 중을 잡게 되리라」고 한 것은 순임금이 우임금에게 전수해 준 것이 어니와, 요임금의 한 마디가 반드시 그와 같이 한 뒤에야 해낼 수 있음을 밝힌 것이다.

대개 이것을 논해 보건대, 마음의 허령과 지각이 하나일 뿐이로되, 인심과 도심의 차이가 있게 되는 까닭은, 그것이 때로는 형체와 기질의 사사로움에서 생기고, 또 때로는 본성의 올바름에 근원하여, 그 지각케 함이 다르기 때문이다. 이런 까닭으로 때로는 위태로와 불안하기도 하고, 때로는 작고 묘하여 나타나기 어려울 뿐인 것이다.

그러나 사람은 누구나 이 형체와 기질을 지니지 않은 사람이 없기 때문에, 아무리 가장 지혜로운 사람이라 할지라도 인심이 없을 수 없고, 또 그와 같은 본성을 지니지 않은 사람이 없기 때문에, 아무리 가장 어리석은 사람이라 할지라도 도심이 없을 수 없는 것이다. 이 두가지가 마음 속에 뒤섞여 있어, 그것을 다스리는 방법을 모르면 위태로운 것은 더욱 위태로와지고, 미묘한 것은 더욱 미묘해져서, 하늘의 이치의 공명정대함이 마침내 저 사람의 욕심의 사사로움을 이겨낼 수 없게 되는 것이다.

231

大學(대학)

大學之道는 在明明德하며 在親民하며 在止於至善이니

해설 대학의 도는 밝은 덕을 밝히는 데 있으며, 백성을 새롭게 함에 있으며, 지극히 선한 데 머무르게 하는 데 있다.

주 지어지선 : 지극한 선에 머무름. 지선은 가장 당연함의 뜻.
즉, 명명덕, 신민, 지어지선은 대학의 세 강령이라는 뜻이다.

知止而后에 有定이니 定而后에 能靜하며 靜而后에 能安하며 安而后에 能慮하며 慮而后에 能得이라니

해설 머무를 곳을 안 뒤에야 정함이 있고, 정한 뒤에야 흔들리지 않을 수 있고, 흔들림이 없는 뒤에야 편안할 수 있고, 편안한 뒤에야 생각할 수 있고, 생각한 뒤에야 얻을 수 있다. 즉, 자기가 머물러야 할 지선을 알고 나서 지선을 얻게 되기까지의 근거를 밝힌 내용이다.

주 려 : 사리를 생각하여 올바로 판단함.
득 : 머무를 데를 얻음. 지선에 머물게 됨.

物有本末하고 事有終始하니 知所先後면 則近矣니라

해설 모든 사물에는 근본과 말단이 있고, 하는 일에는 끝남과 시작이 있다. 먼저 하고 뒤에 할 바를 알면, 도에 가까와질 것이다.
즉, 근본과 시작을 먼저 행하고 말단과 끝은 뒤에 해야 하는 것이다. 이 이치를 알아서 행하는 것이 대학 지도에 가까이 이르는 방법이라는 뜻이다.

古之欲明明德於天下者는 先治其國하고
欲治其國者는 先齊其家하고
欲齊其家者는 先修其身하고
欲修其身者는 先正其心하고
欲正其心者는 先誠其意하고
欲誠其意者는 先致其知하니
致知는 在格物이라하니

해설 옛날에 밝은 덕을 천하에 밝히려는 이는 먼저 자기의 나라를 다스렸고, 그 나라를 다스리려는 이는 먼저 자신의 한 몸을 수양하려는 이는 먼저 자신의 마음을 바르게 하였고, 그 마음을 바르게 하려는 이는 먼저 자신의 의지를 성실하게 하려는 이는 먼저 지식을 이루는 데 있다. 지식을 이루는 데 있다.

즉, 나라를 잘 다스리려 한 임금은 먼저 자기의 한 몸을 잘 닦아야 하고, 한 몸을 잘 닦으려면 먼저 몸의 주인인 마음을 바로잡아야 하고, 마음을 바로잡으려면 먼저 그 근원인 뜻을 진실되게 해야 하며, 뜻을 진실되게 하려면 먼저 뜻의 근본인 앎을 철저히 이루어야 하고, 앎을 이루려면 먼저 그 대상인 사물들의 이치를 분명히 밝혀야 한다는 뜻이다.

物格而后에 知至 知至而后에 意誠 意誠而后에 心
正 心正而后에 身修 身修而后에 家齊 家齊而后에
國治 國治而后에 天下平이니

해설 사물을 분석한 뒤에야 앎이 이루어지고, 앎이 이루어진 뒤에야 의지가 성실해지고, 의지가 성실하여
진 뒤에야 마음이 바르게 되고, 마음이 바르게 된 뒤에야 한 몸이 수양되고, 한 몸이 수양된 뒤에야 한 집
안이 바로잡히고, 한 집안이 바로잡힌 뒤에야 한 나라가 다스려지고, 한 나라가 다스려진 뒤에야 천하가 화
평하여진다.

즉, 사물의 이치를 궁구한 뒤에라야 앎이 철저해지고, 앎을 철저히 하려면 먼저 사물의 이치를 깊이 궁구
해야 하고, 사물의 이치를 깊이 궁구하면 앎은 절로 이루어지고, 또 앎이 없으는 뜻을 진실되게 할 수 없고,
뜻을 진실되게 하면 마음은 절로 바르게 되고, 마음을 바르게 하면 몸은 절로 닦이며, 몸을 닦아 언행이 바
른 뒤에라야 집안의 화합을 이룰 수 있고, 한 집안을 다스리지 못한다면 어찌 나라를 다스릴 수 있으며, 한
나라를 다스리지 못하고서 어찌 천하를 태평하게 바로잡을 수 있겠느냐는 뜻이다.

自天子 至於庶人 壹是皆以修身 爲本이니 其本亂
而末治者 否矣며 其所厚者 薄이오 而其所薄者 厚
未之有也니라

해설 천자로부터 서인에게 이르기까지 한결같이 자신의 수양을 근본으로 하여야 한다. 그 근본이 어지럽고 서 말단이 다스려지는 법은 없으며, 후하게 해야 할 데에 박하게 하고서, 박하게 해야 할 데에 후하게 할 수는 없다.

즉, 천하를 다스리는 천자로부터 일반 서민에 이르기까지, 모든 사람이란 모름지기 자기의 한 몸 닦는 것을 근본으로 삼아야 한다는 뜻이다.

㊟ 소후자 : 두터이 해야 할 처지.

明明德(명명덕)

康誥에 曰 克明德이며 大甲에 曰 顧諟天之明命이니 帝
典에 曰 克明峻德이니 皆自明也라이니

해설 〈강고〉에 말하기를, 「명덕을 잘하라」 하였으며, 〈제전〉에 말하기를, 「위대한 덕을 잘 밝히라」 하였다. 이 모두가 스스로 밝은 덕을 밝히라 는 것이다.

즉, 사람은 누구나 하늘로부터 받은 밝은 덕성을 지니고 있으며, 군자의 학문은 이 타고난 덕성을 스스로 밝혀 몸을 닦음으로부터 시작된다는 뜻이다.

㊟ 고 : 항상 눈길을 두어서 살핌.

新民(신민)

湯之盤銘(탕지반명)에 曰(왈) 苟日新(구일신)이어든 日日新(일일신)하고 又日新(우일신)이며 康誥(강고)에 曰(왈) 作新民(작신민)이며 詩(시) 曰(왈) 周雖舊邦(주수구방)이나 其命維新(기명유신)이라니 是故(시고) 君子(군자)는 無所不用其極(무소불용기극)이니

해설 옛날 탕왕의 반명에 말하기를, 「만일 하루 만이라도 새롭게 할 수 있거든 날마다 새롭게 하고 또 나날이 새롭게 하라」 하였다. 〈강고〉에 말하기를, 「새롭게 되는 백성을 진작 시키라」 하였다. 〈시경〉에는 말하기를, 「주나라는 비록 오래된 나라이나 그 천명은 새롭다」 하였다. 그러므로 군자는 그 최선을 다하지 않은 바가 없다.

즉, 탕왕의 반명과 강고와 시경의 말을 인용하여 신민의 세 단계를 보여 수고 있다.

㊟ 무소불용 : 쓰지 않는 데가 없음. 즉 자기의 덕을 높이는 데나 백성을 새롭게 하는 데나 다 씀의 뜻.

止至善(지지선)

詩 云 邦畿千里여 惟民所止라니 詩 云 緡蠻黃鳥 止于丘隅라 子曰 於止에 知其所止니로서 可以人而不如鳥乎아

해설 〈시경〉에서 말하기를, 「서울 땅 천 리를 오직 백성들이 머무르는 곳이라」 하였다. 〈시경〉에 말하기를, 「조그마한 저 꾀꼬리여! 언덕 풀 우거진 한 구석에 머물렀구나」 했다. 이에 공자가 말씀하시기를, 「그 머무를 곳을 알고 머물렀으니, 사람이 새만도 못하단 말인가」 하였다. 즉, 지선에 머물러야 함을 〈시경〉과 공자의 말씀을 인용하여 강조하고 있다.

詩 云 穆穆文王이여 於緝熙敬止라 爲人君엔 止於仁 爲人臣엔 止於敬하시 爲人子엔 止於孝하시 爲人父엔 止於慈하시 與國人交엔 止於信이니

해설 〈시경〉에 말하기를, 「덕이 높으신 문왕이시여! 아! 한없이 밝으시며 고요히 계시었도다」 하였다. 그는 남의 왕이 되어서는 인에 머물렀고, 남의 신하가 되어서는 공경에 머물렀고, 남의 아들이 되어서는 효도에 머물렀고, 남의 아버지가 되어서는 사랑에 머물렀고, 남들과 사귐에 있어서 믿음에 머물렀었다.

주 경지 : 공경하여 지선에 머무름.
즉, 주문왕이 언제나 지선에 머물렀음을 예찬한 내용이다.

詩云 瞻彼淇澳한데 菉竹猗猗로다 有斐君子여 如切如磋며 如琢如磨라 瑟兮僩兮며 赫兮喧兮니 有斐君子여 終不可諠今니라 如切如磋者는 道學也이오 如琢如磨者는 自修也이오 瑟兮僩兮者는 恂慄也요 赫兮喧兮者는 威儀也요 有斐君子終不可諠今者는 道盛德至善을 民之不能忘也라니

해설 〈시경〉에 말하기를, 「저 기수의 물굽이를 바라다보니 녹죽의 풀이 우거졌구나. 빛나는 군자의 얼굴, 자르는 듯 깎은 듯, 쪼은 듯 가는 듯 차근하고 꿋꿋함이여! 빛나는 군자임을 잊을 길이 없도다」하였다. 자르는 듯 깎은 듯하다는 것은 배움을 말한 것이요, 쪼은 듯 가는 듯하다는 것은 스스로 수양함을 말한 것이요, 차근하고 꿋꿋하다는 것은 내심이 공손하고 엄정하다는 말이요, 빛나는 군자임을 잊을 수 없다는 것은 그 덕망과 착한 행동을 백성들이 잊을 수 없음을 말한 것이다.

즉, 기수 물가에 무성하게 자란 대나무숲의 아름다움으로 시상을 일으켜 위나라 무공의 아름다운 덕을 읊은 시경의 시를 인용하여, 높은 덕은 백성들이 잊지 못하고 따름을 말한 내용이다.

詩云 於戲라 前王不忘이니 君子는 賢其賢而親其親

小人은 樂其樂而利其利니 此以沒世不忘也라이니

해설 《시경》에 말하기를, 「아아! 전대의 옛 왕을 잊을 수 없도다」 하였다. 군자들은 그 어진 것을 어질게 알고, 그 친한 것을 친하게 여긴다. 소인들은 그 마음을 기쁘게 하는 것을 기쁘게 하며, 그 이롭게 하는 것을 이롭게 한다. 이것으로 세상에서 영원히 잊지 못하는 것이다.

즉, 시경을 인용하여 주문왕·주무왕의 신민의 덕이 극치에 이르러 후세의 임금과 백성들이 그 덕을 잊지 않고 사모함을 나타냈다.

本末(본말)

子曰 聽訟이 吾猶人也니 必也使無訟乎하니 無情者不
得盡其辭는 大畏民志니 此謂知本라이니

해설 공자가 말하기를, 「송사를 들어서 처리함은 나도 남과 같을 것이나, 나는 반드시 송사가 생기지 않도록 하겠다.」 하였다. 진실이 없는 사람들로 그 변명을 다하지 못하게 함은 백성들이 뜻을 두려워하게 함이다. 이것을 일러 근본을 안다고 한다.

즉, 공자의 말씀을 인용하여, 덕을 밝게 폄이 근본이요. 소송을 공평하게 처리함은 말단임을 나타냈다.

格物致知（격물치지）

此謂知本이라 此謂知之至也라이니

해설 이것을 일러 근본을 안다고 하며, 이를 일러 앎이 이루어졌다 한다. 즉, 치지에 대한 글이다.

所謂 致知在格物者는 言欲致吾之知 在即物而窮
其理也라 蓋人心之靈이 莫不有知 而天下之物이 莫
不有理이면 惟於理에 有未窮故로 其知 有不盡也니 是
以 大學始教에 必使學者로 即凡天下之物하여 莫不因
其已知之理 而益窮之하여 以求至乎其極하니 至於用力

之久 而一旦에 豁然貫通焉 則衆物之表裏精粗無
不到 而吾心之全體大用이 無不明矣리니 此謂物格이며
此謂知之至也라이니

해설 이른바 아는 것을 극진하게 하는 것이 사물을 분석함에 있다는 것은, 나의 앎을 극진하게 하려면 사물에 대하여 그 이치를 분석함에 있음을 말한다. 대개 사람의 심령은 앎이 없을 수 없고 천하의 모든 사물은 저마다 이치가 없는 것이 없다. 그러나 오직 그 이치를 깊이 분석하지 못하므로 미진한 데가 있다. 그러므로 대학에서 맨 먼저 가르치기를, 반드시 배우는 이로 하여금 천하의 사물에 대하여 그 이미 알고 있는 이치에 근거하여 그 극치에 도달하지 않게 함이 없게 했다. 이러한 노력을 오래 하게 되면 하루 아침에 활짝 트이게 되어서 모든 사물의 겉과 속이며 정밀하거나 추잡한 것이 드러나지 않는 것이 없게 되고, 내 마음의 체계와 대체적인 행동이 밝아지지 않음이 없을 것이다. 이것이 이른바 사물을 궁극적으로 분석하는 것이다.

즉, 대학교육의 목표는 말할 것도 없이 수신·제가·치국·평천하에 두고 있어, 자기 한 몸의 밝은 덕을 밝혀 몸을 닦음을 덕의 시발점을 삼는다는 뜻이다.

誠意(성의)

所謂 誠其意者는 毋自欺也니 如惡惡臭하며 如好好色

해설 소위 그 뜻을 성실하게 한다는 것은 자기 스스로를 속이지 않는 것이다. 마치 독한 냄새를 싫어하듯 하며, 좋은 빛을 좋아하듯 하는 것이 자기 만족이라 하는 것이다. 그러므로 군자들은 반드시 남이 보지 않는 곳에서도 조심한다. 즉, 자기의 마음을 바르게 하는 근본인 뜻을 참되게 하는 길은 스스로가 자신을 속이지 않는 데서부터 시작된다는 뜻이다.

此之謂自謙이니 故로 君子는 必愼其獨也니라

小人이 閒居에 爲不善한데 無所不至하다 見君子而后에 厭
然揜其不善하고 而著其善하나 人之視己
則何益矣리오 此謂誠於中이면 形於外니 故로 君子는 必
愼其獨也니라

해설 소인들은 혼자 있을 때 선하지 않은 행동을 못할 짓이 없이 하다가 군자들을 대할 때에는 천연스럽게 그 선하지 않은 일을 가리고 선한 일을 나타내보이려 한다. 남들이 자기 보기를 마치 제 몸에 있는 허파나 쓸개를 보듯 하나니, 그렇다면 무슨 소용이 있으랴. 이것을 일러 안에서 성실하면 밖으로 나타난다는 것이니, 이 까닭에 군자는 반드시 남이 보지 않는 곳에서도 조심한다. 즉, 아무리 남이 모르는 마음 속에 숨길지라도, 그 악함은 절로 겉으로 나타나 세상 사람들의 눈에 환히 드러나므로, 사람은 자신의 마음을 스스로 삼가야 한다는 뜻이다.

曾子曰 (증자왈) 十目所視며 (십목소시) 十手所指니 (십수소지) 其嚴乎 (기엄호) 인데

해설 증자가 말하기를, 「열 눈이 보는 바이며, 열 손이 가리키는 것이니, 두려운 일이로다」했다.

즉, 많은 사람들의 눈길이 나를 항시 감시하고 있으며, 많은 사람들의 손가락이 항상 나를 가리키고 있어, 그들의 눈길은 항상 내 뱃속까지 꿰뚫어 보고 있으니, 어찌 가히 한시라도 속 마음을 삼가고 두려워하지 않을 수 있겠느냐는 뜻이다.

富潤屋이오 (부윤옥) 德潤身이라 (덕윤신) 心廣體胖니하나 (심광체반) 故로 (고) 君子는 (군자) 必誠其意 (필성기의) 니라

해설 부는 집을 윤택하게 하고, 덕은 몸을 윤택하게 한다. 마음이 유쾌해지면 몸도 살찐다. 이 까닭에 군자는 반드시 그 심지를 성실하게 하는 것이다.

즉, 부자는 그 집을 윤택하게 하고, 덕이 있는 사람은 그 몸을 윤택하게 한다는 것이다. 마음이 공명정대하여 조금의 악함도 없어야 몸이 항상 안락해질 수 있다는 뜻이다.

正心修身（정심수신）

所謂 (소위) 修身在正其心者는 (수신재정기심자) 身有所忿懥하면 (신유소분치) 則不得其正 (즉부득기정)

하고
有所恐懼(유소공구)하면 則不得其正(즉부득기정)하고 有所好樂(유소호요)하면 則不得其正(즉부득기정)

하고
有所憂患(유소우환)이니 則不得其正(즉부득기정)하고 心不在焉(심부재언)이면 視而不見(시이불견)이면

청이불문
聽而不聞(청이불문)하고 食而不知其味(식이부지기미)니라 此謂修身在正其心(차위수신재정기심)이라

주(註) 심부재언 : 마음이 이에 있지 않음. 마음이 바름에 있지 않음.

해설 이른바 몸을 수양함이 그 마음을 바르게 함에 있다는 것은, 마음에 노여워함이 있으면 그 바른 마음을 얻지 못하고, 마음에 두려워함이 있으면 그 바른 마음을 얻지 못하고, 마음에 걱정함이 있으면 그 바른 마음을 얻지 못한다는 말이다. 마음에 있지 않으면 보아도 보이지 않으며, 들어도 들리지 않으며, 먹어도 그 맛을 알지 못한다. 이것을 일러서 몸 수양하는 것이 그 마음을 바르게 함에 있다 한 것이다. 즉, 마음은 그 사람의 주인이니, 사람은 자신의 몸을 바르게 수양하려면 먼저 그 마음이 올바른 상태에 있어야 한다는 뜻이다.

修身齊家(수신제가)

所謂(소위) 齊其家(제기가) 在修其身者(재수기신자)는 人(인)이 之其所親愛而辟(지기소친애이벽)

244

焉하며 之其所賤惡而辟焉하며 之其所畏敬而辟焉하며 之其
所哀矜而辟焉하며 之其所敖惰而辟焉하니 故로 好而知其
惡하며 惡而知其美者는 天下에 鮮矣니라

해설 이른바 한 집안을 다스림이 그 몸을 수양하는데 있다고 하는 것은, 사람은 자기의 친하고 사랑하는 이에게 치우치며, 자기가 대수롭지 않게 알고 미워하는 이에게 치우치며, 자기가 불쌍히 알고 가긍하게 여기는 이에게 치우치며, 자기가 오만해 하고 무례하게 여기는 이에게 치우친다. 그러므로 좋아하여도 나쁜 점을 알아야 하고, 미워하여도 그 좋은 점을 알아주는 이가 세상에 드문 것이다.

즉, 사람은 자기 한 몸의 인격을 수양하는 수신이 가장 근본적인 일이다. 자기의 인격이 도야되어 있지 않다면 세상에 설 수가 없고, 더구나 남을 다스릴 수 없다는 뜻이다.

故로 諺에 有之曰 人이 莫知其子之惡하며 莫知其苗之
碩이라니 此謂身不修면 不可以齊其家니라

해설 그러므로 속담에 말하기를, 「사람들이 자기 자식의 악함을 모르고, 자기 밭의 곡식 싹이 장성한 것을 모른다」하였다. 이것을 일러, 자신을 수양하지 못하면 한 집안을 다스리지 못한다고 한다.

즉, 사람의 마음이란 닦지 않고서는 공명정대함을 이루기 어려워 집안조차 잘 다스려 나갈 수 없다는 뜻이다.

245

齊家治國(제가치국)

所謂 治國이 必先齊其家者는 其家 不可敎오 而能
敎人者가 無之하니 故로 君子는 不出家而成敎於國이니하나 孝
者는 所以事君也오 弟者는 所以事長也오 慈者는 所以
使衆也니라

해설 이른바 한 나라를 다스리려면 반드시 먼저 자기 집안을 바로잡는 데 있다는 것은, 자기 한 집안을 교화시키지 못하면서 남을 교화시킬 수 없기 때문이다. 그런 까닭에 군자들은 집을 나서지 않고서도 일국의 교화를 이룩할 수 있다는 것이다. 부모에 바치는 효도로 왕을 섬기게 하며, 형을 공경하는 것으로 어른을 섬기게 하며, 자식들을 자애하는 것으로 백성들을 다스릴 수 있는 것이다. 즉, 집안을 잘 다스림이 곧 나라를 다스림에 통한다는 뜻이다.

康誥 曰 如保赤子니라 心誠求之면 雖不中이나 不遠矣

未有學養子而后에 嫁者也니라

해설 〈강고〉에 말하기를, 「갓난아이를 돌보듯 하라」 하였다. 마음으로 성실하게 노력하면 비록 꼭 그대로 되지는 않더라도 그다지 멀지는 않을 것이다. 자식을 기르는 방법을 배운 뒤에 시집갔다는 사람은 아직 없다.
즉, 위정자가 진정한 사랑으로써 정성껏 백성들을 보살핀다면 백성들을 안락하게 해 줄 수 있다는 뜻이다.

一家仁이면 一國이 興仁하고 一家讓이면 一國이 興讓하며 一人이 貪戾하며 一國이 作亂하니 其機如此하니 此謂一言이 僨事며 一人이 定國이니라

해설 한 집안이 어질면 온 나라가 어질게 되고, 한 집안이 겸손하면 온 나라가 겸손하게 되고, 한 사람이 욕심 있고 도리에 어긋나면 온 나라가 어지러워진다. 그 영향됨이 이와 같은 것이니, 이른바 말 한 마디가 일을 그르치고 사람 하나가 한 나라를 안정시킨다는 것이다.
즉, 위정자 한 사람의 덕과 한 집안의 덕이 온 국가에 영향을 미친다는 뜻이다.

堯舜이 帥天下以仁하신대 而民이 從之하고 桀紂가 帥天下以暴한대 而民이 從之하니 其所令이 反其好면 而民이 不從하니

是故시고로 君子군자는 有諸己而后유저기이후에 求諸人구저인하며 無諸己而后무저기이후에
非諸人비저인하니 所藏乎身不恕소장호신불서오 而能喩諸人者이능유저인자가 未之有也미지유야
故고로 治國치국이 在齊其家재제기가니라

해설 옛날 요순같은 임금이 천하를 인자와 사랑으로 거느리자 백성들이 이를 따랐다. 이처럼 명령하는 바가 그가 좋아하는 것과 반대되는 것이면 백성들이 따를 수 없다. 그러므로 군자는 자기 몸에 있는 뒤에야 남에게 요구하며, 자기 몸에 없은 뒤에야 남에게 책망할 수 있는 것이니, 자신에게 간직되어 있는 사람은 없다. 그러므로 한 나라를 다스리는 것은 그 한 집안을 다스리는 데 있다. 즉, 자신이 먼저 덕을 닦아 인한 뒤에야 백성을 능히 다스릴 수 있다는 뜻이다.

詩시 云운 桃之夭夭도지요요여 其葉蓁蓁기엽진진다로 之子于歸지자우귀여 宜其家의기가가
人인이니 宜其家人의기가인이후에 可以教國人가이교국인이라니 詩시 云운 宜兄宜의형의
弟제니라하 宜兄宜弟의형의제니라하 可以教國人가이교국인이라니 詩시 云운 其儀不기의불
忒특이라 正是四國정시사국이라니 其爲父子兄弟기위부자형제 足法而后족법이후에 民민이 法법

治國平天下(치국평천하)

所謂(소위) 平天下(평천하) 在治其國者(재치기국자)는 上(상)이 老老(노로)하며 孝(효)하며 上(상)이 長長(장장)하며 而民(이민)이 興弟(흥제)하며 上(상)이 恤孤(휼고) 而民(이민)이 興 倍(배)니하나 是以(시이)로 君子(군자) 有絜矩之道也(유혈구지도야)니라 而民(이민)이 不

之也(지야)니라 此謂治國(차위치국)이 在齊其家(재제기가)니라

해설 〈시경〉에 말하기를, 「복숭아의 고움이여! 그 잎이 윤기난다. 시집가는 아가씨 그 집안 화목하게 하리」하였다. 그 집안을 화목하게 한 뒤에야 한 나라 사람을 교화시킬 수 있다는 말이다. 〈시경〉에 말하기를, 「형은 우애하며 그 동생은 공경한다」하였다. 형은 형의 도리를 하고 동생은 동생의 도리를 하여야 한 나라 사람을 교화시킬 수 있다. 〈시경〉에 말하기를, 「그 법도가 어긋나지 않아야, 모든 나라를 바르게 할 수 있다」하였다. 그 아버지와 아들, 형과 아우가 본받을 만한 뒤에야 백성들이 본받을 것이다. 이를 일러 한 나라 다스리는 것이 한 집안을 다스리는 데 있다는 것이다.

즉, 이 대문은 시경의 세 시를 인용하여 앞에서 말한 나라를 다스리는 근본이 집안을 다스림에 있음을 나타냈다.

해설 이른바 천하를 평화롭게 하는 것은 그 나라를 다스리는 데 있다는 것은, 윗자리에 있는 사람이 늙은이를 늙은이로 대접하면 백성들이 효도를 할 수 있고, 윗자리에 있는 사람이 어른을 어른으로 섬기면 백성들이 공경한 마음을 일으킬 수 있고 윗자리에 있는 사람이 외로운 사람을 돌보아 주면 백성들이 저버리지 않는다. 그러므로 군자는 혈구의 도를 가지고 있는 것이다.

즉, 대저 임금이 노인에게 혈구를 잘 하면 백성들도 부모에게 효도하는 기풍을 일으키게 되고, 임금이 어른에게 어른 대접을 잘 하면 백성들도 어른을 공경하는 기풍을 일으키며, 임금이 의지할 곳 없는 외로운 사람을 불쌍히 여겨 보호하면 백성들도 불순한 마음을 지니지 않는 법이다. 그러므로 군자는 나를 미루어 남을 헤아리는 방법을 지니고 있다는 뜻이다.

所惡於上(소오어상)으로 毋以使下(무이사하)하며 所惡於下(소오어하)로 毋以事上(무이사상)하며 所惡於前(소오어전)으로 毋以先後(무이선후)하며 所惡於後(소오어후)로 毋以從前(무이종전)하며 所惡於右(소오어우)로 毋以交於左(무이교어좌)하며 所惡於左(소오어좌)로 毋以交於右(무이교어우) 此之謂絜(차지위혈) 矩之道(구지도)니라

해설 윗사람에게서 싫어하는 바를 가지고 아랫사람을 부리지 말 것이며, 아랫사람에게서 싫어하는 바를 가지고 윗사람을 섬기지 말며, 앞 사람이 싫다고 할까 보아 뒷사람에게 먼저 시키지 말 것이다. 뒷사람에게서 싫다고 느껴진 바를 가지고 앞 사람을 따르게 하지 말 것이며, 오른쪽 사람에게서 싫다고 느껴진 바를 가지고 왼쪽 사람에게 바뀌지 말 것이며, 왼쪽 사람에게서 싫다고 느껴진 바를 가지고 오른쪽 사람과 바뀌지 말 것이다. 이것을 일러 혈구의 도라하는 것이다.

즉, 혈구지도는, 내 마음을 미루어 남에게 미치게 하고, 내가 원치 않는 바를 남에게 베풀지 말라는 뜻이다.

詩 云 樂只君子여 民之父母니라 民之所好를 好之하며 民之所惡를 惡之 此之謂民之父母니라

해설 〈시경〉에 말하기를, 「기쁘도다 군자시여! 백성들의 부모로다」 하였다. 백성들의 좋아하는 바를 좋아하며 백성들의 싫어하는 바를 싫어하는 것, 이것을 일러 백성의 부모라 하는 것이다. 즉, 혈구지도로 백성을 다스리는 위정자라야 백성들의 부모가 될 수 있다는 뜻이다.

詩 云 節彼南山이여 維石巖巖다이로 赫赫師尹이여 民具爾 瞻이라 有國者 不可以不愼이니 辟則爲天下僇矣니라

해설 〈시경〉에 말하기를, 「깎아 세운 듯한 저 남산이여! 바윗돌 층층이 쌓였고나! 혁혁한 사윤이여! 만백성이 모두 그대로 쳐다보네.」 하였다. 나라를 맡은 자는 삼가지 않을 수 없다. 편벽되면 천하의 역적이 되는 것이다. 즉, 높은 자리에 있을수록 스스로 삼가야 한다는 뜻이다.

詩 云 殷之未喪師에 克配上帝러니 儀監于殷이다 峻命 不易니라 道得衆則得國하고 失衆則失國이니

〈시경〉에 말하기를, 「은나라가 민심을 상실하지 않았을 때에는 상제의 명령에 어김이 없었더니 지금은 은나라를 거울삼아 볼지어다. 천명이 그리 쉬운 일이 아니로다. 민심을 얻으면 나라를 얻고, 민심을 잃으면 나라를 잃게 됨을 나타냈다.

즉, 위정자가 능히 혈구지도를 베풀어 민심을 얻으면 나라를 얻고, 이를 베풀지 못하여 민심을 잃으면 나라를 잃게 됨을 나타냈다.

是故(시고)로 君子(군자)는 先愼乎德(선신호덕)이니 有德(유덕)이면 此有人(차유인)이오 有人(유인)이면 此(차)

有土(유토)요 有土(유토)면 此有財(차유재)오 有財(유재)면 此有用(차유용)이니라

해설 그러므로 군자는 무엇보다 먼저 덕을 삼가야 한다. 덕이 있으면 사람이 있게 되고, 사람이 있게 되면 국토가 있게 되고, 국토가 있게 되면 재물이 있게 되고, 재물이 있게 되면 쓸 곳이 있게 된다.

즉, 위정자가 마음속에 재물에 대한 생각만 들어 있다면, 필연적으로 백성들은 재물과 이권을 위하여 서로 다투고, 약탈을 일삼게 되어 나라가 망하게 된다는 뜻이다.

주 신호덕 : 덕을 삼감. 명명덕에 힘씀.

德者(덕자)는 本也(본야)요 財者(재자)는 末也(말야)니 外本內末(외본내말)이면 爭民施奪(쟁민시탈)이니라

해설 덕은 근본이고 재물은 말단이다. 근본을 소홀히 하고 말단을 소중히 여기면 백성들이 서로 앗으려고 다투는 것이다.

是故(시고)로 財聚則民散(재취즉민산)하고 財散則民聚(재산즉민취)니라 是故(시고)로 言悖而(언패이)

252

出者는 ^자 亦悖而入하고 貨悖而入者는 亦悖而出이니라
_{역패이입} _{화패이입} _자 _{역패이출}

해설 이런 까닭으로 재패이 입하고 화패이입자는 역패이출이니
리는 말을 남에게 하면 역시 거슬리게 재물이 모이면 백성이 흩어지고, 재물이 흩어지면 백성이 모이게 된다. 그러므로 거슬리는 말을 남에게 하면 역시 거슬리게 돌아오고, 의리 아닌 재물을 갖게 되면 역시 무리한 데로 나가게 된다.
즉, 위정자가 덕을 존중하면 백성들은 덕을 따라 모여들고 재물을 존중한다면 백성들도 재물을 따라 다툼질과 약탈을 자행한다는 뜻이다.

康誥에 曰 惟命은 不于常이라 道善則得之하고 不善則失
_{강고} _왈 _{유명} _{불우상} _{도선즉득지} _{불선즉실}
之矣니라
_{지의}

해설 〈강고〉에 말하기를, 「오직 천명은 항상 있는 것이 아니라」 하였다. 선하면 천명을 얻고 선하지 못하면 천명을 잃게 된다는 것을 말한 것이다.
즉, 덕을 닦아 혈구지도로 민심을 얻으면 천명을 얻게 되고, 포악하여 민심을 잃으면 천명도 잃게 된다는 뜻이다.

楚書에 曰 楚國은 無以爲寶요 惟善을 以爲寶니라
_{초서} _왈 _{초국} _{무이위보} _{유선} _{이위보}

해설 〈초서〉에 말하기를, 「초나라를 보배라 할 수 없고, 오직 선만을 보배로 한다」 하였다.
즉, 초나라에는 가히 보배로 내세울 만한 것이 없다. 오직 있다면 어진 신하들이 있음을 보배로 삼을 뿐이라는 뜻이다.

㊀ 선 : 선인. 현인.

舅犯이 曰 亡人은 無以爲寶요 仁親을 以爲寶니라

해설: 구범이 말하기를, 「도망한 사람을 보배로 여기지 않고 어버이 사랑함을 보배로 삼는다」하였다. 즉, 망명 중에 있는 사람에게는 특별히 보배로 삼을 만한 것이 없다. 오직 덕의 근본인 부모 사랑함을 보배로 삼아야 한다는 뜻이다.

秦誓에 曰 若有一个臣이 斷斷今요 無他技나 其心이
休休焉한지 其如有容焉이라 人之有技를 若己有之하며 人之
彦聖을 其心好之하야 不啻若自其口出이면 寔能容之라 以
能保我子孫黎民이니 尚亦有利哉인데 人之有技를 媢嫉以
惡之하며 人之彦聖을 而違之하야 俾不通이면 寔不能容이라 以
不能保我子孫黎民이니 亦曰殆哉인데

해설 〈진서〉에 말하기를, 「만일 한 사람의 신하가 있어 진실하기만 하고 다른 재능은 없는 듯하나, 그 마음씨는 고와서 남을 이해할 도량은 있었다. 그는 남의 뛰어난 재주를 마치 자기 자신이 가진 것과 같게 여기며, 남의 뛰어난 착한 일을 자기 마음으로 좋아해서 마치 자기의 속에서 나온 것같이 칭찬하면 참으로 남을 이해할 수 있는 것이다. 이러면 우리의 자손과 백성들을 보호할 수 있을 것이니 이만하면 국가에 덕이 될 것이다. 남의 재능을 무조건 시기 질투하여 남의 특출한 착한 일을 거슬려서 행동하지 못하게 하면, 이것은 남을 이해 못하는 것이다. 이는 내 자손들과 백성들을 보호하지 못할 것이니 역시 위태하다할 것이다.

즉, 백성을 다스리는 지위에 있는 인재란 물론 재덕을 겸비해야 한다. 그러나 재 주는 말단이요, 덕이 그 근본이라는 뜻이다.

唯仁人이야 放流之하며 進諸四夷하여 不與同中國이니 此謂仁
人이야 爲能愛人하며 能惡人이라이니

해설 오직 어진 사람이라야 못된 사람을 몰아내어 사이로 축출시켜서 중국에 함께 살지 못하게 할 수 있으니, 이를 일러, 오직 어진 사람이라야 옳게 사람을 사랑할 수 있고 사람을 미워할 수 있다는 것이다.

즉, 악인을 물리치고 어진 인재를 등용하여 세상을 이롭게 할 수 있는 사람은 오직 어진 사람뿐이라는 뜻이다.

見賢而不能舉하며 舉而不能先이 命也요 見不善而不能
退하며 退而不能遠이 過也니라

해설 어진 사람을 보고서도 등용하지 못하며, 등용해도 남보다 먼저 등용하지 못한 것은 태만한 것이고, 선하지 못한 것을 보고서도 물리치지 못하며 물리치더라도 멀리 하지 못하는 것은 잘못이다.

즉, 마음이 악한 것은 아니되 혈구지도를 제대로 실천하지 못함을 나타냈다.

주 거 : 거용. 등용하여 씀.
불능원 : 관계를 끊지 못함의 뜻.

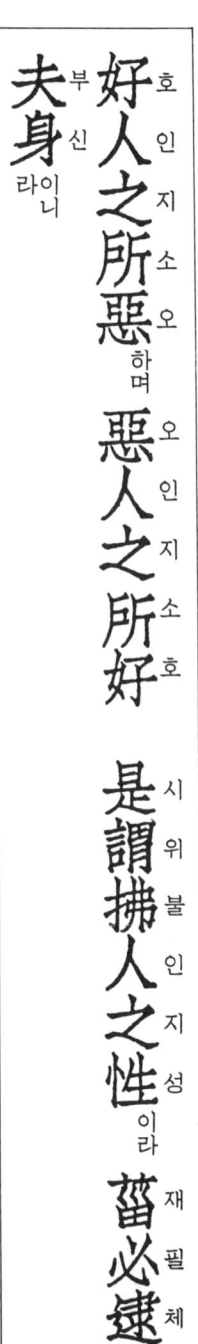

好人之所惡하며 惡人之所好 是謂拂人之性이라 菑必逮
夫身이니라

해설 남이 미워하는 바를 좋아하며 남이 좋아하는 바를 미워하는 것이, 이것을 인간의 본성을 역행하는 것이라 한다. 재앙이 반드시 그 몸에 미치고야 말 것이다.
즉, 어진 사람으로부터 미움을 받아 마땅히 내침을 당해야 할 사람을 나타냈다.

是故로 君子有大道하니 必忠信以得之하고 驕泰以失之니라

해설 그러므로 군자에게 큰 길이 있으니, 반드시 성실과 믿음으로써 나라를 얻게 되고, 교만과 안일로써 나라를 잃어버리게 되는 것이다.
즉, 선하면 이를 얻고, 악하면 이를 잃는다는 뜻이다.

주 군자 : 여기에서는 치국이나 평천하를 하는 사람을 가리킴.

生財有大道하니 生之者衆하고 食之者寡하며 爲之者疾하고 用之者舒하면 則財恒足矣니라

해설 재물을 생산하는 데는 대체의 방법이 있다. 생산하는 사람은 많고 소비하는 사람은 적으며, 마련하기는 빠르게 하고 쓰기를 여유있게 하면 재물은 항상 풍족할 것이다.
즉, 온 백성들에게 농토나 일자리를 주어 생사에 종사하게 하고 놀고 먹는 사람이 적게 할 일이요, 그들

仁者는 以財發身하고 不仁者는 以身發財니라

（인자 · 이재발신 · 불인자 · 이신발재）

해설 어진 사람은 재물로써 몸을 일으키고, 어질지 못한 사람은 몸으로 재물을 일으킨다.
즉, 사람은 대체로 근본인 덕도 좋아하지만, 말단인 재물도 좋아한다는 뜻이다.

未有上好仁而下不好義者也니 未有好義오 其事不終
者也며 未有府庫財 非其財者也니라

（미유상호인이하불호의자야 · 미유호의 · 기사불종 · 자야 · 미유부고재 · 비기재자야）

해설 웃사람이 인을 좋아하는데도 아랫사람이 의를 좋아하지 않을 이치가 없다. 아랫사람이 의를 좋아하고
서 웃사람이 좋아하는 어진 일이 잘 되지 않으며, 창고안의 재물이 그의 재물 아닌 일도 있지 않
다.
즉, 위정자가 백성들에게 재물을 늘리게 하여 생활의 안락을 도모함은 그만큼 백성들을 자식처럼 사랑하
는 인애의 마음이 있기 때문이라는 뜻이다.
주 기∴상, 즉, 임금을 가리키는 대명사.

孟獻子曰 畜馬乘은 不察於雞豚하고 伐氷之家는 不畜
牛羊하고 百乘之家는 不畜聚斂之臣이니하나 與其有聚斂之臣

（맹헌자왈 · 혹마승 · 불찰어계돈 · 벌빙지가 · 불축 · 우양 · 백승지가 · 불축취렴지신 · 여기유취렴지신）

寧有盜臣이라 此謂國不以利爲利오 以義爲利也니라

해설 맹헌자가 말하기를, 「말을 치는 사람은, 닭이나 돼지 따위를 키우려 하지 않고, 얼음을 쓰는 공경대부들은 소나 염소 따위를 기르지 않고, 작은 나라의 군왕들은 백성들에게 재물을 거두어들이는 신하를 두기보다는 차라리 도둑질하는 신하를 둘 것이다.」하였다. 이것은 나라가 이용을 덕으로 삼지 않고 의리를 덕으로 삼는다는 것을 말한 것이다.

즉, 백성을 다스리는 사람들은 물질적인 재물로써 이익을 삼을 것이 아니라, 백성을 사랑하는 인의의 덕을 이익으로 삼아야 한다는 뜻이다.

長國家而務財用者는 必自小人矣니 彼爲善之 小人之使爲國家면 菑害並至라 雖有善者니 亦無如之何矣니 此謂國不以利爲利오 以義爲利也니라

해설 국가의 우두머리로 있으면서 재물을 모아서 쓰기에만 급급한 것은 반드시 소인이 할일이거늘, 그래도 그를 잘한다고 여겨, 소인을 시켜서 나라를 다스리게 하면 재화와 해독이 함께 이르러서 비록 착한 사람이 있다 하더라도 역시 어찌 할 수가 없게 된다. 이것을 일러, 나라는 이욕을 유리하게 알지 않고 의리를 유리하게 안다고 한다.

즉, 마구 거두어들여 백성을 괴롭히는 신하를 두기보다는, 차라리 내 재물을 도둑질해 가는 신하를 두는 편이 낫다는 뜻이다.

第一章(제1장)

天命之謂性(천명지위성)이오 率性之謂道(솔성지위도)요 修道之謂敎(수도지위교)라이니

해설 하늘이 명하신 것을 본성이라하고 본성에 따르는 것을 도요, 도를 닦는 것이 교이다.

즉, 자신이 선한 본성을 지니고 있으면서 그것이 하늘로부터 받은 것임을 모르고, 사물에 각각 도리가 있는 줄 알면서도 그것이 본성에서 나온 줄을 모르고, 마땅히 걸어가야 할 길에서 벗어나 않을 범하기 때문에 성인들이 올바른 길을 마련하여, 누구나 따라야 할 법도로 세운 것이 가르침이라는 뜻이다.

道也者(도야자)는 不可須臾離也(불가수유리야)니 可離(가리)면 非道也(비도야)라 是故(시고)로 君子(군자)는 戒愼乎其所不睹(계신호기소불도)하며 恐懼乎其所不聞(공구호기소불문)이라이니 莫見乎隱(막현호은)

莫顯乎微니 故로 君子는 愼其獨也니라

해설 도란 것은 잠시라도 떠날 수가 없는 것이니, 그렇다면 이것은 도가 아니다. 그러므로 군자는 그 보이지 않는 데를 경계해서 삼가며 그 들리지 않는 곳을 두려워한다. 숨겨진 것보다 더 보여지는 것이 없다. 작은 일보다 더 드러나는 것이 없다. 그러므로 군자는 혼자 있을 때에도 모든 일을 삼가해야 한다.

즉, 도란 사람이 마땅히 가야 할 길이요, 이 길에서 잠시라도 벗어나면 이는 벌써 도가 아닌 것이다. 그러므로 군자는 사람들이 보는 가운데서 뿐 아니라, 남들이 보고 듣지 못하는 가운데서도 도에서 벗어날까 근심하고 두려워하는 것이다. 또 세상 이치란 숨기려 할수록 남의 눈에 잘 띄고, 사소한 잘못일수록 더욱 더 잘 드러난다는 뜻이다.

喜怒哀樂之未發을 謂之中이오 發而皆中節을 謂之和니

中也者는 天下之大本也요 和也者는 天下之達道也니라

致中和면 天地位焉하며 萬物育焉이니라

해설 희·노·애·락이 아직 행동에 나타나지 않는 것을 중이라 한다. 이러한 행동이 행동으로 나타나서 법칙에 맞는 것을 화라 한다. 이 중은 모든 사람의 본연의 천성이며, 화라는 것은 모든 사람의 통달한 원리이다.

즉, 중과 화를 이루면 하늘과 땅이 제자리에 안정되며 사물이 제 삶을 가질 수 있다.

희·노·애·란의 감정이 아직 나타나지 않은 상태가 곧 중이요, 그 감정이 나타나 모두가 절도에 맞음이 지나치고 모자람이 없기 때문에 이를 중이라 한 것이요, 감정이 올바로 작용하여 조금도 도에 어긋남이 없이 조화를 이루었기 때문에 이를 화라 한 것이다. 이 중화의 덕을 끝까지 밀고 나가 지극한 경지에 이르게 되면, 천지도 제자리를 찾게 되고 만물도 각각 화육된다는 뜻이다.

第二章(제2장)

仲尼曰 君子는 中庸이오 小人은 反中庸라이니 君子之中庸也는 君子而時中이오 小人之中庸 小人而無忌憚也니라

해설 중니가 말하기를, 「군자는 중용을 지키고 소인은 중용에 반한다」군자의 중용은 군자로서 알맞게 중용을 행하는 것이고, 소인들의 중용은 소인으로서 거리낌이 없는 것이다. 즉, 군자는 한쪽으로 기울거나 치우침이 없고, 또 법도에 지나치거나 모자람이 없는 중용을 지키지만, 소인은 이 중용에 반대되는 반중용을 한다. 군자가 이 중용을 능히 지키는 것은 그가 군자다운 훌륭한 덕을 지니고 있어, 언제나 벗어나지 않기 때문이다. 그리고 소인이 반중용을 하는 것은 그가 소인으로서의 악한 마음을 지니고 있어, 스스로 삼가지 않고 마구 행동하기 때문이라는 뜻이다.

第三章(제3장)

子曰 中庸은 其至矣乎인데 民鮮能이 久矣니라

주

해설 공자가 말하기를, 「중용은 참으로 좋은 것이로다. 그러나 백성들이 능히 이를 지니는 자가 드물다.」
즉, 중용은 덕의 극치이지만, 중용을 능히 지키어 한결같이 실천하기는 극히 어렵다는 뜻이다.

주 민선능 : 백성들이 능히 지킴이 드물음.

第四章(제4장)

子曰 道之不行也를 我知之矣라도 知者는 過之하고 愚者는 不及也니라 道之不明也를 我知之矣라도 賢者는 過之하고 不肖者는 不及也니라 人莫不飮食也마는 鮮能知味也니라

해설 공자가 말하기를, 「도가 행하여지지 못함을 그 까닭을 알았다. 지혜있는 자는 지나치고 어리석은 자는 미치지 못한 것이다. 도가 밝혀지지 못함을 내가 그 까닭을 알았다. 어진 사람은 지나치고 어질지 못한 사람은 미치지 못한 까닭이다.」 사람이 마시거나 먹지 않는 자가 없건만 옳은 맛을 아는 자는 드물다.

즉, 중용의 덕이란 지나치거나 모자람이 없어야 얻을 수 있음과 세상 사람들이 이 도를 스스로 살피지 않아도에서 떠나 있다는 뜻이다.

子曰 道其不行矣夫인데

해설: 공자가 말하기를, 「중용의 도는 행해지지 못하겠구나.」 즉, 사람들이 모두 생각조차 하지 않으니, 정녕 이제 다시 도는 천하에 행해지지 않겠다는 뜻이다.

第六章(제6장)

子曰 舜은 其大知也與인데 舜이 好問而好察邇言한데 隱

惡而揚善며하시 執其兩端하고 用其中於民니하시 其斯以爲舜乎

해설 공자가 말하기를, 「순은 참으로 슬기로운 분이다. 순은 남에게 묻기를 좋아하였고 끔찍하지 않은 말에도 조심하기를 좋아했다. 그러나 남의 악한 점을 숨겨 주고 선한 점을 드러내 주며, 두 사람이 논의한 것을 가지고 그 절충한 것을 백성들에게 쓰게 했으니, 이것이 순이 되신 까닭이다.」

즉, 순은 천하를 다스리는 천자였음에도 불구하고, 모르는 바를 부끄러워하지 않고 누구에게나 묻기를 좋아했으며, 또 대단찮게 오고가는 말도 이를 소홀히 흘려 보내지 않았고, 장점을 밝히려 애썼다 한다. 그리고 모든 일에는 양쪽 극단을 다 잡고서 그 중간쯤에서 중용을 찾아 이를 백성들을 다스리는 데 썼다는 뜻이다.

㋐ 이언 : 비근한 말. 일상적인 대단찮은 말.

子曰 人皆曰予知인데 驅而納諸罟擭陷阱之中而莫之知辟也하며 人皆曰予知인데 擇乎中庸而不能期月守也니라

해설 공자가 말하기를, 「사람들이 모두 말하기를, 『내가 슬기롭다』 하나 이들을 몰아다가 그물이나 덫이나 함정 속에 넣어도 피해서 벗어날 줄 모른다. 또 사람들이 모두 말하기를, 『내가 슬기롭다』 하나 중용을 택하여, 한 달도 제대로 지키지 못한다.

즉, 지혜가 지나쳐 중용에 머물지 못함을 탄식한 내용이다.

第八章(제8장)

子曰 回之爲人也 擇乎中庸하여 得一善 則拳拳服膺 而弗失之矣니라

<small>자왈 회지위인야 택호중용 득일선 즉권권복응 이불실지의</small>

해설 공자가 말하기를, 「회의 사람됨은 중용을 골라서 한 가지 좋은 것을 얻으면 가슴속에 꼭 지니고서 잊어버리지 않는다.」 즉, 안회는 한 가지 선한 것을 깨달으면, 이를 가슴 속에 꽉 지니어 석달 동안이나 이에 머물러 있었다는 뜻이다.

㊟ 권권 : 받들어 지니는 모양.

第九章(제9장)

子曰 天下國家 可均也이며 爵祿 可辭也며 白刃도

<small>자왈 천하국가 가균야 작록 가사야 백인</small>

可蹈也가도야로되 中庸중용은 不可能也불가능야니라

해설 공자가 말하기를, 「천하의 국가도 평정할 수 있으며, 벼슬과 녹도 사양할 수 있으며, 날카로운 칼날도 밟을 수가 있다. 하지만 중용은 능히 할 수가 없다.」

즉, 중용의 도가 얼마나 지키기 어려운 지를 강조한 내용이다.

第十章 (제10장)

子路問強자로문강한데 子曰자왈 南方之強與남방지강여아 北方之強與북방지강여아 抑而억이

強與강여아 寬柔以敎관유이교요 不報無道불보무도는 南方之強也남방지강야니 君子居군자거

之지니라 衽金革임금혁하샤 死而不厭사이불염은 北方之強也북방지강야니 而強者居之이강자거지니라 強강

故고로 君子군자는 和而不流화이불류하나 強哉矯강재교여 中立而不倚중립이불의하나 強강

哉矯재교여 國有道국유도에 不變塞焉불변색언하나 強哉矯강재교여 國無道국무도에 至死지사

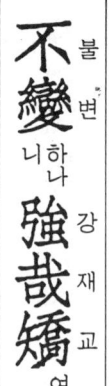

不變 니하나 強哉矯여

해설 자로가 사람의 강함에 대하여 군자에게 물었다. 공자는 말하기를, 「네가 묻는 것은 남방인의 강함인가, 북방인의 강함인가, 그렇지 않으면 네 자신의 강함인가? 너그럽고 부드러움으로써 가르치고 무도한 소행에도 앙갚음을 하지 않음은 남방인의 강함이니 군자가 할 수 있는 일이다. 무기와 갑옷을 입고 싸우다가 죽어도 후회하지 않음은 북방인의 강함이다. 이것이야말로 강포한 사람이 할 수 있는 일이다. 그러므로 군자는 온순하면서도 흐리지 않는 것이니, 굳세도다. 그 꿋꿋함이여! 중도를 행하고 기울지 않으니 변하지 않는 것이니, 굳세도다. 그 꿋꿋함이여! 세상이 바로잡혀서 벼슬자리에 나아가도 곤궁할 때의 일을 변하지 않는 것이니, 굳세도다. 그 꿋꿋함이여! 한 나라가 망해서 화를 당해 죽어도 본심을 변하지 않는 것이니, 굳세도다. 그 꿋꿋함이여!」

즉, 진정한 강함은 어떤 것이냐는 질문에 남방의 강함과 북방의 강함의 특성을 말씀한 다음, 군자가 지녀야 하는 중용을 얻은 진정한 강함에 대하여 설명한 내용이다.

㈜ 임금혁 : 무기와 갑옷을 깔고 잠.

第十一章 (제 11장)

子曰 자왈 素隱行怪를 색은행괴를 後世에 후세에 有述焉이나 유술언이나 吾弗爲之矣러라 오불위지의러라 君子는 군자는

子遵道而行 자준도이행가하다 半塗而廢니하나 반도이폐니하나 吾弗能已矣라 오불능이의리라 君子는 군자는 依乎 의호

中庸하여 遯世不見知而不悔니하나 唯聖者야 能之니라

해설 공자가 말하기를, 「별난 일을 찾아내고 괴이한 일을 행하는 것을 요새 세상에 와서 잘하는 사람이 있으나 나는 그런 일을 하지 않겠다.」군자가 도를 행동하다가 중도에서 그만두는 일이 있다. 나는 그만둘 수가 없다. 군자는 중용에 의지하여 세상에 숨어 살아서, 알아주는 이가 없어도 후회하는 일이 없다. 이것은 오직 성인이라야 그렇게 할 수가 있다.

즉, 중용의 도란 일상생활 속에 깔려 있는 평범한 이치이며 영원히 계속되어 잠시도 끊어짐이 없어야 한다는 뜻이다.

第十二章(제12장)

君子之道는 費而隱이니 夫婦之愚라도 可以與知焉이로되 及其
至也는하여 雖聖人이라 亦有所不知焉하며 夫婦之不肖라도 可以
能行焉이로되 及其至也는하여 雖聖人이라 亦有所不能焉하며 天地
之大也에도 人猶有所憾이고 故로 君子語大인데 天下莫能載

焉 語小 天下莫能破焉이니라

(언 어소 천하막능파언)

해설 군자의 도는 광대하면서도 보이지 않게 미미하다. 한 쌍 부부의 어리석음은 마음으로써도 모두 알 수 있는 일이라도, 그 지극한 곳에 이르러서는 아무리 성인이라도 역시 알지 못할 데가 있다. 착하지 못한 어떤 부부들이 행할 수 있는 일이라도, 그 지극한 곳에 이르러서는 아무리 성인이라도 역시 잘 할 수 없을 때가 있다. 하늘과 땅이 그토록 넓고 고마운데도 사람들에겐 그래도 만족하지 못해 할 때가 있다. 군자의 도란 그 크기로 말하면 이 넓은 천하에도 실을 수가 없고, 작기로 말하면 천하의 물건에 쪼개낼 수 없을만큼 작은 것이다.

즉, 하늘과 땅조차도 중용의 도를 능히 다 지키지 못하거늘, 어찌 중요의 도를 능히 다 알고 능히 다 실천할 수 있으랴! 그러므로 중용의 도란 것은 그 크기를 말하면 세상에 이보다 더 크게 쪼갤 수 없을 만큼 광대한 것이며, 그 작기를 말한다면 세상에 이보다 더 작게 쪼갤 수 없을 만큼 작고 미묘하다는 뜻이다.

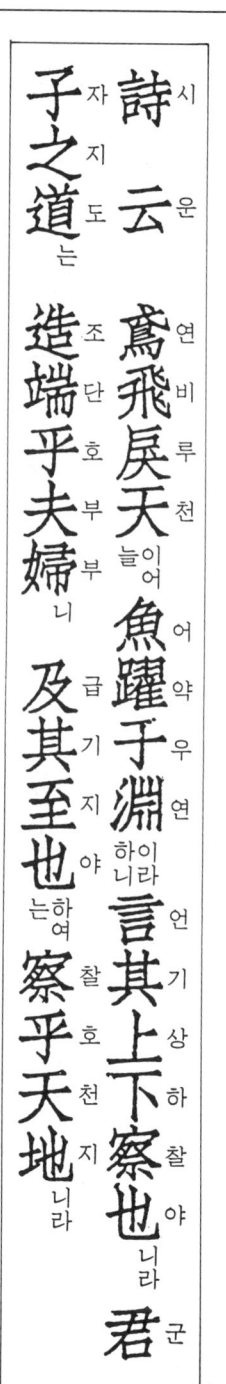

詩 云 鳶飛戾天이어 魚躍于淵이라 言其上下察也니라 君子之道는 造端乎夫婦니 及其至也는하여 察乎天地니라

(시 운 연비루천 어약우연 언기상하찰야 군자지도 조단호부부 급기지야 찰호천지)

해설 <시경>에 이르기를, 「솔개는 하늘 높이 훨훨 나는데, 물고기는 못에서 뛰노는구나」 했다. 이것은 위와 아래를 살펴보라고 말한 것이다. 군자의 도는 한 쌍의 부부간에서 시작되지만, 그 지극함에 이르러서는 하늘과 땅에 나타난다.

즉, 중용의 도는 평범한 일상생활에서부터 천지의 현오함에 이르기까지 꽉 차 있다는 뜻이다.

子曰 道不遠人하니 人之爲道而遠人이면 不可以爲道니라

詩 云 伐柯伐柯여 其則不遠이라 執柯以伐柯한데 睨而

視之하고 猶以爲遠니하나 故로 君子는 以人治人가하다 改而止니라

忠恕 違道不遠하니 施諸己而不願을 亦勿施於人이니라

해설 공자가 말하기를, 「도는 사람에게서 멀지 않는 법이다. 사람이 도를 행하는데, 사람과 멀리한다면 도라 할 수 없다.」〈시경〉에 이르기를, 「도끼 자루를 베는 데, 그 방법이 그리 쉽지 않다」하였다. 도끼 자루를 잡고 도끼 자루를 베는 것도 곁눈으로 바라보고서는 오히려 어렵다고 하였다. 군자는 사람으로서 사람을 가르치다가 고쳐치면 그만둔다. 충서는 도와의 거리가 멀지 않다. 자신이 하기를 원하지 않는 일은 남에게 도 시키지 말라.

즉, 생활에서 멀리 떨어진 이론을 내세우는 것들은 도가 될 수 없으며, 도가 바로 생활 속에 있음을 아는 군자는 사람의 도리되 사람의 도로써 하다가, 그 사람이 본성을 따라 사람의 도로 돌아오면 다스리기를 멈추고, 나의 마음을 미루어 남의 마음을 알아줌이니, 내가 싫은 것이라면 남에게도 베풀지 않는다는 뜻이다.

㊚ 睨而視之 : 눈을 옆으로 흘겨서 이를 바라봄. 지는 도끼자루를 가리키는 대명사.

君子之道四에 丘未能一焉이니 所求乎子로 以事父를 未

能也하며 所求乎臣으로 以事君을 未能也하며 所求乎弟로 以

事兄(사형)을 未能也(미능야)하며 所求乎朋友(소구호붕우)로 先施之(선시지)를 未能也(미능야)로니 庸
德之行(덕지행)하며 庸言之謹(용언지근)하여 有所不足(유소부족)이어든 不敢不勉(불감불면)하며 有餘(유여)든이어
不敢盡(불감진)하여 言顧行(언고행)하며 行顧言(행고언)이니 君子胡不慥慥爾(군자호불조조이)리오

주 용언지근 : 일상적인 평범한 말을 신중히 함.

해설 군자의 도가 네 가지가 있는데 구는 한 가지도 잘 하지 못하였다. 자식에게 바라는 것을 가지고 아버지 섬김을 잘하지 못하였고, 신하에게 바라는 것을 가지고 왕을 섬김을 잘 하지 못하였으며, 아우에게 바라는 것을 가지고 형 섬김을 잘 하지 못하였으며, 벗에게 바라는 것을 가지고 먼저 사귀어 주지 못하였다. 평범한 덕을 실천하며 평범한 말을 삼가해서 행동에 미진한 데가 있으면 감히 애쓰지 않을 수 없으며, 만족하게 하였으면 감히 더 하지 않아서 말은 행동을 돌아보고, 행동은 말한 것을 돌아볼 것이니 어찌 착실하게 하지 않으랴.

즉, 나에게 베풀어지기를 바라는 바를 남에게 베푸는 것이 도에 가까이 가는 길이라는 뜻이다.

第十四章(제14장)

君子(군자)는 素其位而行(소기위이행)이오 不願乎其外(불원호기외)니라 素富貴(소부귀)에 行乎富(행호부)

271

貴하며 素貧賤에 行乎貧賤하며 素夷狄에 行乎夷狄하며 素患難에 行乎患難이니 君子는 無入而不自得焉이니라

해설 군자는 자신의 처지대로 행동하고 그 밖의 일은 바라지 않는다. 자신이 부귀의 위치에 있어서는 부귀를 행하고, 비천한 자리에 있어서는 비천에 알맞는 일을 행한다. 이적의 신분에 있어서는 이적의 행동을 행해야 하며, 걱정이나 어려운 처지에 있어서는 걱정과 어려운 일을 행해야 할 것이다. 이렇게 군자는 어디를 가나 자신의 본분에 맞지 않는 일은 하지 않는다.

즉, 군자는 언제나 자기가 놓여 있는 처지에 따라 행하여야 할 것을 행할 뿐 그 밖의 것을 행하지 않아, 능히 중용의 도를 지킨다는 뜻이다.

在上位하여 不陵下하며 在下位하여 不援上이오 正己而不求於人이면 則無怨이니 上不怨天하며 下不尤人이라 故로 君子는 居易以俟命하고 小人은 行險以徼幸이라

해설 윗자리에 있다고 해서 아랫사람을 업신 여기지 말며 낮은 자리에 있어서 윗사람에게 도움을 청하지 말 것이다. 자신을 바로잡고 남에게 바라지 않으면 아무 탓할 것이 없다. 위로는 하늘을 원망하지 않으며 아래로 사람을 탓하지 않는다. 그러므로 군자는 평탄하게 행동하여 운명을 기다리고 소인은 위험한 일을 하면서 요행을 바란다.

즉, 덕을 닦은 군자는 언제나 평탄한 곳, 즉 중용의 도에 머물러 그 처지에 따라 자기의 최선을 다하고 천명을 기다리기 때문에 하늘이나 사람들을 원망치 않게 되는 것이며, 덕이 닦이지 않은 소인은 중용의 도에서 벗어나 위험한 짓을 행하고서 요행을 구하기 때문에 하늘을 원망하게 된다는 뜻이다.

子曰(자왈) 射有似乎君子(사유사호군자)하니 失諸正鵠(실저정곡)이오 反求諸其身(반구저기신)이니라

해설 공자가 말하기를, 「활쏘기가 군자와 같은 데가 있나니, 과녁을 바로 맞추지 못하면 돌이켜서 자신의 한 일에 잘못이 무엇인가 그 원인을 반성한다.」

즉, 활쏘는 사람은 누구나 정신과 힘을 집중하여 과녁을 맞춘다. 그러나, 화살이 빗나가 맞추지 못할지라도 결코 남을 원망하지 않고, 실수의 원인을 자기에게서 찾는다는 뜻이다.

第十五章(제15장)

君子之道(군자지도)는 辟如行遠必自邇(비여행원필자이)하며 辟如登高必自卑(비여등고필자비)니라 詩(시)에 曰(왈) 妻子好合(처자호합)이 如鼓瑟琴(여고슬금)하며 兄弟旣翕(형제기흡)하여 和樂且耽(화락차탐)이라 宜爾室家(의이실가)하며 樂而妻帑(낙이처노)라 子曰(자왈) 父母(부모)는 其順矣乎(기순의호)뎌이신

해설 군자의 도는, 비유컨대 먼 곳을 가려면 반드시 가까운 곳에서부터 출발하는 것과 같다. 또 높이 오르는 것도 반드시 낮은 곳에서부터 올라가는 것과 같다. 〈시경〉에서 말하기를, 「처자들과 잘 화합하여 어우러지는 것이 마치 거문고나 비파를 타는 것과 같다. 형제 사이에 뜻이 맞아 화락하게 즐기면 너의 집이 좋게 되고 처자들이 기꺼워하리라.」 공자가 말하기를, 「그 부모들은 참 좋으시겠다.」

즉, 낮은 데서부터 올라가지 않는다면 높은 정상에는 오를 수 없는 법이다. 중용의 도를 실천함에 있어서도 집안에서부터 시작되어야 한다는 뜻이다.

第十六章(제16장)

子曰 鬼神之爲德이 其盛矣乎인데 視之而弗見하며 聽之
而弗聞이로되 體物而不可遺니라 使天下之人으로 齊明盛服하여
以承祭祀하고 洋洋乎如在其上하며 如在其左右니라 詩曰
神之格思를 不可度思온 矧可射思아 夫微之顯이니 誠之
不可揜이 如此夫인데

해설 공자가 말하기를, 「귀신의 힘은 대단하기도 하다」 귀신이란 보려고 해도 보이지 않고 들으려 해도 들리지 않는다. 하지만 모든 사물에 있어 하나의 물체가 되어서 빠뜨릴 수 없다. 천하 사람들로 하여금 마음을 바르게 갖고 의복을 단정히 입고서 정성들인 마음으로 제사를 공경히 받들면, 마음속 귀신이 그 위에 있는 듯하고 그 좌우에 있는 듯 할 것이다. 〈시경〉에 말하기를, 「신이 언제 강림할지를 미리 헤아릴 수 없는데, 하물며 꺼리겠느냐.」 이것이 은미한 것이 나타나는 것이다. 정성이란 가려서 덮을 수 없음이 이와 같다. 즉, 천지신명이란 은미하되 공을 이루어냄이 뚜렷하여, 그 참다운 작용을 감히 가리어 버릴 수가 없다.

용의 도 역시 보고 들을 수 없을 만큼 은미한 것이로되 그 덕이 이루어내는 작용은 뚜렷한 것이니, 사람이 어찌 잠시라도 이 도에서 떠날 수 있겠느냐는 뜻이다.

㊟ 재명 : 목욕 재계하고 마음을 깨끗이 함.

第十七章(제17장)

子曰 舜其大孝也與 德爲聖人 尊爲天子 富有
四海之內 宗廟饗之 子孫保之 故 大德 必得
其位 必得其祿 必得其名 必得其壽 故 天之
生物 必因其材而篤焉 故 栽者 培之 傾者 覆之니라

해설 공자가 말하기를, 「순이야말로 큰 효도를 하신 분이다. 덕은 성인이셨고 높은 지위는 천자가 되셨다. 부하기로는 천하를 가져서 종묘에 받드시고 자손들이 이를 계승하였다.」 때문에 큰 덕은 반드시 그만한 지위를 얻게 되고, 반드시 그만한 복록을 얻게 되며, 반드시 그만한 명망을 얻게 되며, 반드시 그만한 수명을 얻게

275

얻게 된다. 그러므로 하늘은 만물을 생성함에 있어서 반드시 그 재질에 따라서 독실하게 하여 준다. 때문에 뿌리를 심은 자에게 북돋우어 주고 병을 기울인 자에게 엎어뜨리는 것이다. 즉, 순임금의 위대한 덕을 찬양한 공자의 말씀을 인용하여, 중용의 도의 작용이 한없이 넓고 뚜렷함을 가르친 내용이다.

詩曰(시왈) 嘉樂君子(가락군자)의 憲憲令德(헌헌령덕)이 宜民宜人(의민의인)이라 受祿于天(수록우천)늘거 保佑命之(보우명지)고하시 自天申之(자천신지)라고 故로(고) 大德者는(대덕자) 必受命이니(필수명)라

해설 《시경》에 말하기를, "좋을씨고, 군자의 두드러진 착한 덕이 백성들을 흐뭇하게 하는도다. 하늘의 복을 받아서 도와주고 끊임없이 돌봐 주는도다." 하였다. 그러므로 큰 덕을 행한 사람은 반드시 천명을 받는다.
즉, 덕을 심으면 하늘이 이를 길러 큰 덕이 되게 하여 복과 녹을 주고 천명까지 내리어 천자가 되게 함을, 시경의 시를 들어 설명한 내용이다.

第十八章(제18장)

子曰(자왈) 無憂者는(무우자) 其惟文王乎(기유문왕호) 以王季爲父하시고(이왕계위부) 以武王(이무왕)

爲子ㅣ니시 父作之어늘 子述之라니 武王이 纘大王王季文王之
緒하여 壹戎衣而有天下하신대 身不失天下之顯名하여 尊爲天
子ㅣ이시 富有四海之內하여 宗廟饗之며하시 子孫保之라니

융의 : 갑옷과 투구. 군사를 일으킴의 뜻.

부작지 : 아버지 왕계가 왕업을 일으킴.

해설 공자가 말하기를, 「아무 걱정 없는 이는 오직 문왕이로다. 왕계를 아버지로 하였고, 무왕을 아들로 하였으니 아버지가 일으키시고 아들이 계승하셨도다.」 무왕이 태왕·왕계·문왕의 계통을 이어서, 한번 갑옷을 입고 천하를 차지했다. 그러나 무왕 자신은 천하에서 찬양하는 명성을 잃지 않았다. 높은 지위는 천자가 되고 부로는 천하를 가졌으며 종묘에 제사지내고 자손을 보전하였다.

즉, 주나라의 왕업을 들어, 위대한 덕은 반드시 천명을 받는다고 설명했다.

武王이 末受命이어 周公이 成文武之德하여 追王大王王季
하시 上祀先公以天子之禮니하시 斯禮也 達乎諸侯大夫及
士庶人하니 父爲大夫요 子爲士든이어 葬以大夫요 祭以士하며
父爲士요 子爲大夫든이어 葬以士요 祭以大夫하며 期之喪은

277

達乎大夫하고 三年之喪은 達乎天子하니 父母之喪은 無貴賤一也니라

해설 무왕이 말년에 천명을 받아서 천자가 되셨다. 이때 주공은 문왕과 무왕의 덕을 성공시켜서 태왕과 왕계를 왕으로 추존하고 선조들을 천자의 예로 제사지냈다. 이 예법이야말로 제후·대부나 선비와 평민에게 이르기까지 통용되는 것이다. 만일 아버지가 대부이고 아들이 선비이면 대부의 예식으로 장례를 지내고 제사는 선비의 예식으로 한다. 아버지가 선비이고 아들이 대부이면 장례는 선비의 의식으로 하고, 제사는 대부의 예식으로 한다. 1년상은 대부에게까지 통용되고, 3년상은 천자에게까지 통용된다. 부모의 상사는 귀천 없이 다 마찬가지이다.

즉, 주공이 제정한 예법이 천자로부터 평민에 이르기까지 통용됨을 설명했다.

㊟ 기지상‥1년상. 1년 이하의 가벼운 상의 뜻.

第十九章(제19장)

子曰 武王周公은 其達孝矣乎뎌 夫孝者는 善繼人之志하며 善述人之事者也니라

해설 공자가 말하기를, 「무왕과 주공이야말로 지극한 효성이었다.」 대개 효란 것은 선대의 뜻을 잘 이어받으며, 선대의 사업을 잘 이어 나가는 것이다.

즉, 조상의 뜻을 이어받아 그들이 남긴 일을 더욱 발전시켜 나감이 곧 효라는 뜻이다.

春秋에 修其祖廟하며 陳其宗器하며 設其裳衣하며 薦其時食이니라

宗廟之禮는 所以序昭穆也요 序爵은 所以辨貴賤也요

序事所以辨賢也요 旅酬에 下爲上은 所以逮賤也요

燕毛는 所以序齒也니라

해설 봄과 가을에 그 선조의 사당을 수리하며, 조상의 기물을 진열한다. 선조의 유물인 의복을 설치하고 제철의 음식을 바친다. 종묘의 예는 소목을 순서로 봉안하는 것이다. 벼슬 계급을 순서로 하는 것은 귀천을 구분하려 하는 것이며, 일의 서열을 세움은 사람의 지식을 알게 함이다. 음복하는 데 아랫사람이 먼저 잔을 드는 것은 젊은 사람에게 먼저 시키는 것이며, 연모로 좌석차례를 정하는 것은 어른과 젊은이를 구분하려는 것이다.

즉, 주공이 제정한 종묘에서 제사지내는 예법을 설명했다.

踐其位하여 行其禮하며 奏其樂하며 敬其所尊하며 愛其所親하며

事死如事生하며 事亡如事存이 孝之至也니라

해설 선왕의 자리에 나아가, 선왕이 행하던 예법을 행하며, 선왕이 쓰던 음악을 연주할 것이다. 선왕이 존대하던 이를 존대할 것이며, 선왕이 가장 친애하던 이를 친애할 것이다. 죽은 이를 살아 있는 분 섬기듯이 하며, 안계신 이를 있는 이 섬기듯 하는 것이 효도의 지극함이다.

즉, 종묘에서 제사지낼 때 선왕의 뜻을 이어받아 선왕이 행하던대로 행하며, 돌아간 조상 섬기기를 살아 계신 것처럼 함이 효도의 지극함임을 설명했다.

郊社之禮는 所以事上帝也요 宗廟之禮는 所以祀乎其先也니 明乎郊社之禮와 禘嘗之義면 治國은 其如示諸掌乎인데

해설 천자가 하늘에 제향하는 것과 군왕이 사직에 제향하는 의식은 상제의 신을 섬기는 것이며, 종묘의 제향은 선왕을 제사하는 것이다. 이 두 가지 의식을 잘 하게 되면 나라를 다스림은 마치 손바닥을 보듯이 쉬울 것이다.

즉, 제사의 예에 밝아 능히 그 뜻을 알고 지낼 수 있다면 나라를 다스림은 손바닥의 손금을 들여다 보듯이 쉬운 일이라는 뜻이다.

㊋ 시제상 : 손바닥을 들여다 봄.

第二十章(제20장)

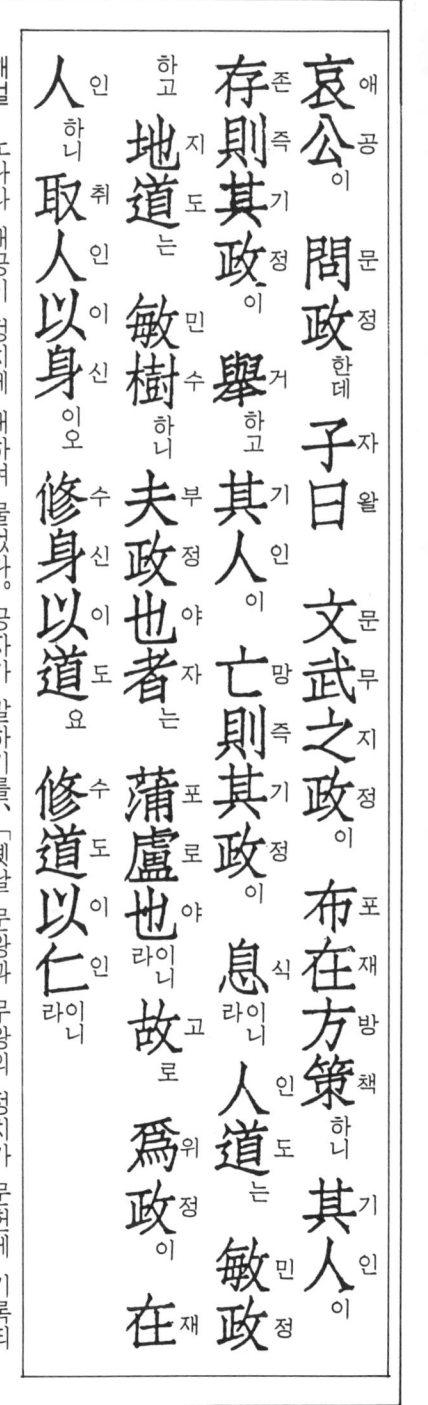

哀公이 問政한데 子曰 文武之政이 布在方策하니 其人이
存則其政이 舉하고 其人이 亡則其政이 息이라니 人道는 敏政
하고 地道는 敏樹하니 夫政也者는 蒲盧也라니 故로 爲政이 在
人하니 取人以身이오 修身以道요 修道以仁이라니

仁者는 人也니 親親爲大하고 義者는 宜也니 尊賢爲大하니
親親之殺와 尊賢之等이 禮所生也니라 在下位하여 不獲乎
上이면 民不可得而治矣니라 故로 君子 不可以不修身이니

해설 노나라 애공이 정치에 대하여 물었다. 공자가 말하기를, "옛날 문왕과 무왕의 정치가 문헌에 기록되어 있읍니다. 그 당시와 같은 왕과 신하가 있으면 그와 같은 정치가 행해지고 그 당시와 같은 왕과 신하가 없어지면 그러한 정치는 끊어집니다." 사람의 도는 정치에 신경이 빠르고 땅의 힘은 심는 나무에 신경이 빠르니, 정치란 것은 마치 부들과 같다. 그러므로 정치는 사람에게 있는 것이다. 사람을 취하는 것은 몸소 할 것이요, 몸을 닦는 것은 도로써 할 것이요, 도를 닦음은 인으로써 할 것이다.

즉, 문왕·무왕 같은 어진 임금이 위에 있으면 나라는 잘 다스려지고 그런 사람이 없으면 나라는 다스려지지 않는다는 뜻이다.

思^사修^수身^신인데 不^불可^가以^이不^불事^사親^친이오 思^사事^사親^친인데

思^사知^지人^인인데 不^불可^가以^이不^불知^지天^천이니

不^불可^가以^이不^불知^지人^인이오

해설 인은 사람을 대상으로 한다. 때문에 친족에게 친한 것이 제일 큰일이다. 의라는 것은 마땅히 할 일을 하는 것이다. 현자를 높이는 것이 제일 큰일이다. 친족에게 친애함이 줄어지는 것과 현자를 높이는 것이 차등이 있는 것은 예에서 나오는 바이다. 그런 까닭에 군자는 자기 몸을 수양하지 않을 수 없는 것이요, 부모를 섬기지 않을 수 없는 것이요, 부모 섬기기를 생각한다면 남을 알지 않을 수 없을 것이요, 남 알기를 생각한다면 하늘 이치를 알지 않을 수 없을 것이다.

즉, 인과 의, 그리고 인의에서 예가 생겨나고, 효가 덕을 닦는 근본이라는 뜻이다.

天^천下^하之^지達^달道^도五^오에 所^소以^이行^행之^지者^자三^삼이니 曰^왈 君^군臣^신也^야 父^부子^자

也^야 夫^부婦^부也^야 昆^곤弟^제也^야 朋^붕友^우之^지交^교也^야 五^오者^자는 天^천下^하之^지

達^달道^도也^야요 知^지仁^인勇^용三^삼者^자는 天^천下^하之^지達^달德^덕也^야니 所^소以^이行^행之^지者^자

는 一^일也^야니라

해설 천하에 통달되는 도가 다섯인데, 이를 행하게 하는 것은 셋이다. 군신과 부자와 부부와 형제와 벗과의 사귐 다섯가지는 천하에 공통되는 도리이다. 지혜, 인애, 용기 세 가지는 천하에 공통되는 덕이니, 이것을 행하게 하는 것은 하나뿐이다.

즉, 지켜야 할 다섯 가지 도리와 이 도리들을 실행하는 세 가지 덕을 설명했다.

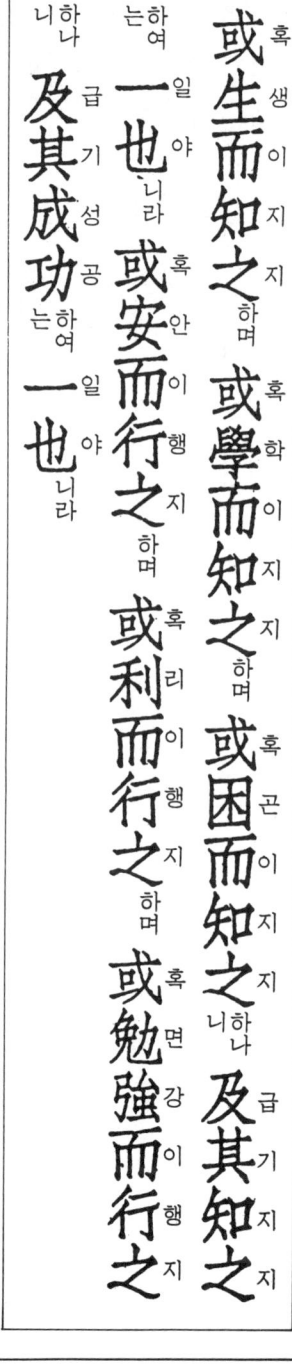

或生而知之하며 或學而知之하며 或困而知之하니하나 及其知之하여는
一也니라 或安而行之하며 或利而行之하며 或勉強而行之하며
及其成功하여는 一也니라

해설 어떤 이는 나면서부터 알기도 하며, 혹은 배워서 알기도 하며, 혹은 노력해서 알기도 한다. 혹은 힘들지 않고 일이 되며, 혹은 잘 해야만 일이 되며, 혹은 애써서 일이 된다. 그러나 그 앞에 있어서는 한가지이다. 하지만 그 성공되는 것은 꼭 같은 것이다. 즉, 사람은 누구나 노력만 하면 도를 능히 알 수 있고, 또 능히 실천할 수 있다는 뜻이다.

子曰 好學은 近乎知하고 力行은 近乎仁하고 知恥는 近乎
勇이니 知斯三者則知所以修身이오 知所以修身則知所以
治人이오 知所以治人則知所以治天下國家矣니라

해설 배우기를 좋아함은 지에 가깝고, 힘써 행함은 인에 가깝고, 부끄러워할 줄 아는 것은 용에 가깝다. 이 세가지를 알기만 하면 몸 닦을 바를 알 것이요, 몸 닦을 바를 알면 사람 다스릴 바를 알게 되면 천하와 한 나라를 다스릴 바를 알게 된다. 즉, 지·인·용을 이루는 것이 제가·치국·평천하의 근본인 수신의 길이라는 뜻이다.

凡爲天下國家 有九經하니 曰修身也와 尊賢也와 親親
也와 敬大臣也와 體羣臣也와 子庶民也와 來百工也와
柔遠人也와 懷諸侯也니라 修身則道立하고 尊賢則不惑하고
親親則諸父昆弟不怨하고 敬大臣則不眩하고 體羣臣則士
之報禮重하고 子庶民則百姓勸하고 來百工則財用足하고 柔
遠人則四方歸之하고 懷諸侯則天下畏之니라

해설 대체로 천하와 국가를 다스리는 데 아홉 가지 법도가 있다. 즉, 몸을 닦는 것과 어진 이를 존경함과
친족을 친애함과 대신을 공경함과 여러 신하들을 보살핌과 백성들을 자식같이 사랑함과 백공을 모이게 함과
객지에 있는 사람을 대접함과 제후들을 대우해 주는 것이다. 몸을 닦으면 도가 꽉 차고, 어진 이를 존경하
면 의혹에 빠지지 않는다. 친족을 친애하면 숙질과 형제들이 원망하지 않게 되고 대신을 공경하면 일하는 데
당황한 일이 없게 된다. 여러 신하들을 내 몸같이 보살피면 선비들의 예로 보답하는 것이 소중해지고, 여러
백성을 자식같이 사랑하면 백성들이 서로 충성하도록 권하게 된다. 여러 백공들을 모이도록 하면 생산이 잘
되어 재물이 넉넉해지고, 객지 사람들을 돌봐주면 백성들이 사방에서 모여들고, 제후를 우대해 주면 천하가
모두 두려워해서 굴복하게 된다.
즉, 천자나 제후가 천하와 나라를 다스림에 있어 명심하여 꼭 지켜야할 아홉 가지 원칙을 설명했다.

주 군신∷대신 이하의 여러 관리들. 즉 사를 말함.
권∷권면함. 임금을 위하여 힘씀의 뜻.

齊明盛服하여 非禮不動은 所以修身也요 去讒遠色하며 賤

貨而貴德은 所以勸賢也요 尊其位하며 重其祿하며 同其好

惡는 所以勸親親也요 官盛任使는 所以勸大臣也요 忠

信重祿은 所以勸士也요 時使薄斂은 所以勸百姓也요

日省月試하여 旣廩稱事는 所以勸百工也요

嘉善而矜不能은 所以柔遠人也요 繼絶世하며 擧廢國하며

治亂持危하며 朝聘以時하며 厚往而薄來는 所以懷諸侯也

凡爲天下國家 有九經하니 所以行之者는 一也니라

해설 재계하고 의복을 깨끗하게 하여, 예가 아니면 행동을 하지 않는 것은 몸을 닦는 것이다. 아첨하는 사람을 없이하고 여색을 멀리하며 재물보다 덕 있는 사람을 귀히 여김은 어진 이를 권하는 방법이다. 높은 자리에 있는 이를 대우해 주고 녹봉을 후하게 해주고, 좋고 싫어함을 함께 하는 것은 친족을 사랑하도록 권하는 것이다. 여러 관속에서 일을 맡길 수 있게 하는 것은 대신을 존경하게 하는 일이요, 성실하고 믿음으로 녹봉을 후하게 하는 것은 선비들을 격려하는 일이다. 때 맞추어 일을 시키고 세금을 가볍게 하는 것은 백성

285

들을 격려함이요, 날로 살피고 달마다 시험해서 그 일에 맞도록 녹봉을 주게 하는 것은 모든 백공을 격려하는 일이요. 가는 이를 환송하고 오는 이를 환영하며, 능력있는 사람을 칭찬해 주고 무능한 사람을 불쌍히 여겨 주는 것은 객지 사람을 돌봐주는 것이다. 끊어지려는 세대를 이어주며, 퇴폐하려는 나라를 돌봐주며 혼란한 것을 바로잡아 주고 위태한 것을 유지하도록 해서, 조공과 사신을 일정한 시기에 하게 하고, 보내는 것은 후하게 하며 가져오는 것은 가벼이 하는 것은 제후들을 우대하는 것이다. 대체로 천하와 국가를 다스리는 데 아홉 가지 법도가 있다. 그러나 그것을 행하는 데는 성실 하나뿐이다.

즉, 위정자가 천하나 국가를 다스리는 데 명심해야 할 아홉가지 원칙의 실천방법을 설명했다.

凡事豫則立범사예즉립하고 不豫則廢불예즉폐니하나 言前定則不跲언전정즉불겁하고 事前定則사전정즉

不困불곤하고 行前定則不疚행전정즉불구하고 道前定則不窮도전정즉불궁라이니

해설 모든 일은 미리 준비하면 이루어지고, 그렇지 않으면 잘 되지 못한다. 말을 미리 결정하면 일이 비뚤어지지 않고, 일하기를 미리 결정하면 당황하지 않게 되며, 실행하기를 미리 결정하면 병이 생기지 않게 되며, 도를 목표하기를 미리 결정하면 궁하지 않게 된다.

在下位재하위하여 不獲乎上불획호상이면 民不可得而治矣민불가득이치의니라 獲乎上획호상이 有

道도하니 不信乎朋友불신호붕우면 不獲乎上矣불획호상의니라 信乎朋友신호붕우 有道유도하니

不順乎親불순호친이면 不信乎朋友矣불신호붕우니라 順乎親순호친이 有道유도하니 反諸身

즉, 모든 일이란 미리 튼튼한 바탕이 마련되어 있으면 그 위에 설 수 있지만, 그렇지 않으면 쓰러지고 만다는 뜻이다.

不誠이면 不順乎親矣니라 誠身이 有道하니 不明乎善이면 不誠
乎身니라

해설 아랫자리에 있으면서 윗사람에게 신임을 얻지 못하면 백성을 다스릴 수가 없다. 윗사람의 신임을 얻는 데는, 방법이 있다. 친구들의 믿음을 받지 못하면 윗사람의 신임을 얻지 못한다. 친구들의 믿음을 받는 것도 방법이 있다. 부모에게 순종하지 않으면 친구들의 믿음을 받지 못한다. 부모에게 순종하는 것에도 방법이 있다. 자신을 돌이켜 보아 진실하지 못하면 부모에게 순종하지 못한다. 자신을 진실하게 하는 것에도 방법이 있다. 선에 밝지 못하면 자신이 성실하지 못한 것이다.
즉, 백성을 다스리려면 윗사람과 친구와 부모의 신임과 뜻을 받들어야 하고, 자신의 몸에 진실해야 한다. 스스로를 진실히 하려면 선을 밝게 알아야 한다는 뜻이다.

誠者는 天之道也요 誠之者는 人之道也니 誠者는 不勉
而中하며 不思而得하여 從容中道하나니 聖人也요 誠之者는 擇
善而固執之者也니라

해설 성이란 것은 타고날 때에 가진 도이며, 성실하게 하려는 것은 사람의 도다. 성이란 자체는 애쓰지 않아도 저절로 들어맞는 것이며, 생각지 않아도 선을 얻게 되어 자연히 도에 맞는다. 이것은 성인이며, 성실하게 한다는 것은 착한 일을 골라서 굳게 지키려는 것이다.
즉, 성인은 행동이 절로 하늘의 도인, 중용에 맞아 오로지 성 그대로이니, 하늘의 도를 따라 성해지려고 노력하는 것은 성인 이외의 사람들이 가야 할 길이라는 뜻이다.

287

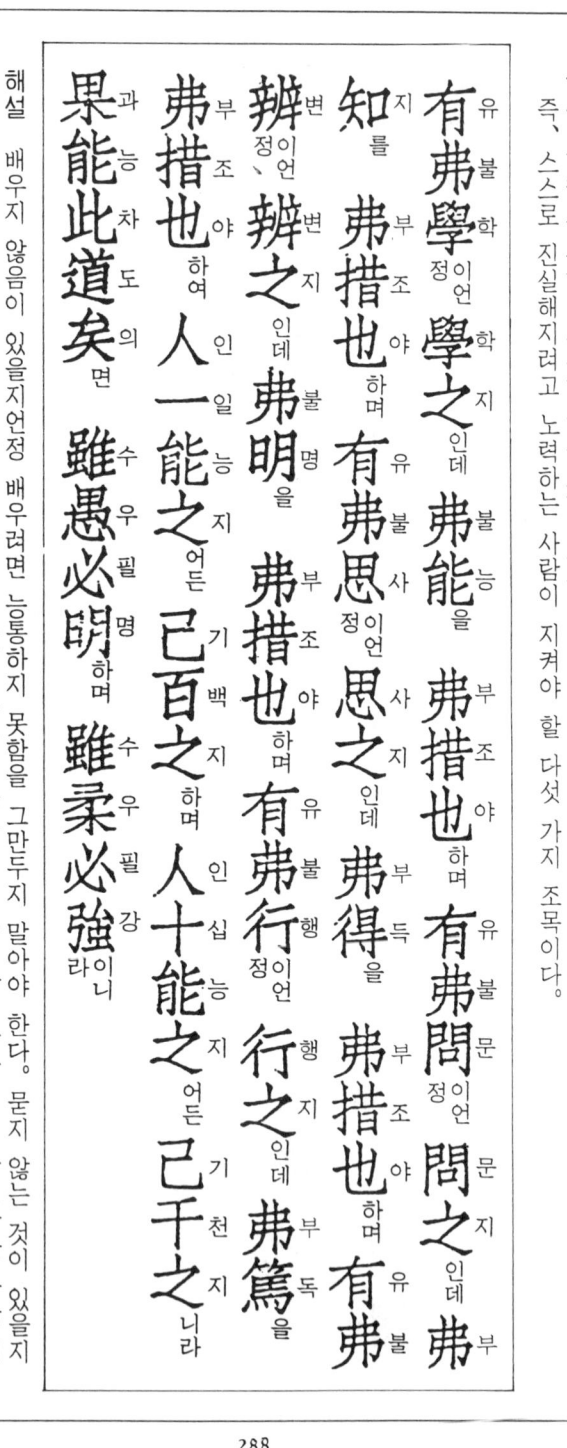

博學之하며 審問之하며 愼思之하며 明辨之하며 篤行之니라

해설: 널리 배우며, 자세하게 물으며, 신중하게 생각하며, 명확하게 판단하며, 착실하게 행할 것이다.
즉, 스스로 진실해지려고 노력하는 사람이 지켜야 할 다섯 가지 조목이다.

有弗學이언정 學之인데 弗能을 弗措也하며
有弗問이언정 問之인데 弗知를 弗措也하며
有弗思이언정 思之인데 弗得을 弗措也하며
有弗辨이언정 辨之인데 弗明을 弗措也하며
有弗行이언정 行之인데 弗篤을 弗措也하여
人一能之어든 己百之하며 人十能之어든 己千之니라
果能此道矣면 雖愚必明하며 雖柔必强이니라

해설 배우지 않았음이 있을지언정 배우려면 능통하지 못함을 그만두지 말아야 한다. 묻지 않는 것이 있을지언정 물으려고는 그만두지 말 것이다. 알지 않고서는 그만두지 말 것이다. 생각하지 않는 것이 있을지언정 생각하려면 그 생각한 바를 얻지 않고서는 그만두지 말 것이다. 분별하지 않는 것이 있을지언정 분별하려면 분명하게 하지 않고서는 그만두지 말 것이다. 행하지 않는 것이 있을지언정 행하려면 착실하여지지 않고서는 그만두지 말 것이다. 아무리 어리석은 사람일지라도 현명해질 것이다. 과연 이 도를 능히 해낸다면 아무리 나약한 사람이라도 군센 사람이 될 것이다.

즉, 남이 한 번에 능통해진다면 나는 열 번이나, 백 번을 되풀이하고, 남이 열 번에 능통해진다면 나는 백 번이나 천 번을 되풀이한다면, 아무리 천성이 어리석은 사람이라도 현명해지며, 기질이 나약한 사람이라도

288

第二十一章(제21장)

自誠明을 謂之性이오 自明誠을 謂之敎이니 誠則明矣요 明則誠矣니라

해설 진실됨으로 말미암아 밝아지는 것을 천성이라고 하고 밝음으로 말미암아 진실해지는 것을 가르친다고 한다. 진실하면 밝아지고 밝으면 진실해진다. 즉, 진실하여서 밝아지는 것을 본성이라 하고, 밝아짐으로로서 진실해지는 것을 교라 하고, 진실되면 절로 선해지고 선해지면 절로 진실해진다는 뜻이다.

주 자명성 : 선에 밝아짐으로 말미암아 진실해짐.

第二十二章(제22장)

第二十三章 (제23장)

唯天下至誠이아 爲能盡其性이니 能盡其性 則能盡人之
性이오 能盡人之性 則能盡物之性이오 能盡物之性 則
可以贊天地之化育이오 可以贊天地之化育 則可以與
天地參矣니라

해설 오직 천하의 지극한 진실이라야 능히 타고난 본성을 다할 수 있다. 그 천성을 다할 수 있으면 능히 사
람의 본성도 다할 수 있고, 사람의 본성을 다할 수 있으면 능히 만물의 본성을 다할 수 있을 것이다. 만물
의 본성을 다할 수 있으면, 하늘과 땅의 조화로 모든 것을 화육을 도울 수 있다. 하늘과 땅의 조화로 모든
것의 화육을 도울 수 있으면 하늘과 땅과 더불어 참여할 수 있다.
즉, 천지는 만물의 생성을 도와 주거니와, 천하의 만민을 덕으로 감화시키는 일은 성인이 이를 도와주는
것이다. 이런 성인이야말로 하늘과 땅과 어깨를 나란히 하여 함께 만물의 화육에 참여하고 있다는 뜻이다.

주 화육 : 나게 하고 자라게 함. 조화육성.

290

其次는 致曲이니 曲能有誠이니 誠則形하고 形則著하고 著則明하고 明則動하고 動則變하고 變則化니 唯天下至誠이아 爲能化라이니

주 치곡 : 부분적인 것을 하나 하나 이루어 나감.

해설 다음은 미흡한 점을 곡진하게 이루는 것이다. 곡진한 데에도 성은 있다. 성실하면 나타나고, 나타나면 뚜렷해진다. 뚜렷해지면 밝아지고, 밝아지면 상대자를 감동시킬 수 있다. 감동시킬 수 있으면 변하게 할 수 있고, 변하게 할 수 있으면 감화시킬 수 있다. 그러나 극진한 성이라야만 감화가 된다. 즉, 성인이 아닌 사람들이 지성에 이르는 길을 설명한 내용이다.

第二十四章 (제24장)

至誠之道는 可以前知니 國家將興에 必有禎祥하며 國家將亡에 必有妖孽하여 見乎蓍龜하며 動乎四體라 禍福將至

해설 지성의 도는 앞 일을 미리 알 수 있다. 한 나라가 장차 흥하려 할 때에는 꼭 좋은 길조가 있으며, 나라가 장차 쇠망하려 할 때에는 반드시 흉조가 있다. 그리하여 점괘에 보여지기도 하며, 모든 동작에도 나타난다. 재앙과 복이 장차 다가옴에, 좋은 일도 반드시 먼저 알 수 있고, 좋지 못한 일도 반드시 알게 된다.

그러므로 지성은 마치 신과 같다.

즉, 지극한 도에 통달한 성인은 사물의 앞일이나 국가의 장래까지도 환히 내다본다는 뜻이다.

第二十五章(제25장)

誠者는 自成也요 而道는 自道也니라 物之始終이니 不誠이면 無物이니 是故로 君子는 誠之爲貴니라 誠者는 非自成己而已也라 所以成物也니 成己는 仁也요 成物은 知也니 性之德也라 合外內之道也니 故로 時措之宜也니라

해설 성은 스스로 이루는 것이요, 도란 스스로 바른 일을 할 수 있는 것이다. 성은 만물의 시작과 마침이다. 성을 하지 못하면 만물이 생기지 않는다. 그러므로 군자는 성을 귀중히 여긴다. 『성』은 스스로의 일만 이룰 뿐 아니라, 모든 만물을 이룰 수 있다. 자신의 일을 이루는 것은 인이요, 사물을 이루는 것은 지가 된다. 이것이 천성의 덕이 되며, 자신과 사물을 통틀어서 되는 도이다. 그런 까닭에 때에 따라 적당하게 할 것이다.

즉, 자기와 아울러 남까지 완성시키는 진실이야말로 인과 지를 합일시키므로, 그의 행동은 자연히 그 때마다에 마땅하여 조금도 어긋남이 없다는 뜻이다.

第二十六章(제 26 장)

故로 至誠은 無息이니 不息則久하고 久則徵하고 徵則悠遠하고 悠遠則博厚하고 博厚則高明이라이니

해설 그런 까닭에 지극한 성은 그침이 없다. 그치지 않으면 오래가고 오래가면 모든 만물에 영향이 미친다. 영원하고 장구하게 된다. 영원하고 장구하게 되면 넓어지고 두터워진다. 넓어지고 두터워지면 높고 밝아진다.

즉, 천지의 지극한 진실을 체득한 성인의 덕행은 잠시도 쉬고 그치는 일이 없이 한결같다. 그렇기 때문에 그 덕이 영원해지고, 그러므로 그 덕이 넓고 두터워지며, 그 덕이 높고 밝게 빛난다는 뜻이다.

博厚는 所以載物也요 高明은 所以覆物也요 悠久는 所

293

以成物也니라 博厚는 配地하고 高明은 配天하고 悠久는 無疆이니

如此者는 不見而章하며 不動而變하며 無爲而成이니라

해설 넓고 두터움은 만물을 싣기 위함이다. 높고 밝다는 것은 만물을 덮기 위함이다. 장구하다는 것은 모든 만물을 생성시키는 것이다. 넓고 두텁다는 것은 땅과 같다. 높고 밝다는 것은 하늘과 같다. 장구하다는 것은 무강하다는 것이다. 이렇게 하는 사람은 보이려 하지 않아도 빛이 난다. 움직이지 않아도 변화된다. 하지 않아도 이루어진다.

즉, 성인의 지극한 진실됨이 이루어내는 박후·고명·수구의 세 가지 덕행을 설명했다.

天地之道는 可一言而盡也니 其爲物이 不貳라 則其生物이 不測이니 天地之道는 博也 厚也 高也 明也

悠也 久也니라

해설 하늘과 땅의 법칙은 한마디로 다할 수 없었다. 그 되어짐이 두 가지가 아니다. 그 만물을 생성시킴이 측량할 수 없다. 하늘과 땅의 도는 넓고, 두텁고, 높고, 밝고, 멀고, 오랜 것이다.

즉, 하늘과 땅의 만물을 다스리는 방법이 오직 진실될 뿐이라는 뜻이다.

今夫天이 斯昭昭之多니 及其無窮也는하여 日月星辰이 繫

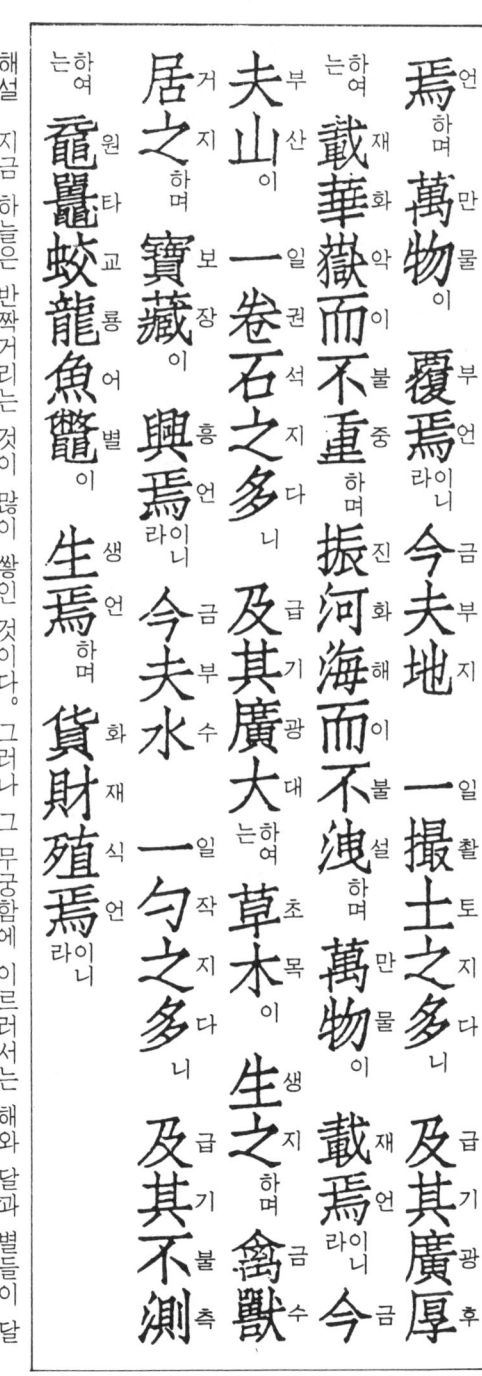

焉하며 萬物이 覆焉라이니 今夫地 一撮土之多니 及其廣厚

하여 載華嶽而不重하며 振河海而不洩하며 萬物이 載焉라이니 今

夫山이 一卷石之多니 及其廣大는하여 草木이 生之하며 禽獸

居之하며 寶藏이 興焉라이니 今夫水 一勺之多니 及其不測

하여 黿鼉蛟龍魚鼈이 生焉하며 貨財殖焉라이니

해설 지금 하늘은 반짝거리는 것이 많이 쌓인 것이다. 그러나 그 무궁함에 이르러서는 해와 달과 별들이 달려 있으며, 만 가지 물체가 덮여져 있다. 땅은 한줌의 흙의 모임이다. 그러나 그 넓고 두터움에 있어서는 커다란 산악을 실어도 무겁지 않으며, 하해를 흘러내리게 해도 새지 않으며, 만물이 실려 있기도 하다. 산은 한 주먹만한 돌의 뭉침이다. 그러나 그 넓고 큰데 있어서는 풀과 나무가 자라나며, 새와 짐승이 살고 있으며, 금은과 주옥이 생산된다. 물은 한 방울의 모임이다. 하지만 그 한량 없는데 있어서는 모든 생선과 용과 자라가 생산되며, 보화와 재물들이 불어난다.

즉, 하늘과 땅의 도가 오로지 진실함을 극진히 이루고 있기 때문에, 각각 만물을 나고 자라게 한다는 뜻이다.

詩云 維天之命이오 於穆不已니라하 蓋日天之所以爲天

也요 於乎不顯 文王之德之純하니 蓋日文王之所以爲

이다.

文也_{문야}니 純亦不已_{순역불이}니라

해설 《시경》에 말하기를, 「오직 하늘의 명령은 깊고 멀어서 그침이 없다」 하였다. 이것이 대개 하늘이 하늘이 된 까닭을 말한 것이다. 또 「아아! 뚜렷하지 않은가? 문왕의 덕이 한결같음이여!」 하였다. 이것은 문왕이 문왕이란 시호를 받은 것이 순후하고 성실한 데에 그치지 않은 것을 말한 것이다. 즉, 문왕의 덕이 오직 진실 그대로이기 때문에 그 덕이 하늘의 도처럼 끊어지지 않고 오래일 수 있다는 뜻이다.

第二十七章 (제27장)

大哉_{대재}라 聖人之道_{성인지도}여 洋洋乎發育萬物_{양양호발육만물}하여 峻極于天_{준극우천}이로다 優_우

優大哉_{우대재}라 禮儀三百_{예의삼백}과 威儀三千_{위의삼천}이로 待其人而後_{대기인이후}에 行_행라이니

故_고로 曰苟不至德_{왈구부지덕}이면 至道不凝焉_{지도불응언}이라이니

해설 위대하도다! 성인의 도여. 한없이 폭넓게 만물을 생성하게 하여 높기가 하늘에 닿을 듯하도다. 넉넉하게 크기도 하다. 예의가 3백이요, 위의가 3천이로다. 그러한 성인을 기다린 뒤에야 행해지는 것이다.

그런 까닭에 말하기를, 「진실로 지극한 덕이 아니면 지극한 도는 뭉칠 수 없다.」한다.

즉, 성인의 도가 지극히 크면서도 자세한 데까지 이르지 않는 데가 없어 천지의 도와 같다는 뜻이다.

故로 君子는 尊德性而道問學이니 致廣大而盡精微하며 極

高明而道中庸하며 溫故而知新하며 敦厚以崇禮니라 是故로

居上不驕하며 爲下不倍라 國有道에 其言이 足以興이오 國

無道에 其默이 足以容이니 詩曰 旣明且哲하여 以保其

身하니라 其此之謂與인데

第二十八章 (제28장)

해설 그런 까닭에 군자는 덕성을 존중하고 학문을 인도하게 할 것이다. 넓고 큰 것을 목표로 하여 정미함을 다하고, 높고 밝은 것을 목표로 하되 중용으로 할 것이다. 옛 것을 익히고 새 것을 알며, 돈후함으로써 예의를 높일 것이다. 그러므로 윗자리에 처하여도 교만하지 않아야 하고 아랫사람이 되어서는 배신하지 않아야 한다. 나라가 바로잡힐 때에는 그 말이 능히 행할 수 있게 되며, 나라가 혼란할 때에는 그 침묵이 화를 면하기에 족하다. 〈시경〉에 말하기를, 「사람이 밝고 슬기로와야 그 한몸을 보전한다」한 것이 이것을 두고 한 말이다.

즉, 지극한 덕을 이루는 길을 설명했다.

子曰 愚而好自用하며 賤而好自專이오 生乎今之世하여 反
古之道면 如此者는 裁及其身者也니라

해설　공자께서는 말하기를, 「어리석으면서 제 주장을 세우기 좋아하며, 천한 몸으로 저 혼자 하기를 주장하고, 지금 세상에 나서서 옛날 법도를 고치려 하면 이런 사람에게는 재앙이 그 몸에 미치게 된다.」

즉, 자기의 능력과 처지에 지나치는 행동을 하면 반드시 재앙을 입게 된다는 뜻이다.

라니

非天子면 不議禮하며 不制度하며 不考文이니 今天下 車同
軌하며 書同文하며 行同倫이니 雖有其位나 苟無其德이면 不敢
作禮樂焉이며 雖有其德이나 苟無其位면 亦不敢作禮樂焉
라니

해설　천자가 아니면 예의를 논의할 수 없으며, 법도를 제정하지 못하며, 서적을 고정하지 못한다. 지금 천하의 수레는 꼭 같은 궤도이며 사용하는 문자는 문장이 같고, 행동하는 의식이 같다. 비록 그만한 지위에 있더라도 진실로 그만한 덕이 없으면 감히 예악을 제정하지 못한다. 비록 그만한 덕이 있더라도 그만한 지위가 아니면 역시 예악을 제정하지 못한다.

즉, 천자만이 예법의 옳고 그름을 따져 그 옳고, 그름과 새로 만드는 글자 등을 정할 수 있고, 모든 법도를 제정할 수 있고, 글자를 고정하여 그 옳고, 그름과 새로 만드는 글자 등을 마음대로 고칠 수 있는 것이다. 그러나, 아무리 천자라 할지라도 덕이 뛰어난 성인이 아니라면 예·도·문을 마음대로 고치지 못한다는 뜻이다.

子曰 吾說夏禮나 杞不足徵也요 吾學殷禮하니 有宋存焉니와 吾學周禮하니 今用之라 吾從周하리

해설 공자가 말하기를, 「내가 하나라 시대의 예제를 말할 수 있으나 기나라만으로는 부족하다. 내가 은나라 시대의 예제를 배우려 하는데 그 뒤에 송나라가 있기는 하나 나는 주나라의 예제를 배우려 한다. 지금 사용되고 있는 것이니, 나는 주나라를 따르겠다.」

즉, 공자께서는 성인이었으되 천자의 지위에 있지 않았기 때문에 예악의 제도를 고치지 않고, 또 옛 왕조들의 제도로 돌이키지 않고서, 자신이 살고 있던 당시의 주나라의 제도를 따랐다는 뜻이다.

第二十九章 (제 29 장)

王天下 有三重焉이니 其寡過矣乎인저 上焉者는 雖善이나 無徵이니 無徵이라 不信이오 不信이라 民弗從라이니 下焉者는 雖善이나 不尊이니 不尊이라 不信이오 不信이라 民弗從라이니

299

해설 천하를 다스림에, 세 가지 중요한 것이 있다. 그대로만 하면 잘못이 적을 것이다. 지나간 시대의 것은 비록 잘된 것이라도 증명할 수가 없다. 증명할 수가 없으니 믿지 못하고, 믿지 못하니 백성들이 따르지 않는다. 아랫사람은 비록 잘할 수 있다 하더라도 지위가 높지 못하다. 지위가 높지 못하니 백성이 따르지 않는다. 즉, 주의 제도가 아무리 완벽했다 할지라도 고치고 새로 제정해야 할 것들이 많았겠지만, 천자 자리에 있는 사람들이 어리석어 이를 해내지 못하고, 성인이 있었지만 천자의 지위를 얻지 못하였으므로 이 중대한 일을 해낼 수 없었다는 뜻이다.

故(고)로 君子之道(군자지도)는 本諸身(본저신)하여 徵諸庶民(징저서민)하며 考諸三王而不(고저삼왕이불)

繆(류)하며 建諸天地而不悖(건저천지이불패)하며 質諸鬼神而無疑(질저귀신이무의)하며 百世以俟(백세이사)

聖人而不惑(성인이불혹)이니 質諸鬼神而無疑(질저귀신이무의)는 知天也(지천야)요 百世以俟(백세이사)

聖人而不惑(성인이불혹)은 知人也(지인야)니라

해설 그러므로 군자의 도는 자신을 근본으로 하여 여러 백성들에게 시험해 보며 삼왕에게 비추어보아 그릇된 것이 없고, 천지에 세워두어도 어긋남이 없고, 귀신에게 물어보아도 의심되는 것이 없으며, 백대 뒤의 성인을 다시 만나도 의혹을 받지 않는다. 귀신에게 물어보아도 의심이 없다는 것은 하늘을 안다는 것이고, 백대 뒤의 성인을 다시 만나도 의혹을 받지 않는다는 것은 사람을 아는 것이다.

즉, 법도를 능히 행하여 성왕이 되는 길을 말했다.

是故(시고)로 君子(군자)는 動而世爲天下道(동이세위천하도)니 行而世爲天下法(행이세위천하법)하며

仲尼(중니)는 祖述堯舜(조술요순)하시고 憲章文武(헌장문무)하시며 上律天時(상률천시)하시고 下襲水土(하습수토)

辟如天地之無不持載(비여천지지무불지재)하며 無不覆幬(무불부도)하며 辟如四時之錯(비여사시지착)

言而世爲天下則(언이세위천하즉)이라 遠之則有望(원지즉유망)이오 近之則不厭(근지즉불염)이니 詩(시)

曰(왈) 在彼無惡(재피무오)하며 在此無射(재차무역)이라 庶幾夙夜(서기숙야)하니 以永終譽(이영종예)니라하

君子未有不如此而蚤有譽於天下者也(군자미유불여차이조유예어천하자야)니라

해설 그러므로 군자는 세상에서 행동만 하여도 천하의 법칙이 된다. 행하면 천하의 법도가 되며, 말하면 천하의 본보기가 된다. 그래서 멀리에서는 기대함이 있고 가까이 있어서도 싫어하지 않는다. 〈시경〉에 말하기를, 「저기서도 미워하는 이가 없고 여기서도 싫어하는 이가 없다. 밤낮으로 이렇게 해서 영원한 칭찬을 받으리라.」하였다. 군자는 이와같이 천하에 이름을 낸 사람은 없다.

즉, 천자이면서 능히 성인의 덕을 갖춘 사람이 행하는 도는 곧 천하의 도가 됨을 설명하였다.

行하며 如日月之代明이니

해설 중니는 멀리는 요순을 이어받고, 가까이는 문왕과 무왕을 본받았다. 위로는 하늘의 운명을 따랐고 아래로는 물과 흙을 따랐다. 비유하면 마치 하늘과 땅이 실어주고 덮어 주지 않은 것이 없는 것과 같다. 마치 1년 사철의 엇갈리는 것과 같고 해와 달이 번갈아 밝은 것과 같다. 즉, 공자의 덕이 지극한 경지에 이르러 능히 삼왕에 견주어도 모자람이 없고, 천지의 도에 견주어도 조금도 어긋남이 없어, 능히 성인의 도를 이루고 있음을 설명했다.

萬物이 並育而不相害하며 道는 並行而不相悖라 小德은 川流요 大德은 敦化니 此天地之所以爲大也니라

해설 만물이 함께 생성되어도 서로 방해되지 않고, 도는 함께 행하여도 서로 거슬리지 않아야 한다. 작은 덕은 냇물이 흐르는 것과 같고, 큰 덕은 독실하고 감화시킨다. 이것이 하늘과 땅의 위대한 일이다. 즉, 성인의 위대한 덕은 천지가 만물을 화육함과 일치하여, 능히 천하만민을 교화시킨다는 뜻이다.

第三十一章(제31장)

唯天下至聖이아 爲能聰明睿知 足以有臨也니 寬裕溫

溥博淵泉하여 而時出之니라 溥博은 如天하고 淵泉은 如淵이라 見而民莫不敬하며 言而民莫不信하며 行而民莫不說이니

桑 足以有容也이며 發强剛毅 足以有執也이며 齊莊中正 足以有敬也이며 文理密察이 足以有別也니라

해설 오직 천하의 지극한 성인이라야 총명과 예지가 군림할 수 있다. 너그럽고 넉넉하고 온순하고 부드러운 것이 포용성을 가질 수 있다. 힘차고 굳세고 강직하고 거룩한 것이 신념을 가질 수 있다. 빛이 나고 조리 있고 세밀하고 살피는 것이 족히 밝게 판단할 수 있다. 즉, 공자와 같은 위대한 성인의 덕이야말로 모든 도에 절로 맞아 들어가, 능히 천하만민을 다스릴 수 있다는 뜻이다.

해설 넓기가 한이 없고, 깊기가 한이 없으면서도 때때로 겉으로 나타난다. 넓기가 한없음은 하늘과 같고, 깊기가 한없음은 못과 같다는 것이다. 보이기만 해도 백성들이 공경하지 않는 이가 없으며, 말만 해도 백성들이 믿지 않는 자가 없으며, 행동만 해도 백성들이 기꺼워하지 않는 즉, 성인의 덕은 한없이 깊고 넓어 능히 천하의 만민을 덕으로 다스릴 수 있다는 뜻이다.

주 민박불열 : 백성들이 기뻐하지 않는 사람이 없음. 백성들이 다 만족해 함.

是以로 聲名이 洋溢乎中國하여 施及蠻貊하여 舟車所至와

人力所通과 天之所覆와 地之所載와 日月所照와 霜露
所隊에 凡有血氣者 莫不尊親하니 故로 曰配天이니

주 배천:하늘을 짝함.

해설 이리하여 그의 명성이 중국에 넘쳐서 오랑캐에게까지 뻗친다. 바다와 육지와 사람이 다닐 수 있는 곳과 하늘과 땅 사이와 해와 달이 비치는 곳과 서리와 이슬이 내리는 곳에, 모든 혈기를 지닌 자는 존경하고 친하려 하지 않는 이가 없다. 그런 까닭에 하늘과 짝을 한다고 한다. 즉, 성인의 위대한 덕은 만물을 길러내는 하늘의 덕에 필적한다는 뜻이다. 그 덕이 하늘과 같이 넓고 큼의 뜻.

第三十二章(제32장)

唯天下至誠이아 爲能經綸天下之大經하며 立天下之大本하며
知天地之化育이니 夫焉有所倚리오 肫肫其仁이며 淵淵其
淵이며 浩浩其天이라니 苟不固聰明聖知達天德者면 其孰能

해설 오직 천하의 지성이고서야 능히 천하의 대경을 경륜할 수 있고, 천하의 대본을 세울 수 있으며, 하늘과 땅의 화육함을 알 수 있다. 어찌 누구에게 의지하는 데가 있으랴. 간절한 그 인이며, 깊숙한 그 못이며, 넓기 또한 그 하늘이다. 진실로 총명과 밝음과 거룩함과 아는 것이 하늘과 같은 덕에 도달하지 않으면 그 누가 알겠는가.

즉, 성인의 지극한 진실이라야 능히 천하를 바르게 다스릴 수 있다는 뜻이다.

第三十三章(제33장)

詩曰 衣錦尙絅하니라 惡其文之著也라 故로 君子之道도

闇然而日章하고 小人之道는 的然而日亡이니하나 君子之道도

淡而不厭하며 簡而文하며 溫而理니 知遠之近하며 知風之

自하며 知微之顯이면 可與入德矣리라

해설 〈시경〉에 말하기를, 「비단옷 위에 삼베옷을 입었도다」하였다. 이것은 그 비단의 번쩍임이 드러나는 것을 꺼려함이다. 그러므로 군자의 도는 보이지 않는 것 같으나 날로 사라 그러진다. 군자의 도는 담담하면서도 싫지 않으며 간소하면서도 빛이 있고 온후하면서도 빛이 있고 조리가 있다. 먼데 것은 가까운데서 비롯되는 것을 알고, 바람의 오는 방향을 알고, 은미함이 뚜렷해짐을 안다면 가히 덕에 들어갈 수 있다.

즉, 군자는 덕을 안으로 쌓기에 충실하여, 그 덕이 절로 밖으로 흘러나온다는 뜻이다.

詩시 云운 潛잠雖수伏복矣의나 亦역孔공之지昭소니라하고 故고로 君군子자는 內내省성不불
疚구하여 無오惡어지於志니 君군子자지之所소不불可가及급者자는 其기唯유人인之지所소不불
見견乎호인데

해설 〈시경〉에 말하기를, 「비록 잠겨서 숨겨져 있으나 역시 환하게 보이는 구나.」하였다. 때문에 군자는 자신을 반성하여 잘못된 것이 없으면 마음속에 부끄러운 것이 없으나, 군자로서 미처 하지 못하는 것은 바로 남들이 보지 않는 그곳인 것이다. 즉, 군자의 덕은 깊이 숨겨져 있어도 밝게 드러나고, 사람들은 그 덕을 온전히 이해하지 못하여 군자를 따라갈 수 없다는 뜻이다.

詩시 云운 相상在재爾이室실한데 尙상不불愧괴于우屋옥漏루니라하고 故고로 君군子자는 不부
動동而敬경하며 不불言언而信신이라이니

해설 《시경》에 말하기를、「네가 방안에 있을 때를 본대도 방 구석이 부끄럽지 않으리라」하였다. 때문에 군자는 움직이지 않아도 공경하며 말을 하지 않아도 미더워진다. 즉、홀로 있을 때라도 항상 공경하는 마음과 신의 있는 마음을 지니어、방우석에까지라도 부끄럼이 없어야 한다는 뜻이다.

詩曰(시왈) 奏假無言(주격무언)하여 時靡有爭(시미유쟁)이라 是故(시고)로 君子(군자)는 不賞(불상)
而民勸(이민권)하며 不怒而民威於鈇鉞(불노이민위어부월)이니

해설 《시경》에 말하기를、「신명에게 말없이 빌어서 그때에 다툼이 없다.」했다. 때문에 군자는 상을 주지 않아도 백성들은 힘쓰며、성을 내지 않아도 백성들은 도끼보다 두려워한다.
즉、위대한 덕으로는 백성들이 절로 다스려지게 된다는 뜻이다.

詩曰(시왈) 不顯惟德(불현유덕)을 百辟其刑之(백벽기형지)니라하시고 是故(시고)로 君子(군자)는 篤(독)
恭而天下平(공이천하평)이니라

해설 《시경》에 말하기를、「나타나지 않은 덕이라도 수많은 제후들은 그대로 본받는다」하였다. 때문에 군자는 공경을 두터이 함에 천하가 화평해진다.
즉、천자가 덕을 두터이 쌓으면 천하가 절로 다스려진다는 뜻이다.

詩云(시운) 予懷明德(여회명덕)의 不大聲以色(불대성이색)늘이거 子曰(자왈) 聲色之於(성색지어)

以化民에 末也라시니

해설 《시경》에 말하기를, 「나의 밝은 덕을 큰 소리로 빛내려 생각지 않는다」하였다. 공자는 말하기를, 「자신을 자랑하고 잘 보이려 하는 것은, 백성을 감화시키는 데는 말단이다.」했다.

즉, 백성을 덕으로 다스림은 근본이요, 말과 낯빛으로 나타내어 다스림은 정치의 말단이라는 뜻이다.

詩曰 德輶如毛니라 毛猶有倫이어니와 上天之載 無聲無臭아 至矣니라

해설 《시경》에 말하기를, 「덕은 가볍기가 털과 같다」하였다. 털은 오히려 비교라도 할 수 있으나, 위에 실려 있는 하늘은 소리도 냄새도 없어야 지극하다.

즉, 위대한 덕은 전혀 자취조차 없어 보고 들을 수도 없되, 그 작용이 위대하다는 뜻이다.

주 덕유여모 : 덕은 가볍기가 터럭과 같음. 눈으로 볼 수 없음의 뜻.
지 : 지극한 덕. 지덕.

논어·대학·중용

논어 대학 중용
2016년 7월 10일 발행
2024년 12월 01일 3쇄 발행
편저자: 편집부
발행인: 유건희
발행처: 삼성서관
등록: 제18-71호
공급처: 가나북스(경기도 파주시 율곡로 1406)
전화: 031-959-8833
팩스: 031-959-8834
정가: 18,000원
*잘못된 책은 교환하여 드립니다.